Hollywood Wants To Kill You

The Peculiar Science of Death in the Movies

Rick Edwards
Dr Michael Brooks

ハリウッド映画に学ぶ
「死」の科学

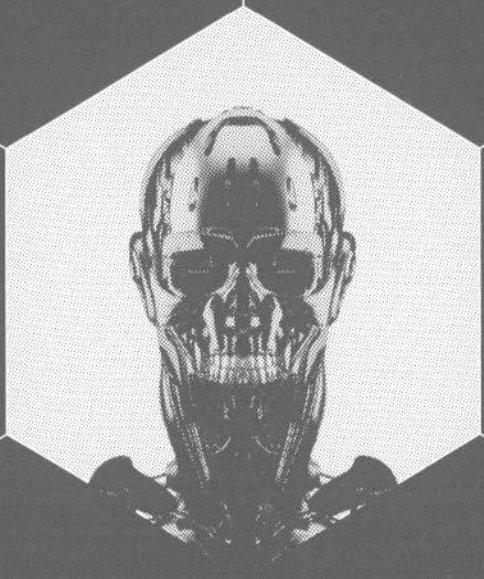

リック・エドワーズ
マイケル・ブルックス
藤崎百合 訳

草思社

ハリウッド映画に学ぶ
「死」の科学

Hollywood Wants To Kill You
The peculiar Science of Death in the Movies

Japanese translation published by arrangement with PEW Literary Agency
through The English Agency (Japan) Ltd

はじめに

本書は、次の2つの文章が当てはまる人を対象としている。

- いつかは死ぬ。
- 映画を観るのが好き。

まず指摘しておきたいが、この本を読んでも、あなたが最終的に死ぬことには変わりない。著作を通してできることには限度というものがある。私たちくらい優れた書き手でもね。私たちの目標は、もう少し控えめだ。ハリウッドの助けを借りて、読者をよりよい存在に変えられるんじゃないかと思っている。だから、さっきの2つの文章に当てはまる人は、ぜひ読み続けてほしい。

本書は、そうは見えないかもしれないけれど、自己啓発書なんだ。もちろん、いかにも自己啓発という感じのタイトルではないことは私たちにもわかっている。『よりよい人生を送るための6つの方法――やけに値の張るポップコーンと微妙なナチョスを頬張りながら、避けがたい死についてとりつかれたように考えよう』だとか『ハリウッドを活用して永遠に生きる（愛する人の心のなかで）』なんて本ではない。だが、私たちが考案した次の3段階のプログラムに従えば、あなたはよりよい人間に変われるのだ。

- 第1段階として、映画を何本か観ること。簡単だよね？
- 第2段階もかなり簡単だ。それらの映画が死を取り入れているさまざまな方法について、私たちの解説を読むこと。
- 第3段階はちょっと大変かな。実際に、自分の死に直面する必要があるからね。

ここでいいお知らせがある。第3段階はオプションなので、実行するかどうかは自分で決めていい。第2段階を修了した時点で、あなたはすでによりよい人間になっている。なぜかって？　第1段階と第2段階を終えることで、映画の至るところに死が散りばめられていることに気づくはずだから。実際は、本当に「ハリウッドがあなたを殺したがっている（本書原題：Hollywood wants to kill you）」わけじゃない。むしろ、ハリウッドには選択の余地がないと言うべきだろう。殺すぞと脅すのは、他者の注意を引くための方策だからね。ハリウッドは、どんな手を使っても、あなたに見てもらいたがっているってことなんだ。

優れた脚本家と監督なら誰でも知っていることだが、人間には、死に直面するような経験を、欲し、愛し、渇望するという部分がどこかしらに組み込まれている。誰もが鉄くさい血のにおいを嗅ぎたがっているんだ（少なくとも比喩的には）。脅威に直面したときに分泌されるアドレナリンが、私たちの生きがいにもなる。逆説的だが、脅威があるからこそ生命を実感できる。それによって、私たちはよりよい人間へと変わり、人生を謳歌《おうか》するようになるのだ。

そんなわけで、人間のあらゆる文化において、死の危険を軸として展開する物語が語られてきた。歴史や対話の記録があれば、そこには必ず、死にまつわる物語がある。記録に残る世界最古の物語は、4000年ほど前に粘土板に記された詩の集まりで、『ギルガメシュ叙事詩』として知られている。どんな話かって？　死を恐れた王が不死を追い求める冒険譚だ。それ以降につくられた最高に魅力的な物語の数々も、その多くは、英雄が恐ろしい怪物と命懸けで戦うという筋書きをもつ。たとえば、ベオウルフ対グレンデル、テセウス対ミノタウロス、そして、ロッキー対イワン・ドラゴといった具合に。

死すべき運命をテーマとした物語に対する人々の欲求が、ハリウッドを形作ってきた。映画の冒頭あたりで死に関わる描写に出くわすことが多いのは、そのためだ。『バンビ』ではバンビの母親が死ぬし（悲しい）、『美女と野獣』のベルには母親がいない。実際のところ、ディズニー映画では主人公のほとんどが親を亡くしていて、レーティングで子どもの鑑賞が許されているのが不思議なくらいだ。ディズニー映画では、毎回のように、底意地の悪い養父や邪悪な継母、優しいけれど無能なおじさんやおばさんなどが登場する。

また、『アナと雪の女王』から『スター・ウォーズ』に至るまで、驚くほど多くの映画で、ストーリーの展開に亡くなった親族が関わっている。

そしてハリウッドにおいては、死がどこか遠くに追いやられることは決してない。死の影がちらつくからこそ、観客の映像体験が強烈なものとなるからだ。そのために、主人公たちは、死すべき自身の運命に相対し、自身や家族、コミュニティー、惑星、さらには銀河全体の存続をも揺るがす脅威に立ち向かわねばならない。死をもたらす怪物がどんな形をとろうとも――ウイルスやサメ、小惑星、人間を殺しまわるエイリアン、あるいは古典的な、ナイフを振り回すサイコなどいろいろありえるが――いつだって、すぐそばまで迫っているのだ。

これを素晴らしいとは思えないかもしれないが、実は、素晴らしいことである。その理由のひとつが、おかげで堂々と科学を探求できるということ。科学による試みの多くは、実際のところ、死を避ける方法を見つけるのが目的だ。だからこそ、本書には科学者の功績や洞察が詰まっているのだ。科学者たちは、小惑星の脅威はないかと宇宙空間に目を凝らす。また、死そのものの解明にも取り組んでいる。生命の終わりを意味するのは、心臓の鼓動が止まったときなのか、それともＭＲＩ（磁気共鳴画像法）で脳を検査しないとわからないのか？　捕食動物はどう進化してきたのか、どうやって獲物を殺すのか、捕食動物を避けるにはどうすればいいのかといったことは、人類史のほぼすべてにおいて大きな研究テーマであり続けてきた。一方、とても現代的な問いかけもある。たとえば、現代的な素材であるプラスチックが環境に放出する人工的なホルモンのせいで、人類という種全体が危険にさらされているのではないか。気候変動はまもなくある転換点に達して、地球はカオス状態へと突入するのではないか。現在、人類に蔓延している不眠によって、人々の精神が破壊されるのではないか。人類史で最大級の被害をもたらしたパンデミック［訳註：1918年の「スペインかぜ」流行］からおよそ100年経った今、ウイルスによる人類存続の危機に対して、私たちはいったい何ができるだろうか。病気や死は避けられないものなのか、それとも私たちは、あらゆるものの治療が可能となる転換期にいるのだろうか？

実際に、ハリウッドが死にとりつかれていることによって、私たちみんなが恩恵を受けている。科学者にわかっていることがあるとすれば、人間は死を思うからこそ物事を成し遂げるということだ。理由は明らかだろうが、ほとんどの医療の進歩は、根底にこの動機がある。さらには、農業、建設産業、服飾、そして軍事的な必要から始まったあらゆる技術革新の根底にも、この動機がある。文明とは、多くの点において、不安を伴う死との関係からもたらされた副産物なのだ。

だが、実は、人間と死の関係には、それ以上に深いものがある。さまざまな科学実験が示すところによると、容赦なく死を考えさせられることによって、他者に対する振る舞いが改善されるというのだ。ある研究で、慈善事業に対する考え方をさまざまな人に尋ねたところ、葬儀場のそばで質問を受けた人は、他の場所で質問を受けた人と比べて、慈善活動への貢献をより高く評価したという。死を想起させられると、人は、富や名声を追い求める姿勢を退けて、暮らしのなかの人間関係や、よりよい人間になることを大切に思うようになるのだ。

実際に、避けられない自分の死を考えさせられると、私たちはより長く残る遺産となるもの、たとえば本や映画をつくったり、自分のことを思い出してくれる家族をつくろうと努力し始める。ドイツ人の被験者に自身の死すべき運命を思い起こさせる実験をしたところ、子どもを欲しいと言い出す確率が高まったという。

そんなわけで、本書は自己啓発書なのだ。ハリウッドがあなたを殺そうとするさまざまな方法を詳しく述べることで——少なくとも、死についてあなたにじっくりと考えてもらうことで——最終的には、あなたはあらゆる形でよりよい存在になる。かつて、マハトマ・ガンジーはこう言った。「明日死ぬと思って生きなさい。永遠に生きると思って学びなさい」。本書では、あなたがその両方を実践するためのお手伝いをしよう。

礼には及ばないからね。

リックとマイケル

ハリウッド映画に学ぶ
「死」の科学

目　次

第3章 ハリウッドに殺されるその方法は……捕食動物！

第1章

ハリウッドに殺される その方法は……

ウイルス!

「誰とも話さず、絶対に誰にも触らないこと」

――『コンテイジョン』(2011年)

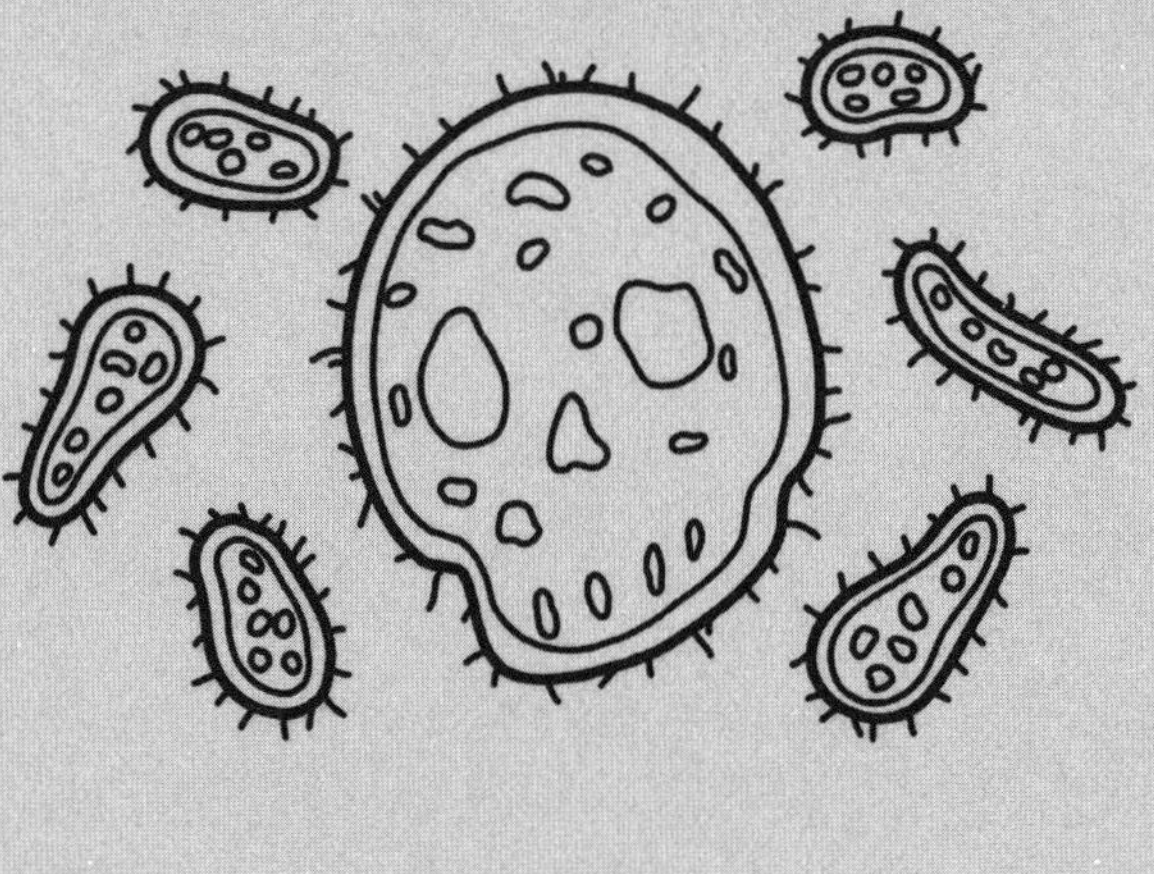

映画『コンテイジョン』では、インフルエンザに似た未知のウイルスへの感染が、香港で発生する。香港に出張していたアメリカ人女性は感染直後に帰国し、ウイルスをアメリカへと持ち込む。それが恐ろしい悲劇の幕開けとなった。まもなくしてその女性と息子が死亡し、疾病対策を担当する政府当局は、世界が致死的なパンデミックに直面していることに気づくのだった。

ハリウッドでは人類を一掃するさまざまな方法が考案されているが、世界的パンデミックは恐ろしさという点で最たるものだろう。なぜなら、一番現実的に起こりそうだからだ。世界的な健康問題の専門家たちは、『コンテイジョン』のプロットがとてもよくできており、人類が運悪く凶悪なウイルスに遭遇した場合にいかにも起こりそうなシナリオだと称賛した。この映画を真剣に観たほうがいい。映画によって命を救われるかもしれないのだから。［訳註：本書の原書は、新型コロナウイルス感染症のパンデミック以前、２０１９年10月に刊行された。］

ウイルスはどのように働くのか？

『コンテイジョン』のインフルって、そんなにひどい死に方でもないよね。

ウイルスのせいで肺が溶けるのに？　僕なら絶対に「ひどい死に方」として認定するけど。

まあ聞いてよ。僕はインフルになるたびに、もう死ぬもう死ぬって周りに言うんだけど、みんなに馬鹿にされるんだよね。

つまり、君の言葉を信じない人が間違っていることを証明したいと。それだけのために、喜んでインフルで死ぬってこと？

そんなふうにまとめられると馬鹿みたいだな。でもそうなんだ。死んでみせようじゃないか。

なんというか、君はものすごくちっちゃい男だなあ。

『コンテイジョン』のキャッチコピーは「恐怖は、ウイルスより早く感染する」だが、実際にはこれは誤りだ。ほぼ間違いなく、ウイルスのほうが早く拡散するだろう。パンデミックに際して、恐怖に震え上がった人々が感染リスクを避けるためにあらゆる手段を講じても、まだ足りない。残念ながら、ウイルスは人類との戦いに勝つように進化してきた。ウイルスが恐怖より早く広がるのは、そのためだ。

ウイルスとは尋常ではない「もの」である。なぜ「もの」と表現したかというと、ウイルスが何であるのか、正確にはわかっていないからだ。生物学者の間でも、ウイルスが生物なのか非生物なのかで見解は分かれる。ウイルスは、化学と生物学の境界線上に居座ったまま、恐ろしく攻撃的な構えを見せているのだ。

おそらく、ウイルスのことは、DNAで書かれたコンピュータープログラムだと見なすのが一番だろう。ＤＮＡとは生物機械を複製するために使われる分子だ（ＤＮＡとよく似た化学物質ＲＮＡで書かれているウイルスもある）。プログラムはたとえばこんな感じだ。

1　あちこちうろついて、自分のＤＮＡ鎖（またはＲＮＡ鎖）を複製できる分子機械を見つける。
2　その分子機械を乗っ取る。
3　自分のＤＮＡ（またはＲＮＡ）を複製して、それを保護するためのタンパク質の殻をつくる。
4　それらを組み立てて、新たなウイルス粒子を完成させる。
5　今いる場所から出て行く。
6　1に戻る。

ウイルスそのものは邪悪ではない。人間に害を及ぼすつもりなどないのだ。単にこのプログラムを順に実行しているだけなのだが、どうしても人間に害を与えてしまう。というのも、彼らが探すこの分子機械は、私たちの細胞のなかにあるからだ。細胞に侵入し、機械を乗っ取り、細胞から脱出するという行動こそが、荒廃をもたらす。ウイルスが申し訳なく思っているなどと言いたいわけではなく、悪意はないということだ。彼らは実際には私たちに無関心である。

人間は、彼らにとってごちそう（第3章参照）でもなければ脅威（第4章参照）でもない。便利な消耗品にすぎないのだ。

話を進める前に断っておこう。取り上げた映画はウイルス感染をテーマとした『コンテイジョン』だが、本章では細菌感染も一緒に扱っている。どちらも命に関わる感染症だ。中世ヨーロッパで猛威をふるった黒死病は、ウイルスではなく細菌が原因だったが、これまでのどのウイルスの流行よりも深刻な被害をもたらした。だが、少なくとも今日では、細菌感染に対してはある程度の防御策がある。

その防御策とは、抗生物質として知られるものだ。確かに、今ある抗生物質は一部の細菌に対して効果がない（そして細菌によってはすべての抗生物質に対して耐性をもつものもあり、これは特別な形での脅威となっている）。一方で、ウイルスを殺すための技術的な特別兵器は存在しないまったくないのだ。ウイルスによっては増殖を抑制する抗ウイルス薬があるし、私たちの免疫システムはある程度ウイルスに応戦できるが、ウイルス感染に対処できる特効薬はない。そんなわけで、あなたが風邪をひいたときには、お医者さんから「とにかく休息をとるように」「何度頼まれても抗生物質は効かないから出しませんよ」などと言われるのだ。自分の体の自然な防御力を高めて、最大限の効果が発揮されますようにと願うくらいしかできない。

皮肉なことに、実はウイルスにも、人体に対抗する防御メカニズムがある。その主なものが姿を隠す能力だ。ウイルスが無情にも複製しようと頑張っているDNAは、タンパク質できた「カプシド」という殻で囲まれていて、私たちの免疫系はこの殻を異物だとは認識しない。私たちの体がウイルスの存在に気づくのは、カプシドの殻から突き出たロリポップみたいな形の鉄梃《かなてこ》によって、細胞壁をこじ開けられてからなのだ。

インフルエンザウイルスを例にとろう。科学者がH1N1だの、H5N2だのと言っているのを聞いたことがあるかもしれないが、この「H」が、さっきのロリポップみたいな鉄梃だ。この分子の名前はヘマグルチニンで、さまざまな形状をとりうる。そして、形状ごとに番号が振られている。たとえば1918年に流行した「スペインかぜ」の場合はH1だ。1968年にはH3のウイルスが香港で猛威を振るった。20世紀以降、インフルエンザのパンデミックが発生するたびに、新しいHが世界中に広まることとなった。

コラム　事態の深刻度は何でわかる？

『コンテイジョン』の前半、疾病対策の担当者が集まって何が起こりうるかを議論する場面がある。彼らが重要視しているのがR_0、すなわち基本再生産数だ。これは、1人の感染者から新しく何人に感染するかを示す指標だ。値の算出は、すでに大規模な流行が起こっている状態での観察に基づいて行われる。結果は、予防接種を受けた人の割合や地域の生活条件などの要因によっても変わる。R_0が10ならば、1人の感染者から10人に感染が広がるということだ。R_0が1より小さいのが理想であり、その場合、疾病はかなり急速に収束する。1918年のスペインかぜでは、R_0は1・4〜2・8であり、2014年のエボラ出血熱の原因ウイルスでも同程度の数字だった。しかし、この指標だけを気にすればいいというわけではない。H5N1型の鳥インフルエンザは空気感染しないのでR_0は1より小さいのだが、恐ろしいほど致死率が高く、感染者の66%が死亡する。スペインかぜでの死亡率は1918年の流行当時で10〜20%にのぼったとの説もあるが、これがちっぽけに見えるほどだ。

もうひとつの「N」はというと、ノイラミニダーゼの頭文字だ。この分子は、新しく複製したウイルス粒子を、組み立て現場の細胞から外へと出すように進化した。いわば、細胞壁を切り開くガラスカッターの役割を果たすのだ。この分子にもさまざまな種類がある。2019年の段階で、A型インフルエンザウイルスの場合、Hは全部で18種類、Nは11種類あることがわかっている。

このような変異が、ウイルスに関する問題の一端となっている。これほど多様なHが存在することになったのは、インフルエンザウイルス内部のRNAが自身を複製する際の精度が低いためだ。その結果、新たに組み立てられたウイルスにこまごまとした違いが生じる。この絶え間ない進化のせいで、人体の免疫系が、侵入してきたモノを恐るべきウイルスだと認識しづらくなるのだ。Hは人体の免疫系がインフルエンザウイルスを認識するための主な標的なのだが、形状がある程度変化すると免疫系に発見される可能性が低くなる。私たちが毎年インフルエンザワクチンを新しくつくらねばならない理由のひとつがこれだ。また、HIV（ヒト免疫不全ウイルス）があれほどまでに破壊的であるのも、同じ理由である。HIVは自身のRNAを非常に雑に複製するため、異様なスピードで進化してしまい、私たちの免疫系は探すべきものを学習できなくなるのだ。

こうなると、ウイルスとは、クールで致命的で冷徹な殺人者、つまりミクロの世界のサイコパスだと考えたくなるかもしれない。しかし、菌類や細菌、昆虫、植物に感染するウイルスがあることも知っておいたほうがいいだろう。ウイルスは、生命という色彩豊かなタペストリーの一部であり、驚くべきことに、私たちはウイルスなしでは生きられないのだ。

ゲノムとは私たちの複製をつくるための指示書であるが、ヒトゲノムのおよそ8％までもがウイルスに由来するDNAで構成されている。あなたの遺伝的な構造には、レトロウイルスという特殊なウイルスに由来する断片が、およそ10万個含まれているのだ。レトロウイルスは、感染した細胞のDNAに自らのRNAからつくったDNAの断片を挿入する。それが精子や卵子の細胞で起これば、ウイルス由来のDNAが次世代に受け継がれることになる。

これまで、私たちの体はこのウイルス由来のＤＮＡを折りに触れて利用してきた。現在、研究者はこう考えている。免疫系の応答から、胎児を保護する胎盤の形成に至るまで、さまざまなメカニズムにおいて、元はレトロウイルスのものであった機能を私たちは活用しており、それらのレトロウイルス由来のＤＮＡは1億年以上前に私たちの祖先のゲノムに入り込んだものなのだ。『コンテイジョン』では悪者のように感じられるウイルスだが、私たちの生命はウイルスによって守られてきたのだということも理解しておこう。

伝染病はどう始まるのか

映画のなかの「この世界のどこかで、豚とコウモリの不運な出会いがあったのね」というセリフが昔から好きなんだよね。なんだか、この世界のまた別の場所では、豚とコウモリの幸運な出会いがあったみたいに聞こえるから。

急に、アニメのラブコメの設定っぽくなるね。

そんな映画なら喜んで観るけどなあ。死を扱う映画って、どれもすごく気が滅入っちゃうんだもの。

まあ、統計的にも医学的にも、君のほうが僕よりずっと死に近いわけだけれど。

『コンテイジョン』で（ここからネタバレする）、世界を大混乱に陥れる破壊的ウイルスがどのような経緯で世界に存在するようになったかというと、コウモリがバナナの欠片を豚小屋に落としたのが始まりだ。動物の体内に存在するウイルスよりも悪いものがあるとすれば、それは、動物の体内にいたウイルスが別種の動物の体内に行き着くことだ。

多くのウイルスが、特に悪さをすることもなく特定の種の体内に棲《す》みついている。たとえば、２０１４年に西アフリカで流行したエボラ出血熱はコウモリによって引き起こされたが、このコウモリは「自然宿主」であった。つまり、彼らの生体システムにはウイルスが入り込んでいたのだが、理由については今も議論が続くところだけれど、そのウイルスによってなんの症状も生じていなかった。ところが、人間がコウモリに接触することで問題が起きた。ウイルスに、人間の細胞機構という探索すべき新世界を与えてしまったのだ。

2014年のエボラ出血熱流行のきっかけを辿った研究によると、すべては、エミール・ウアモウノという名前のよちよち歩きの幼児から始まった可能性があるという。2013年12月、ギニア南西部にあるメリアンドゥという村で、エミールは木の根元で遊んでいた。その木にはコウモリが棲みついていた。村人によると、エミールはコウモリをつかんだりつついたりしていたらしい。幼児というのは仕方のないものだから、コウモリの糞に触ってしまって、糞のいくらかが指につき、爪の隙間に残り、ついには口に入っただろうことは十分に考えられる。正確な流れはともかくとして、ウイルスはエミールの体内に入り込み、しばらくしてエミールは亡くなった。その数週間後には、エボラ出血熱は西アフリカ全域で猛威を振るっていた。

このような異種間の伝播が可能であることが初めて明らかになったのは、1933年のことだ。フェレットを使う実験をしていたイギリスの研究者が、フェレットに人間のインフルエンザウイルスを接種したところ、感染することがわかった。しかも、このフェレットのくしゃみが顔にかかって、研究者本人にインフルエンザがうつってしまった。さらに、この研究者はウイルスを再度フェレットに感染させている。(もしかしたら仕返しでフェレットに向けてくしゃみをしたのかも？）

動物から人間に感染するということの話は、ウイルス研究者にはよく知られている。実は20世紀に発生した、人間が罹患する感染症の４分の３が、動物に由来しているのだ。ＨＩＶを例にとってみよう。遺伝子解析の結果、ＨＩＶは、西アフリカのチンパンジーで見つかったサル免疫不全ウイルス（ＳＩＶ）に起源をもつと見られている。この地域では食肉用としてチンパンジーの狩猟が盛んに行われており、感染した血液に人間が接触して、ウイルスが人間仕様へと突然変異を起こす環境を提供することになったのだ。

突然変異が鍵となって、ウイルスは毒性をもつ。基本的に、同種のウイルスであれば、系統が異なっていても（つまり違う株でも）遺伝物質を交換できる。いわば、ウイルスによる奇妙なセックスだ。そうやって新しい遺伝物質を獲得しても、多くの場合たいした違いは生じないのだが、影響力の大きいウイルスが誕生することもある。インフルエンザならば、新しいＨや新しいＮをもつことになる。これまで人間に感染したことのなかったインフルエンザウイルスから、突然に、人間の細胞の受容体とぴったり結合するＨをもつウイルスが誕生する可能性があるということだ。

ウイルスが複数のパートナーとウイルス版セックスをする機会が多い環境では、かつてない危険な事態が発生する可能性が高まる。多くのウイルス専門家が、現代の生活様式によってウイルスの乱交が助長されていると警告するのはこのためだ。たとえば、工場式畜産を考えてみ

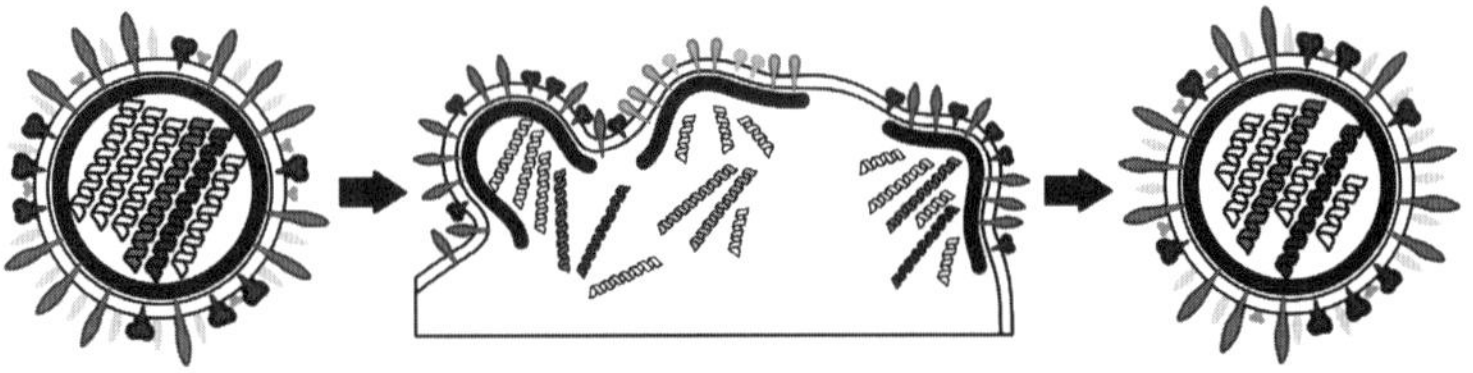

都合のよい環境下でウイルスが遺伝物質を交換・収集して、
以前とは異なるウイルス株が現れる

よう。中国やカリフォルニア州、アメリカ中西部などでは、集中家畜飼養（ＣＡＦＯ）という形態の農業経営が行われており、牛や豚、ガチョウ、七面鳥、鶏など、他にも経営者の儲けになるすべての家畜が同じ場所に集められている。広大な敷地は排泄物であふれ、給餌《きゅうじ》や衛生に関する厳しい規制が完璧に守られているのでない限り――その可能性があることは認めねばなるまい――いずれかの動物種が排泄したウイルス満載の糞が他の動物種の餌や飲み水に紛れこむことになるだろう。その胃のなかで、ウイルスは、遺伝物質を交換できるようなたくさんの親類に出会うかもしれないのだ。

こういったことは今までにも起きている。20世紀初頭、スペインかぜによって５０００万～1億人が亡くなった。その起源を辿ろうとした科学者たちは、スペインかぜのウイルスに家禽《かきん》（鶏など）と野鳥（カモなど）に由来する遺伝子が含まれていたと報告している。さらに、馬やロバ、ラバに由来する遺伝要素も見つかっていることから、この当時、常に人間の身近にいたこれらの動物を介して、ウイルスが人間に感染した可能性が考えられる。

たとえば、豚の気道上皮の細胞には、鳥インフルエンザにも人間のインフルエンザにも結合可能な受容体があるとわかった。これは、規制不十分なＣＡＦＯでは問題が起こりうるということだ。豚が、鳥も人間も入れるような場所にいると、鳥インフルエンザウイルスが人間に感染する完璧な状況ができあがる。そんな無頓着な農場経営によって強力な病原体が出現するのは、「もしもの話」などではなく、時間の問題としか思えない。

『コンテイジョン』的な流行の潜在的な原因となるのは、このようなＣＡＦＯだけではない。人間が動物たちと身近に暮らす場所ならどこでも、大きなリスクが潜んでいる。先ほど、悲しい運命に見舞われた子どもを紹介したが、香港で暮らしていた３歳のラム・ホイカもそんな子どもの１人だ。彼は１９９７年５月にＨ５Ｎ１の鳥インフルエンザで亡くなった。どのようにして感染したのかは明らかでない。医師は恐ろしい症状（血液の凝固など）に気づき、似た症状を示す人がいたらすべて即時に隔離すべきだと公表した。幸運にも、Ｈ５Ｎ１は、ヒトからヒトへの感染が容易に起こるような仕組みをもつようには進化していなかった（わずかな突然変異でその性質をもつ可能性はあるのだが、単純な話ではなく、たとえば科学者が意図的にそのようなウイルスをつくろうとしてもなかなかできるものではない）。その後、さらに17名がＨ５Ｎ１に感染し、うち５名が死亡している。香港政府は香港島のすべての鶏を殺処分したが、この致死性の高い病気の根絶には至らなかった。スペインかぜの致死率は感染者の２〜３％である。しかし、Ｈ５Ｎ１では感染者の半数以上が亡くなるようだ。そして、このウイルスは少なくとも16カ国において今なお鳥類の体内に棲み続けているのだ。

よく考えれば驚くことでもないのだが、この21世紀は、ウイルスがかつてないほど容易に全世界を移動できる時代だ。ウイルスにとっては朗報だが、私たち人間にとってはまことに悪い知らせでしかない。

ウイルスは山火事のように広がるのか

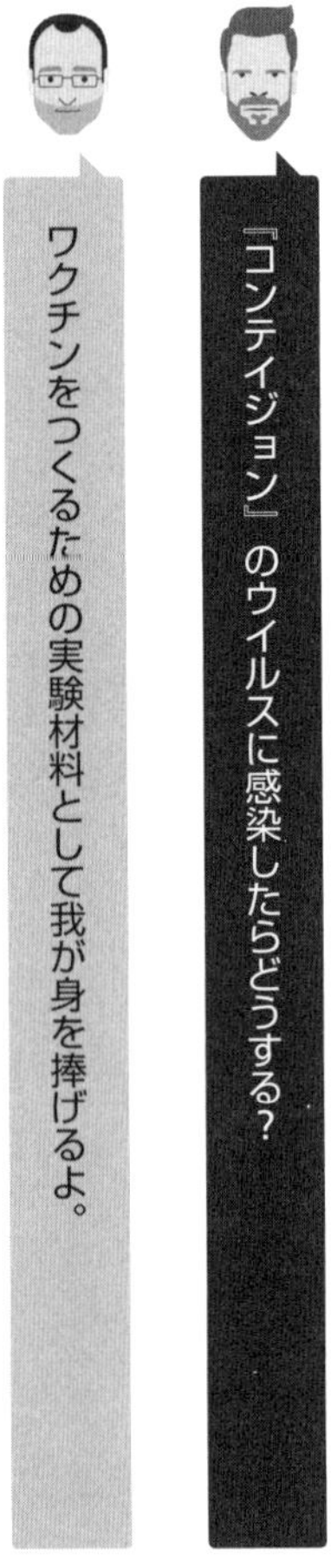
『コンテイジョン』のウイルスに感染したらどうする？
ワクチンをつくるための実験材料として我が身を捧げるよ。

またまたぁ。自己犠牲の精神があるように見せかけちゃってさ。実際は違うくせに。

じゃあ自分ならどうするんだい、マザー・テレサさんや。

僕を主役に、亡くなるまでのドキュメンタリー番組をつくりませんかって、エージェントに売り込んでもらうよ。僕は自己愛を隠さないタイプなもので。

映画『コンテイジョン』の緊張感の多くは、目に見えない脅威が今にも襲いかかろうとしているのを知っているからこそ生まれるものだ。感染者が触れただけの物の表面が長々と映し出される場面があるのだが、驚くほど不安がかき立てられる。不安を感じてしかるべきなのだ。私たちは感染媒介物を恐れねばならないのだから。

ウイルスがついた手でなにかを――ドアのノブやエレベーターのボタンなどを――触るたびに、それが「感染媒介物（fomite）」となる。この単語の語源は、「火口《ほくち》」を意味するラテン語だ。16世紀のイタリア人医師が、この言葉を使って、汚染された表面から伝染病の火が燃え広がる様子を表現したのが始まりだ。

感染媒介物――宿主から離れたウイルスや細菌の粒子を保持する物体や表面――は、現代社会の至るところに存在するが、大勢の人が素早く移動するような場所には特に多い。２０１６年に、微生物学者のポール・マットウェリは、ロンドンの公共交通機関の80カ所で、綿棒を使って標本を採取した。分析の結果、座席や手すり、壁、扉に、大量の細菌がついていることがわかった。地下鉄では95種類の細菌が見つかり、タクシーには約40種類、バスには37種類の細菌がいた。この広範な細菌類のなかには抗生物質に耐性を持つ種類のものもいた。どう考えても憂慮すべきことではないだろうか。映画のなかで、バスに乗っていた不運な感染者にエリン・ミアーズ医師が与えた指示では足りない。確かに、誰とも話さず誰にも触らない、というのは重要だ。だが、どんなものにも触るな、と付け加えなくてはならない。それが致死性の感染媒介物となりかねないのだから。

ある種の感染症の蔓延において、感染媒介物は重要な役割をもつ。たとえばエボラウイルスは咳やくしゃみでは広がらない。ウイルスに汚染された体、糞便、嘔吐物、遺体、床、壁、バケツ、衣類など、感染者の体液がついたあらゆるものにウイルスが漏れ出ており、これに触れることで広がる。

他にも多くのウイルスによって、感染媒介物がつくられる。人々の集まる場所を研究者が調べれば、保育所や自宅のタオルでインフルエンザウイルスが見つかるし、電話機やドアノブ、トイレのレバー、コンピューターのマウスでコロナウイルスが、病院や客船のコップやランプシェード、ベッドカバーでノロウイルスが、小児病棟にある冷蔵庫の取っ手でロタウイルスが、飲み屋の光沢のあるタイル表面で肝炎ウイルスが、コーヒーショップのガラスコップでアデノウイルスが見つかるだろう。

コラム

皆さん、トイレのふたを閉めましょう

これは飛行機についてよく知られている問題だ。あの激しい吸い込みは、飛行機内の個室トイレという狭い空間にエアロゾル化した排泄物をまき散らすための、完璧な設備となっている。だが、これは空飛ぶトイレだけの問題ではない。医学文献によると、ある危険な建物のせいで、たった1人から329人にSARSが感染したことがある。それは2003年3月のこと。香港にある高層住宅団地アモイガーデンには配管の問題があり、トイレを流すと下水管から逆流するようになっていた。その結果、トイレの水の一部が空気を汚染するエアロゾルと化した。さらに悪いことに、強力な換気扇のためにエアロゾル化した下水が吸い込まれて、それとともに運ばれたウイルスが、各部屋のバスルームを汚染してしまったのだ。

100年前ならば、こういったすべてのことが問題となるのは、感染の流行地に自分がいる場合だけだった。しかし今日では、世界規模での交通網と、頻繁に移動する都市生活者のせいで、感染がどこまででも拡大しかねないし、実際に拡大するだろう。

「私たちがつくりあげたのは、感染拡大という観点からすると、人類史上最も危険な環境なのです」。これは、2015年にニュース解説メディア「Vox（ヴォックス）」の取材に答えたビル・ゲイツの言葉だ。彼は憶測で話しているのではない。過去の複数の感染症が今初めて起きたとしたらどのように広がるかをコンピューターモデルで検証したうえでの言葉なのだ。たとえばスペインかぜと同じ感染性をもつ疾患が新たに発生したならば、すさまじい勢いで拡大するだろう。現代の世界は極端なまでに相互接続している。さらに、安価でどこにでもすぐ行ける飛行機、人口密集都市、ぎゅう詰めの通勤電車、何キロもの空調の通気管でつながり合っているオフィス街が加わることで、現在ならばスペインかぜのウイルス株によって、ものの数カ月で何千万という死者が出るだろう。より正確には、ゲイツのコンピューターモデルを信じるならば、250日で3300万人が亡くなるという。

『コンテイジョン』のシナリオには非常に説得力がある。最初の感染者からパンデミックに至るまでを時系列に沿って考えてみればわかる。まず、この患者第1号がウイルスに接触したのは、さっきまで感染した肉を扱っていたのにちゃんと手を洗わなかった料理人と握手したからだとしよう。こうして第1号の手は、ウイルス粒子がまぶされた状態となった。

公共の場所にいる人の振る舞いを調査したところ、周囲にあるものを1時間に平均で3・3回触っていることがわかった。自分の顔に触る回数は1時間に3・6回。プライベート空間にいるならば顔を触る回数はずっと多くなるだろう。映画では1日に2000から3000回と言われていたが、これは誇張しすぎな気がする。いずれにせよ、今この文章を読んだあなたは、自分がしょっちゅう顔を触っていることを自覚するようになるはずだ。

第1号が顔を手で触れるたびに、手についたウイルス粒子が口に入る可能性が生じる。肌の上にいるだけではウイルスにとって十分ではない。ほとんどのウイルスは、飲み込まれて胃に入るか、気道の粘膜にとどまることが重要なのだ。そこまで進んで初めて、ロリポップの先が細胞にとりついて、細胞をこじ開けて中に入ることができるのだから。

体内ではウイルスが盛んに活動しているのだが、第1号にはなんの症状も現れていない……今のところは。そして、第1号は普通の健康な大人と同様に活動するので、発症前の丸1日かけて、他の人々に感染させうる。第1号はすでに危険な存在なのだ。具合が悪くなり始めてからも1週間は感染力がある。さらに悪いのは、第1号が無症候性キャリア、つまりウイルスを保有しているけれども実際に発症はしない場合だ。当人は普段と変わらない行動を続けるので、ウイルスを他人にうつす可能性が最大化する。

さて、今のところ、第1号は日常生活を続けている。しかし、その日が海外渡航の日に当たっていると、たくさんの人が困った状況に陥る。

まず、恋人にお別れのキスをすると、知らず知らずのうちにウイルス粒子が相手の唇にへばりつき、口のなかにも直接入り込む。バスに乗れば、朝の車道を走るバスの車体が揺れるたびに、手すりと背もたれにウイルス粒子がべったりと付着する。空港でもそこらじゅうにウイルスを残すだろうが、21世紀の悲劇が本当に起きるのは飛行機のなかだ。

世界中で毎年30億人が旅客機を利用している。ボーイング747ならば500人を同時に運ぶこともある。古い機体の場合、空気清浄システムの性能があまり高くない。新しい機体であれば、ウイルスの98%を捕まえるという最新のHEPA（高効率粒子捕集）フィルターを備えているかもしれないが、正直なところ、乗客が1人でもウイルスに感染していて周りにむかって咳やくしゃみをし始めたら、何を使おうが関係ない。周辺1メートルかそこらの座席の乗客は、かなりの確率で感染するだろう。感染者が客室乗務員ならば、その飛行機に乗るすべての人が危険にさらされる。

本当のところ、この問題に関わる数字は正確にはわかっていない。研究がかなり少ないうえに、そのいずれもが、乗客や空気の流れ、機内清掃手順などが、航空会社ごと、機種ごとにまったく異なるという状況に直面している。確実にわかっているのは、出発の遅延により空調システムを止められた状態で滑走路にとどまっている飛行機は、特に危険だということだ。

1979年のことだが、エンジンの不具合により、54名を乗せた旅客機の離陸が遅れることになった。3時間待機する間、機内の換気システムが停止された。乗客の1人がインフルエンザにかかっていたのだが、その後3日のうちに乗客の72％が発症し、それは同じインフルエンザ株による感染だった。

コラム

あなたはスーパー・スプレッダー？

「腸チフスのメアリー」を知っているだろうか。正しくはメアリー・マローン。20世紀初めにニューヨーク市周辺で働いていたアイルランド系アメリカ人の調理師だ。ある時点で彼女は腸チフスに感染したのだが、自身にはなんの症状も現れなかった。そのため、彼女の料理を食べた人を次々と感染させることとなった。研究者によると、生涯を通じて、彼女は51人の感染者を出し、うち3人が亡くなったそうだ。実は、彼女はいったん強制的に隔離されている。だが、3年間の隔離後、食品を扱う仕事（感染拡大に最適な条件を備えている）には就かないようにと言われて解放された。しかし、それではまともな収入を得られず、メアリーは偽名を用いて調理師の仕事に舞い戻った。そして数十人を腸チフスに感染させた後、逮捕されて、その後の全生涯を隔離されたまま過ごすことなったのだ。

今ならば、メアリーは病気の「スーパー・スプレッダー」と呼ばれるところだ。疾病を研究する人たちは、感染流行において、少数の人が感染拡大の大部分を担っている場合が多いことに気づいた。このスーパー・スプレッダーの例はたくさんある。1989年にフィンランドで起きた麻疹《はしか》のアウトブレイクでは1人が22人に感染させている。2003年、中国でのSARSのアウトブレイクでは1人の男性患者から33人に、香港でのアウトブレイクでは別の男性から138人への感染例がある。また、1995年にコンゴ民主共和国で起きたエボラ出血熱のアウトブレイクでは、たった2人から50人に感染した。

スーパー・スプレッダーを見つけるのは難しいが、特徴はある。彼らは人々と頻繁に濃厚接触する。そして、衰弱するほどの症状が出るまで医療の助けを求めない（単なる無症状のキャリアではない場合の話だが）。もしそういうタイプの人を知っていて、あなたのコミュニティーでアウトブレイクが発生した場合には、その人から距離を置くように！


もちろんこれは、飛行機に限った話ではない。バス、電車、出発ラウンジ、地下鉄網、ショッピングモールなどはすべて、感染症の拡大を助長する条件を備えている。膨大な人数が常に世界中を飛び回っている現代は、空気感染するタイプであろうと接触感染するタイプであろうと、人間に感染するウイルスにとって完璧な時代といえよう。

たとえば、ニューヨーク市の地下鉄の改札を通る人は１日４００万人以上にのぼる。ロンドン地下鉄なら約５００万人だ。中国では、春節の時期の40日間で、４億人以上が列車や飛行機で移動する。このなかのどの１人をとっても世界規模のパンデミックの患者第１号である可能性があり、問題のある動物と最近接触した人ならばその可能性はさらに高い。

ウイルスによって人間はどうなるのか

この映画はミネソタ州にとっていい宣伝にはならないよね。

いや、実はミネソタ州では撮影されていないんだよ。『ファーゴ』も『プリ

ンス／パープル・レイン』も、僕の大好きな『ラブリー・オールドメン』も、ミネソタ州で撮影されてるのに。

この本で『ラブリー・オールドメン』の名前を出されるとは予想外だな。

主演の1人のウォルター・マッソーが、映画撮影直後に肺炎で入院したのを知ってた？

知らないね。だけど、ミネソタ州が多くのハリウッド俳優を輩出したのは知ってる。ジュディ・ガーランドに、ジョシュ・ハートネット、映画『アメリカン・パイ』シリーズのスティフラー役の人もだし……。

『ラブリー・オールドメン』の脚本を、映画科の学生だった頃に書いた人も、ミネソタ出身だよ。

君がクイズ番組『マスターマインド』に出るとしたら、得意分野として量子物理学を選ぶと思ってたけど、見当違いだったな。

『コンテイジョン』で最も怖いセリフは、グウィネス・パルトロー演じるキャラクターになにが起きたのかを研究者が検証する場面で出てくる。一度ウイルスに感染すると、「彼女の体はどう反応していいかわからなくなった」と説明されるのだ。残念なことに、これはハリウッド映画にありがちな誇張ではない。新たなウイルスが登場すると、まさにそうなる。どうすればいいのかわからなくなった体は、この新たな脅威に対して手当たり次第の反応をして、その過程で自分自身を破壊してしまうこともある。

言いづらいことなのだが、ウイルスが、あなたに自分自身を殺させる場合もあるのだ。故意にではない。問題は、人体の防御システムがウイルスに強く反応しすぎて、暴走してしまうことにある。最終的に、行き当たったものすべてを――あなたの健康な細胞さえも――破壊してしまうのだ。これが、スペインかぜによって不思議なことに特に健康な若者が犠牲になったことの説明となる。健康な若者の免疫系は非常に活発なので、インフルエンザウイルスとの戦いが始まると、当人が死に至るまで免疫反応が止まらなくなったのだ。

感染した細胞が異物の侵入に反応して最初に行うのが、インターフェロンの分泌だ。インターフェロンとは、タンパク質の形成を阻害する物質である。つまり、理屈としては、ウイルスが細胞の機構を乗っ取ったとしても自己複製はできなくなるということだ。だが実際には、多くのウイルスがそれに対抗するように進化して、乗っ取りの事実を隠すようになった。たとえば1918年のインフルエンザウイルスに対して、インターフェロンはほとんどまったく分泌されなかった。

そうすると、ウイルスは自己複製を始める。その段階で人体が問題の発生に気づくと、免疫系は免疫細胞という第二防衛ラインを展開する。これらの免疫細胞から放出されるサイトカインという分子は、シグナルを発し、感染部位の血液を増やすことで、免疫細胞をさらに増やす。免疫細胞は、感染して損傷を受けた細胞に行き当たると、その細胞を攻撃して破壊する。

コラム

バリー・マーシャルの話

『コンテイジョン』では、ジェニファー・イーリー演じるキャラクターが、未検査のワクチンを自己投与して自身をウイルスにさらす。幸運にもワクチンは効果をあげたが、それが無謀な試みであったことに変わりはない。彼女は言う。バリー・マーシャルがやったから、自分もやったのだと。マーシャルは、ピロリ菌が胃潰瘍の原因であることを証明するため、その細菌をがぶりと飲み込んだ人物だ。その結果、彼は重い症状に苦しんだが、実験のおかげで、「胃潰瘍はストレスや喫煙や偏った食生活といった生活習慣の問題によって生じる」という長年にわたり信じられていた定説を覆すことに成功したのだ。この研究により、彼はノーベル賞を受賞する。そしてもちろん、ハリウッドの歴史にも名を残すこととなった。

1918年のインフルエンザ流行では、免疫細胞のこの作用が問題となった。ウイルスによって肺の細胞がある程度以上に感染すると、サイトカインの反応によって、炎症による発赤、腫れ、発熱、痛みという一般的な症状が現れる。ただし、それが危険なレベルにまで達するのだ。要するに、感染した細胞に対する免疫細胞の攻撃が行き過ぎて、最終的に肺の組織が溶けてしまう。この過剰反応は専門家の間でサイトカインストームと呼ばれている。

患者が起き上がれなくなるような感染症の場合はどうだろうか。この場合も、人類にとって恐ろしいほどの脅威となりうることは、最近のエボラ出血熱の流行で私たちが痛感したとおりだ。エボラウイルスのもつ際立ったスキルとは、感染者から外に出る方法にある。体外に出るための最も簡単な方法は、液体のなかに入ってにじみ出ることだ。だから、エボラウイルスは、

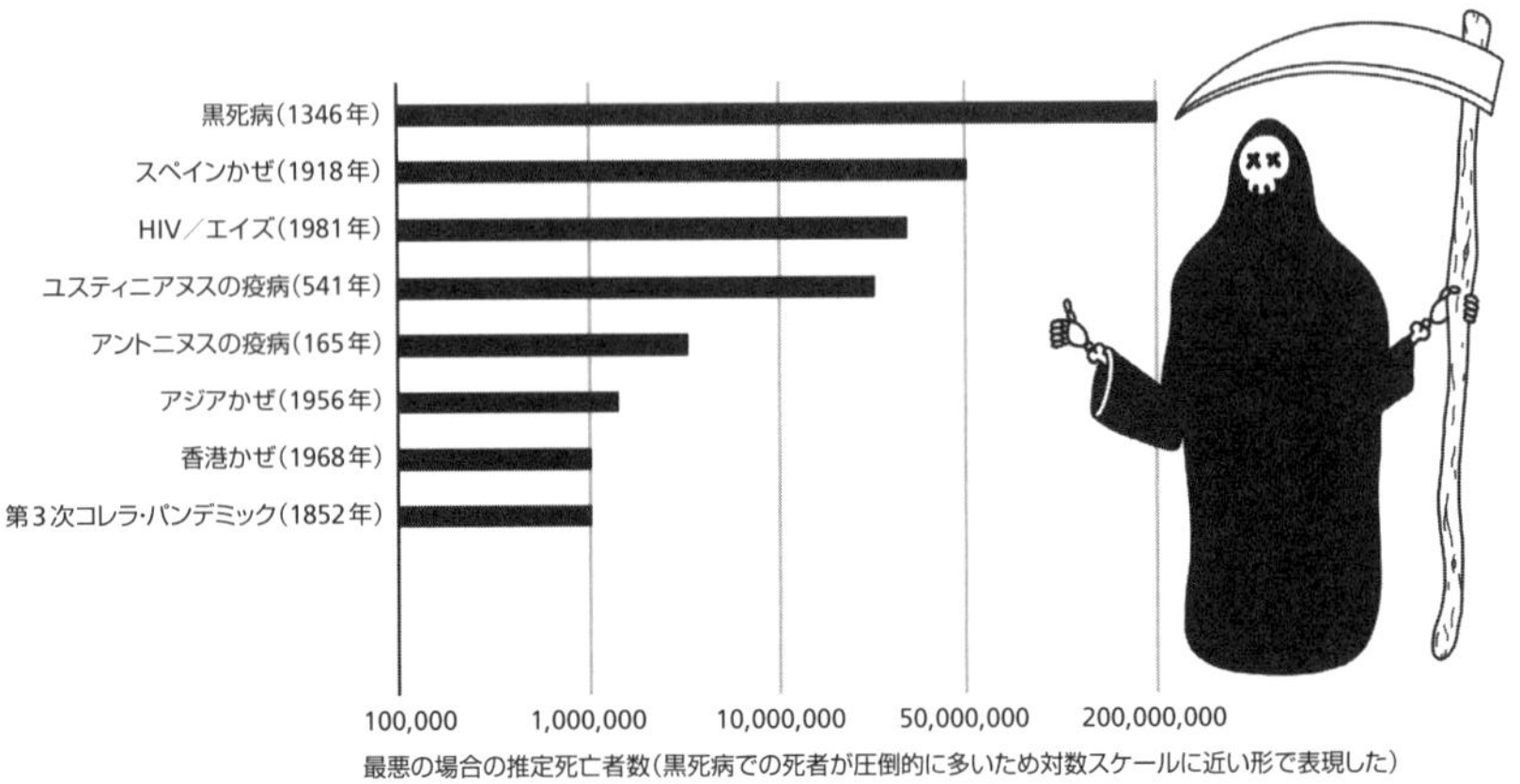

人類史に残る大規模感染をもたらした病原体

進化の結果、感染者に嘔吐や下痢をさせる能力をもつに至ったのだ。さらに、エボラウイルスは血液の凝固メカニズムを阻害するので、感染者が体組織を損傷すると出血が止まらなくなる。目や口内などの粘膜から流れ出た血は、死ぬか回復するまで止まらない。すべての感染者がウイルスでいっぱいの漏出液を流し続けるため、身近な人がそれにまったく触れないようにすることが極端に難しくなる。そのため、西アフリカでのアウトブレイクに対応する医療従事者は、患者に怖がられるような防護服を着用するのだ。

ここでもう一度言っておこう。私たちが焦点をあてているのはウイルスだが、身の回りにいるミクロの暗殺者はウイルスだけではない。細菌もかなりの致死性をもちうる。黒死病を考えればわかるだろう。中世ヨーロッパでは、ペスト菌(*Yersinia pestis*)のおぞましい手口によって、黒死病として知られる腺ペストが蔓延し、人口の60％が死亡した。

ペスト菌はいったん体内に入ると、外気よりも高い温度に反応して、外膜の化学的構造が変化する。この変化により、感染者の免疫系は混乱して、細菌を敵として認識できなくなる。ペスト菌は攻撃されることもなくリンパ節までたどり着くとそこで増殖し、ようやく免疫系が、恐ろしく間違ったことが起きていることに気づくのだ。

「恐ろしく」と書いたが、まさにそのとおり。やがて、血液は細菌でいっぱいになり、それらは肺に向かう。免疫系による過剰反応のために、細胞が破壊され、ついには内臓までやられてしまう。運悪く抗生物質が効かない（あるいは手に入らない）場合には、感染者はこの「敗血症性ショック」のために死亡するのだ。

黒死病は単なる歴史上の病気などではない。アメリカ合衆国では今でも毎年10人近くが腺ペストに感染する。感染者は中西部の農村部に住んでいる場合が多い。プレーリードッグやリスなどの齧歯《げっし》類が人間の近くに普通に暮らしている場所だ。これらの動物は腺ペストの原因菌の宿主であるが、自身は無症状である。これらの齧歯類を刺したノミが、近くの人間に飛び移って次の血のごちそうにありつくと、この運の悪い人がペスト菌に感染する。驚いたことに、アメリカでは数年おきに黒死病での死者が実際に出ているのだ。

さて、ウイルスに話を戻そう。狂犬病について少し触れることにしようか。狂犬病ウイルスは体の制御を乗っ取るだけではない。精神まで乗っ取ってしまう。ウイルスのなかには、くしゃみや咳など、感染を広げるような行動を人にとらせるものもあるが、狂犬病ウイルスはその度合いが行き過ぎている。まず、水を飲み込めなくする。ウイルスは唾液を介して次の宿主を感染させねばならないので、新しくつくったウイルス粒子を胃のなかにしまい込まれては困るのだ。さらに、感染者が積極的に感染を広めるよう、感染者に他人を咬ませようとさえする。これは驚くほど攻撃的な方法だ。私たちはくしゃみを止められないかもしれないが、他人の顔めがけてくしゃみをしないようにはできる（たいていの場合）。ところが狂犬病は、私たちが礼儀正しく振る舞えないようにする。礼儀正しいどころか、正反対の行動をさせられるのだ。感染したが最後、私たちは効率的に別人へと変えられてしまう。ウイルスに完全にコントロールされた、生けるゾンビと化すのだ。確かに恐ろしい話ではあるが、見方を変えれば、ウイルスとしては本当に見事な仕事だと感心させられる。

パンデミックを防ぐには

『コンテイジョン』で好きなキャラクターは？

マット・デイモンのキャラクターではないなあ。負け組だもの。

そう？　あのウイルスに対する免疫が先天的に備わっているんだから、生物としては勝ち組だと思うけど。

その点はね。でも彼の格好を見た？　あのアノラック。勘弁してくれよ、ダサすぎだろ。

なんだそれ。服装でキャラクターの好感度が決まるのかい？

僕がいつも言ってるだろ、「人は見た目が9割」ってね。

『コンテイジョン』では、集団埋葬や、略奪されて空っぽになった店、路上での暴動などが描かれる。実世界でウイルスのパンデミックが発生したら、同じようなことが起きるだろう。こんな悪夢のような事態に至らないための方法を考えたほうがよさそうだ。

第一防衛ラインは隔離だ。感染症は新たな宿主が供給されなければそれ以上は広がらない。よって、伝染病が発生した場合の初期対応の1つに、感染者の隔離がある。感染者たちを一室に入れるか、少なくとも、感染者と、感染する可能性のある人たちとを壁で仕切ること。そうすれば、既存の感染者の体内で病状が自然な形で進行して、最終的に感染は終結する。この感染者が生き延びてくれればと思うが、そうでない場合でも、少なくともウイルスや細菌も一緒に死滅することになる。たとえばインフルエンザウイルスは、活動拠点である生体の外に出た場合、1日足らずしか生きられない。風邪の原因となるウイルスの場合は体外で1週間生き延びることもある。ＭＲＳＡ感染症を引き起こす黄色《おうしょく》ブドウ球菌などの細菌は、数週間後も感染力を維持する可能性はあるが、伝染性のあるウイルスや微生物の戦略からすれば隔離というのは想定外の事態である。だからこそ、スペインかぜを危惧した医師たちは、第一次世界大戦終結を祝う集会を中止するよう政治家に訴えた。残念なことにこういった医師の声は黙殺された。たとえば、１９１８年10月12日にウィルソン米大統領が連合国アベニュー（5番街の一部が当時こう呼ばれた）で開催した祝賀イベントには2万５０００人のニューヨーカーが集まったが、その翌週には、２１００人のニューヨーカーがスペインかぜで亡くなっている。

現代医学の時代以前には、スペインかぜをはじめとする世界的な大規模感染は、生きている宿主候補が補充されなくなってはじめて失速した。しかし、スペインかぜの感染者すべてが亡くなったわけではない。生き延びた人々の体には免疫が残った。免疫とは体の自然な防御機構であり、以前と同じインフルエンザ株が再び陣地に現れれば、すぐさま特定して反撃する。

さらに興味深いのは、病原体への耐性を先天的にもつ人々だ。『コンテイジョン』ではマット・デイモン演じるキャラクターが、アメリカ中で猛威を振るうウイルスに対する免疫を先天的にもっていた。これはハリウッド映画のご都合主義の演出ではない。どんな歴史的な感染症でも、その病気には絶対にならない人が常にいた。彼らの免疫系が、たまたま、その病原体を認識して反撃することが生まれつきできたのだ。実は『コンテイジョン』では、問題のウイルスはほとんどの人々にとって致死的なものではない。ハリウッドは、恐怖を与える要因をパワーアップさせたいという誘惑に耐えて、感染者の4人に1人しか殺さないことに落ち着いたのだ。致死率としては、H5N1鳥インフルエンザに感染した場合よりもはるかに小さい。

ウイルスに感染しやすい人の割合を大きく減らす対策をとることも可能だ。これはワクチン接種と呼ばれる方法であり、あなたやご両親がワクチンに関するデマや陰謀論に惑わされていなければ、あなたの体がもつ免疫系はワクチンのことを記憶しているだろう。

ワクチン接種とは、無力化したウイルス粒子を使って免疫系を訓練するという手法だ。ここでいう無力化とは、私たちを病気にするだけの力を失わせたという意味だが、免疫系はそのことを知らない。このウイルス粒子が私たちの体内組織に注入されると、免疫系はこれを異物だと認識して「抗体」を産出する。抗体とは、この異物に特有の形状をしたものと結合する物質である。その結合物を認識した体内の他の細胞によって、異物が排除されることになる。つまり、いずれ本物のウイルスがやってくるときのために、ウイルスを排除する機構を整えるということだ。

コラム

こちらも参考に

ハリウッドは感染症に何度も頼ってきた。『アウトブレイク』は、科学的な描写という面では『コンテイジョン』ほどではないが、科学者たちの伝染病との闘いがしっかりと描かれている。常に警戒を怠らないダスティン・ホフマン（「恐怖を感じないようなやつと仕事はしたくない」）率いる研究チームが、ウイルスを生物兵器として使おうとする軍部大物と戦わざるをえなくなる。この映画を見れば、研究機関のバイオセーフティレベルについてだいたいのところがわかるだろう。ついでに、もし自分がウイルスや細菌に感染しているサルならば、人間のためにその病気を治そうとする研究者が近くにいると、ろくなことにはならないこともよくわかるはずだ。ちなみに、映画の冒頭にはこ抜群の引用がある。ノーベル賞を受賞した生物学者、ジョシュア・レーダーバーグのこの言葉だ。「人類が地球での支配的立場を維持することを脅かす唯一最大の脅威とは、ウイルスである」。

『28日後…』に登場する科学者たちからは、あまりいい印象は受けない。まず、彼らは、サルを凶暴かつ攻撃的にするためのウイルスを開発した。さらに、彼らがちゃんとした警備態勢を整えていなかったために、動物愛護家が実験施設からサルを逃がしてしまう。その結果、ウイルス感染が拡大して（この場合はイギリスに限定された局所的なアウトブレイクだが）、狂犬病とエボラ出血熱を合わせたような症状のゾンビ人間だらけになる。始末が悪い。

『PANDEMIC パンデミック』といういかにも科学的なタイトルの映画があるが、科学はほぼ関係なくて、ただのゾンビ映画である。人々が感染症のいくつもの段階を超えて、「レベル5」という、知能を失って殺人衝動に駆られる古典的なゾンビの状態に陥るというお話だ。

ワクチンをつくるのは簡単ではない。これまでに見てきたように、ウイルスは突然変異を起こすので、去年に接種したワクチンでは今年流行するインフルエンザ株に対して役に立たないことが多い。だから、毎年、新しいインフルエンザワクチンが各診療所に届けられるわけだ。HIVに対するワクチンがないのも、同じ理由である。

だが、麻疹ウイルスなどの一部のウイルスでは、突然変異率がとても低いため、かなり幼いときからの予防が可能である。だからこそ、今でも起こる麻疹のアウトブレイクが、やるせなく感じられるのだ。2018年には麻疹の症例数が4万件を超え、死者数も近年で最大となっている。これらすべてが、ワクチンで予防できたはずなのだ。

MMRワクチン（麻疹・おたふく風邪・風疹の三種混合ワクチン）は驚くほど効果が高く、接種者の99・7%は麻疹に感染しない。さらに素晴らしいのが新しいエボラワクチンで、臨床試験で100%の効果をあげている。しかし、これは今のところ、エボラ出血熱の1種類のウイルス株にしか有効ではない。そして、カンザス州の管理不十分なＣＡＦＯにいる豚の体内で、新たなインフルエンザ株が進化しつつあるとしても、それに効果のあるワクチンを前もって準備するのは不可能なことだ。

とはいえ、ワクチンが開発されたときのために、ワクチン製造施設を準備することはできる。『コンテイジョン』では、ワクチンが製造ラインに乗って流通するまでの長いプロセスが延々と描かれるが、これは完全にリアルな描写だ。まず、誰かが原因となるウイルス株を特定して、それを無力化したものを人体に安全に注入できることを確認しなければならない。だが、それができたとしても、免疫系の反応のレベルが最適なものとなるよう調節する必要がある。そのために、ワクチンには、無力化された（殺された）ウイルス以外にもさまざまな成分を追加する。これらの成分は「アジュバント（抗原性補強剤）」と呼ばれ、免疫応答において触媒の役割をもつ。これらの最善の配合が決定されてはじめて、ワクチンの本当の有効性を試験できるようになる。そして、その有効性を確認したら、ようやく、ワクチンの製造を開始できるのだ。パンデミックの脅威の専門家として著名なジョナサン・クイックが導き出したところによると、致死性ウイルスによって人々が亡くなり始めてから、新しいワクチンを開発して流通させるまでに、丸１年かかりうるという。幸いなことに、新たな致死性ウイルスの発見からワクチンを開発・試験・製造するまでの時間を大幅に短縮するような大規模システム構築の取り組みがすでに始まっている。とはいっても、80年にわたり試行錯誤されてきた、ワクチンの原料となるウイルスを鶏の卵で増殖させるというインフルエンザワクチン製造プログラムを、別の方法で置き換えられるようにはなっていない。クイックが勧めるのは、最近活用できるようになった遺伝子技術を使って、ウイルスの鉄梃《かなてこ》の取っ手という変化しない部分と結合するようなワクチンを開発することだ。これなら季節性インフルエンザにも、パンデミックを起こしかねない新型インフルエンザにも対応できる。さらにクイックは、パンデミックの早期発見を支援するために、医学研究者による世界的な監視体制を強化する必要があると指摘している。

では、私たちが個人としてできることはなんだろうか？　とりあえず、顔には触らないことだ。

第2章

ハリウッドに殺される その方法は……小惑星!

「合衆国政府に、世界を救ってくれと頼まれた。
イヤだと言うやつはいるか?」
──『アルマゲドン』(1998年)

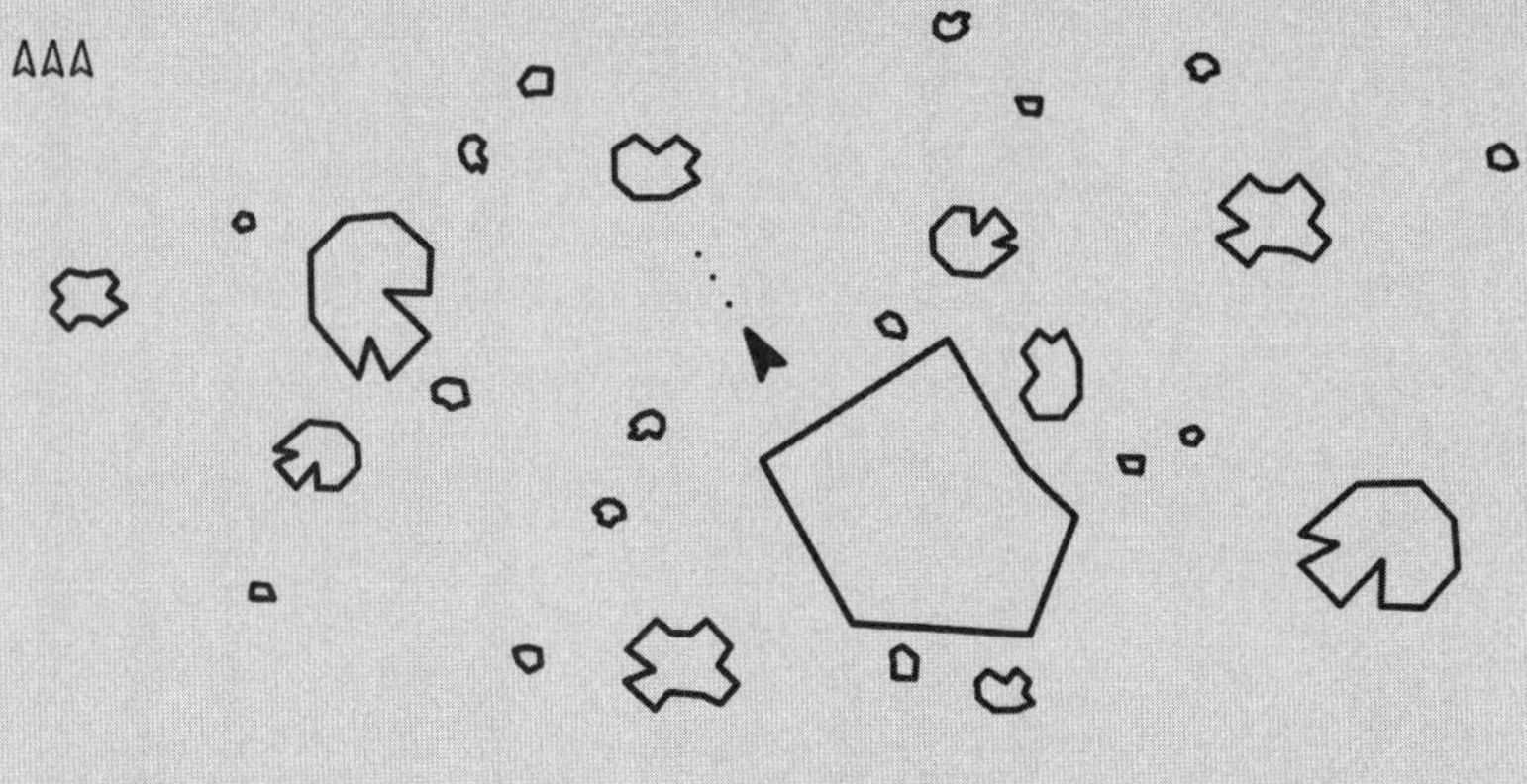

『アルマゲドン』は、人類を救うためにＮＡＳＡに召集された海底油田の石油掘削工たちの物語だ。巨大な小惑星が地球との衝突軌道上にあり、米軍は核爆弾による小惑星の爆破が唯一の衝突回避策であるとの結論に達していた。だが残念ながら、小惑星の表面に１００個の核爆弾を貼りつけたとしても、十分な破壊力を得られないのは明らかだった。登場人物の１人が言うように、貨物列車をＢＢ銃で止めようとするようなものなのだ。つまり、誰かが小惑星の深部にまで穴を掘って、そこに爆発装置を落として、起爆させねばならない。そしてその誰かとは――もちろん――ブルース・ウィリスである。

実話に基づいた映画ではないと書き添える必要はあるだろうか？　おそらく、ないだろう。だが、この映画の背後にある科学をＮＡＳＡが探求してきたのは事実だ。映画の前提は、完全にリアルなのだから。地球の文明を終焉させるような小惑星が、今この瞬間にも深宇宙からやってくる可能性が確かにある。では、私たちには何ができるだろうか？　その答えはまだわからないが、『アルマゲドン』から、実際にいくつかのヒントが得られそうなのだ。

小惑星はどこからやってくるのか？

これがひどい映画だってみんなが思ってるのが悲しいよね。監督のマイケル・ベイは、出来が悪いからって謝罪までしたんだよ。ビリー・ボブ・ソーントンとスティーヴ・ブシェミは出演したのは金だけのためだって言うしさ、ベン・アフレックなんかＤＶＤのコメンタリーで内容をちゃかしてるし。

他に誰からひどい映画だって言われてるか、知ってるかい？　ＮＡＳＡだよ。ＮＡＳＡでは管理職候補への研修としてこの映画を見せてるらしいよ。

なんで？　ビリー・ボブ・ソーントンが演じたＮＡＳＡ総指揮官っぽくさせたいのかな。

違うよ。この映画に含まれている事実関係の誤り１６８個のうち、いくつ見

つけられるかを試すんだって。

やれやれ。

『アルマゲドン』の中心的アイデアは、「テキサス州の大きさです、大統領！」というセリフに集約されているのだが、これがまったくのでたらめでもないと知ると驚く人もいるだろう。地球には毎日１００トンもの隕石が降り注いでいるのだ。

もちろん、すべての小惑星がテキサス州ほどもあるわけではない。ほとんどはずっと小さく、直径がほんの数メートル程度のものもある。大きさはさまざまだが、共通点が１つある。いずれも、太陽系が誕生した頃の残骸なのだ。

太陽系の歴史に関する科学者の見解は、完全に一致しているわけではない。だが、一般的なコンセンサスとして、約46億年前に太陽系が形をとり始めたらしい。生まれたての我らが太陽の周りで、引力と太陽風の影響で宇宙塵とガスの雲が渦を巻き、そこから球形の物体、今でいうところの惑星が形成された。木星や土星などは、大部分はガス状だが中心に固い岩石のコアがある。また、地球や金星は、表面は固体だが内部に液状の部分がある。こんな感じの、中がとろっとしてるチョコレート、イギリスのおばあちゃんがよく食べてるよね。

はっきりしているのは、きれいでまん丸な、満足いく仕上がりの物体ばかりができたわけではないということだ。埃や岩片が合体したのはいいけれど球体にならなかったものもあれば、大きな隕石同士が衝突して惑星が形成される際にはじき出された塊もある。こういった衝突の熱は長くは続かず、溶け合った物質がでこぼこの形のままで固まって虚空をさまよい、やがて円軌道や楕円軌道に引き込まれた。このようないびつな形をしたあぶれ者が、小惑星なのだ。

そして、こういった小惑星は大量にある。私たちの太陽系内に数十億個も存在しているのだ。その多くは、火星と木星の軌道に挟まれた広大な空間内にある「小惑星帯」で暮らしている。しかし、そんな小惑星がなんらかの引力を受けて、軌道を変えられてしまうことがある。その結果、小惑星帯を飛び出して、太陽系のなかを突き進み、その進む先にあるものに大惨事をもたらすのだ。

具体的に何が起きるのかを知りたければ、澄んだ夜に月を見上げよう。表面にたくさんのクレーターが見えるだろう。この数万個のクレーターは、太陽系を暴れまわる岩片がぶつかってできたものだ。最大のクレーターだと直径が１０００キロメートル以上もある。そんな穴だらけの月の表面を見れば、小惑星の地球への衝突について考えねばならない理由がわかるだろう。

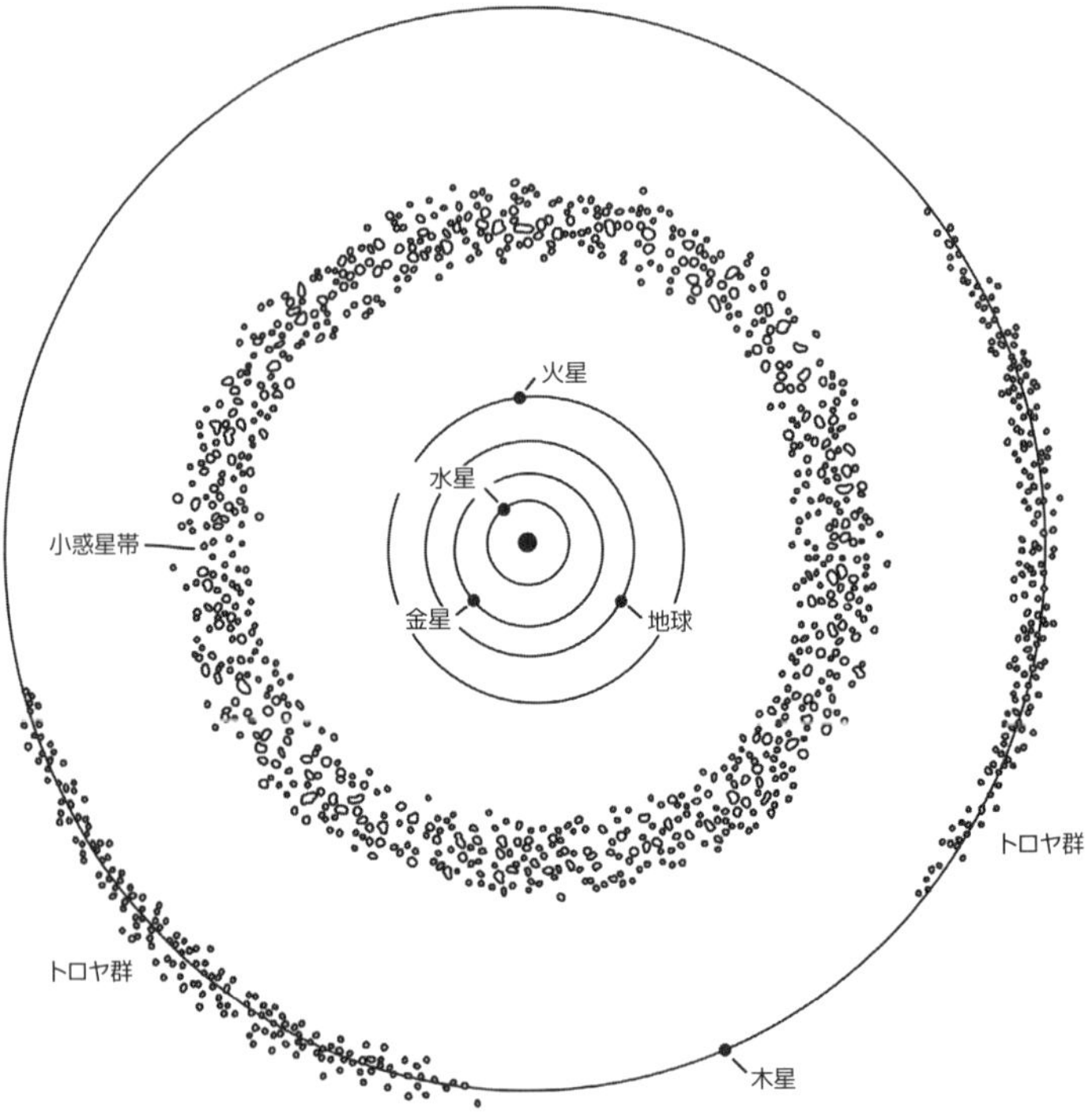

ほとんどの小惑星は太陽系内のたった2つの軌道から飛来する

ここで、先ほど誤解を招く表現をしてしまったことを認めねばなるまい。確かに、毎日、隕石100トンが地球に降り注いでいるのは本当だ。だが、そのすべてが実際に地表にぶつかるわけではない。直径が100メートル以上の岩体だけが、大気圏内の降下を生き延びられるのであって、それより小さいものは摩擦で燃え尽きる。だが、それらを除いても、危険を秘めた物体は大量に存在している。太陽系のなかには差し渡し数百キロメートルの岩体があることもわかっているのだ。こういった小惑星は太陽を周回する公転軌道上で、自転軸の周りを回転しつつ、太陽系の他の住人たちからの引力を受けている。この引力の変化によって公転軌道からはじき出されて、地球との衝突軌道に乗ってしまうかもしれない。

小惑星が、閉じ込められている小惑星帯からどうやって抜け出すのかをテーマとする研究はたくさんあるが、問題は、確実なことがなかなか言えないということだ。遠い昔、アイザック・ニュートンの時代の科学者たちは、天体の動きはすべて予測可能だとする「時計仕掛けの天空」を信じていた。だが、現在、私たちはカオス理論を認めている。カオスによって、すべては変化するのだ。

カオス理論は、「釘がなくて蹄鉄が打てず、しまいには王国が滅びてしまった」というわらべ歌に似ている［訳註：ことわざ「風が吹けば桶屋が儲かる」に類似したわらべ歌］。

つまり、初期条件がほんの少し違っただけで、結果が途方もなく変わるのだ。初期条件の違いとは、天空にあっては、惑星の軌道の微細なずれであったり、ある小惑星が２つの惑星からまったく同じ向きの引力をほんのわずかな時間だけ受けることだったりする。たったそれだけのことで、これまで安定した周期的軌道上にあった小惑星が、その軌道から外れて、惑星間空間を突き進むことになるのだ。

コラム

小惑星が人類にしてくれ・た・こ・と

私たちには、小惑星への感謝が足りないようだ。ある小惑星がメキシコのユカタン半島のチクシュルーブにぶち当たる以前には、私たち哺乳類の祖先は暗闇のなかでごそごそと暮らしていた。

なぜかって？　日中は恐竜が活動していたためだ。変温動物の爬虫類である恐竜は［訳註：諸説あり］、太陽によってしっかりと温められるまで体が十分には機能しなかったが、いったんぬくぬくになって元気になると、優れた視力に鋭い鉤爪、さらには尖った牙によって、視界に入るすべての生き物に対する脅威となった。つまり、同じ地球表面で暮らす他の動物たちは、こそこそと隠れて、暗闇の中でも活動できるように身体的特性を進化させる必要があったわけだ。

哺乳類について少し考えてみよう。多くの哺乳動物には、長いひげと、発達した嗅覚、鋭い夜間視力が備わっている。言い換えると、夜に活動できるつくりなのだ。日中よりも夜間のほうが活動的になるものも多い。これらすべてが、恐竜が昼の世界を支配していた証拠ではないか？

２０１７年の研究により、その答えの手がかりが得られた。現存する哺乳類２４１５種に対して遺伝分析を行い、日中に活動するようになった時期を調べたのだ。その結果、太陽の下で活動する最初の哺乳類が現れたのが、チクシュルーブへの小惑星の激突によって恐竜が絶滅してから約20万年後だったことがわかった。進化という観点からいえば、直後と言えるだろう。

さらに面白いのは、目をぱちぱちさせながら昼の光の下に出てきた最初の哺乳類が、霊長類の祖先だったということだ。私たち霊長類は、他の多くの哺乳類と比べると、色覚は比較的優れており嗅覚と聴覚は劣っているのだが、その理由の説明がつきそうだ。


小惑星に働く力は引力だけではない。１９００年頃に、ポーランド人の技術者イワン・ヤルコフスキーは、次のことを発見した。宇宙空間を漂う小惑星の各地点は、日中は太陽の放射によって加熱され、夜になると吸収した熱を今度は放出する。全体として、太陽からの放射を吸収する方向と、地表から再放射する方向が、わずかにずれる。放射によって（それが吸収であれ放出であれ）地表は小さな圧力を受けるので、小惑星は小さな力を受ける（力の向きは小惑星の公転と自転に依存する）。これはヤルコフスキー効果と呼ばれるようになったが、ある小惑星が危険をもたらすかどうかを知るためには、この効果も計算に入れねばならない。

そもそも、その小惑星を見つけているというのが前提になるのだが。

小惑星の見張り番

ブルース・ウィリスのチームのなかで、自分と一番似ているのは？

まあ、ベン・アフレックかなあ。ハンサムで、腕がよくて、勇敢で、ちょっと一匹狼っぽくてね。どう思う？

君はブシェミ演じるロックハウンドに近いと思うけど？

気難しげで、少しばかりだらしないけど、いつも正しいってところかい？

3つのうち2つは合ってるから、まあ悪くない正解率だ。

たぶんあなたは１９９８年３月11日のことを憶えていないだろう。憶えていなくてラッキーだ。なにしろ恐ろしいことがいくつか重なった日なのだから。たとえば、セリーヌ・ディオンが歌う『タイタニック』の主題歌が英国チャートで１位になったりしている。だが、何より恐ろしいのは、地球との衝突軌道に乗っている小惑星を発見したという天文学者たちの発表だった。

この、１９９７ＸＦ11という小惑星は直径１・５キロメートルほど。予測によると地球衝突は２０２８年、軌道計算が正しければ完全に壊滅的な被害をもたらすという。この知らせは『ニューヨーク・タイムズ』紙の第１面をはじめ、世界中の新聞を賑わせた。

慌てなくていい。２０２８年の衝突は、実際には起こらなさそうなのだ。発表はアメリカのマサチューセッツ州ケンブリッジにある小惑星センターによるものだったが、自分たちのデータをチェックしてほしいという他の天文学者への確認依頼にすぎなかったのだ。さらなる解析の結果、１９９７ＸＦ11は地球の近くには来ないことがわかった（本書印刷の段階では、これは事実である。もしもあなたが２０２９年にこの本を読んでいて、衝突による大災害を乗り越えた後だとしたら、混乱を招いてしまって申し訳ない。小惑星の軌道計算というのは、なかなか正確にはいかないものなのだ）。

しかし、発表を巡る大騒動によって、よい変化もあった。小惑星衝突という危機への啓蒙となったのだ。１９９８年の夏には、ＮＡＳＡが地球近傍天体観測プログラムを開始している。

プログラムの当初の目標は単純だった。10年以内に、地球の軌道を横切る何千という小惑星や彗星の少なくとも90％を発見するというもので、直径1キロメートル以上の岩体に特に注意が向けられた。その後、目標は少し変化した。現在NASAには、2020年の終わりまでに140メートルを超える地球近傍天体の90％を見つけることが課されている。プロジェクトには新たな名称が与えられ、現在ではそれが地球近傍天体研究センター（CNEOS）となって、同じNASAの惑星防衛調整局（PDCO）と連携して活動している。

実際には、こんな詳細は重要ではない。このプロジェクトが目標を達成できないことはすでにわかっているのだから。理由の1つは、予算がそれほど多くないことにある――映画と同じだ。『アルマゲドン』では、なぜテキサス州の大きさの隕石をもっと早く見つけなかったのかと大統領が尋ねる。それに対するトゥルーマンの答えは「衝突物探査のための予算」は1年あたり約100万ドルで、それだけでは全天の約3％しか確認できない、というものだった。2002年まで、NASAの同様のプロジェクトに対する予算は1年に400万ドルだった。今では予算は1億5000万ドルにのぼるが、それでも目標は達成できないだろう。NASAによると、2020年までに、疑わしい小惑星の3分の1を超える程度しか特定できないだろうとのことだ。

1998年の騒ぎから20年以上の間に、危険性のある小惑星が約1万8000個、発見されている。これは主として、世界中に張り巡らされた望遠鏡のネットワークのおかげだ。天文学者たちが、望遠鏡を使って、数日、数週間、数年間、あるいはそれ以上の期間にわたって移動する光の点を探している。光の点は小惑星や彗星で、1週間あたりに約40個の割合で突然に出現している。

こういった岩体を特定したら、次にやることはその大きさと軌道の確認だ。ありがたいことにCNEOSにはそのためのシステムが整っている。「Scout」というこのシステムによって、新たに発見された小惑星が今後進む可能性のある軌道の範囲が計算される。この計算結果がなんらかの警戒を要するものであれば、NASAは天文学者に依頼して、さらなる観測を行って可能な限り正確な情報を得るようにする。

この仕組みでも安心はできない。こういった隕石の追跡に失敗することもあるのだ。望遠鏡ネットワークから十分な速さで目撃情報の連絡がこなければ、再び確認しようとしても姿が消えていて、その後二度と現れないこともある――もちろん、現れたはいいが、すでに手遅れという場合もあるかもしれない。およそ9個に1個が直径140メートルよりも大きく、つまり「危険」に分類されるとのことで、これには少し不安になる。再確認に失敗した小惑星のなかには、差し渡しが数キロメートルのものもある。テキサス州ほどの大きさではないが、無視していいわけがない。

コラム

小惑星での鉱業

小惑星での貴重な鉱物の採取を目的として計画されたミッションから、小惑星への核爆弾設置に役立つ専門知識が得られるかもしれない。小惑星には、需要の高い多くの金属が豊富に含まれている。たとえば、金、プラチナ、チタン、コバルト、ニッケルなどだ。採掘のためには、そこまで飛んでいって、着陸し、掘削作業を行うことのできる宇宙船が必要となるだろう。そう、ブルース・ウィリスとそっくり同じことができねばならないのだ。

しかし、これを実行に移す場合は、人間ではなくロボットが使われるはずだ（人間たちにどれほどすごいカリスマ性があろうとも）。このアイデアの実現性が示されたのは、2005年7月のことである。NASAのディープ・インパクト探査機が、テンペル第1彗星に衝突体（インパクター）を撃ち込んで直径150メートルのクレーターをつくり、この彗星の岩片を採取したのだ。以降、無人探査機の活躍が続く。欧州宇宙機関がチュリュモフ・ゲラシメンコ彗星に着陸させた着陸機フィラエから送られた情報から、彗星の岩体についてさらに多くのことがわかった。そして、今では小惑星の物質を地球に持ち帰りさえするようになっている。NASAの探査機 OSIRIS-REx（オシリス・レックス）は2018年12月に小惑星ベンヌとランデブーを果たしており、試料を採取して2023年に地球に帰還する予定である。また、JAXAのはやぶさ2は小惑星リュウグウへの着陸に成功しており、小惑星の調査を終えて2020年に地球に試料を持ち帰ることになっている。［訳註：試料を持ち帰った例はこれ以前にもある。彗星探査機スターダストは２００４年に彗星の塵の粒子を採取して２００６年に地球に持ち帰った。そして、はやぶさは２００５年11月に小惑星イトカワに着陸、微粒子を採取して２０１０年に帰還している。］

さらに、天文学者によっては、大きめの小惑星の99％は観測されたことすらないと見積もる者もいる。そんな話を聞くと、現状の政府予算の取り組みではまったく用が足りていないと結論づけたくなってくる。実際、天文学者や宇宙愛好家のさまざまなグループが、人類のために取り組みを強化するようロビー活動をしている。

　このなかにはスター級（言葉遊びだ）の人々もいる。たとえば、キップ・ソーン、故スティーヴン・ホーキング、マーティン・リース卿、ジム・ラヴェル、元国際宇宙センター船長クリス・ハドフィールド、その他にも１００人を超える科学者や芸術家、宇宙飛行士、著名人などが参加している。この綺羅星《きらぼし》のごとき（言葉遊びだ）名士グループによる説得が功を奏して、国連は6月30日を「小惑星の日（Asteroid Day）」と宣言した。グループの声明の内容は、人類にはよりよいことが可能であるし、それを行わなければならない、というものだ。彼らのキャッチコピーもなかなかいい。「恐竜たちは小惑星の到来に気づかなかった。だが、気づいた私たちには、言い逃れはできない」

　彼らは楽しみだけのために活動しているのではない。小惑星発見用の使えるリソースを増やすことを目的とした、組織的活動の一環なのだ。「小惑星の日」の宣言によると、太陽系内には、地球の都市を破壊する可能性をもつ小惑星が100万個以上存在しているが、これまでに確認されたのはその1％にすぎず、これらの脅威を発見し追跡するためのプログラムを早急に加速させねばならないとある。そして、2025年まで、毎年10万個の小惑星を検出するという目的が示されている。

その目的は達成されるだろうか？　そうは思えない。NASA上層部は、地球警備という任務のために提案された2つの望遠鏡を支持しなかった。その1つであるNEOCam（地球近傍天体カメラ）は宇宙空間にあって直径140メートル以上の岩体を探すよう設計されていた。ホワイトハウスの国家科学技術会議（NSTC）が2016年12月に発表した報告書では、140メートル以上の地球近傍天体（NEO）の28％しか発見されていないとされながらも、NEOCamのプログラムには予算を確保できていない。

私たちに残された唯一の希望は、現在チリで建設中の大型シノプティック・サーベイ望遠鏡（LSST）である。運用開始は2021年が予定されており（それまで地球が無事なことを祈ろう）、そこから小惑星探索の取り組みに参加してくれるはずだ。だが、この望遠鏡では太陽のそばを通ってやってくる小惑星を発見することはできない。太陽光が観測の邪魔になるからだ。また、光をそれほど反射しない小惑星も発見できないだろう。地球めがけてやってくるのが暗い色の小惑星ならば、私たち人類にとっても非常に暗い状況となるだろう。

しかし、話はそこで終わりではない。たとえば、「小惑星の日」を支持する多くの人が関わっているＢ６１２財団は、この脅威をもっと深刻に受け止めるよう、政府への働きかけを継続的に行っており、ある程度の成果を収めている。２０１８年６月、アメリカ政府は、小惑星の軌道を変える実験のプログラムを設計するよう、勧告を出している。［訳註：2019年後半、NEO Cam の後継プログラム、NEO Surveillance Mission に予算がつくことも発表された。］地球を救うための掘削工チームは、まだ必要ないかもしれない。ブルース・ウィリスもね。

話が巡るような面白いネタがあるんだ。『アルマゲドン』のためにつくられたエアロスミスの曲、「ミス・ア・シング（I Don't Want to Miss a Thing）」を作詞・作曲したのはダイアン・ウォーレンでね。アカデミー歌曲賞の候補にもなったんだよ。

地球の受ける被害の大きさ

巡るってことは、小惑星の視点から書かれた曲ってこと?

そうじゃないよ。話はまだ続くんだ。ダイアン・ウォーレンは『コン・エアー』や『パール・ハーバー』の曲でも、アカデミー歌曲賞の候補になってる。

ああ、なるほど。それぞれにスティーヴ・ブシェミとベン・アフレックが出演してるね。

そのとおり。しかも、『パール・ハーバー』の曲のミュージックビデオを監督したのはマイケル・ベイというおまけつき。

へええ。〝サークル・オブ・ライフ〟って感じだなぁ。

それは『ライオン・キング』の主題歌だけどね。

『アルマゲドン』は全人類への警告だ。ナレーションでチャールトン・ヘストンはこう言う。「同じことは必ずもう一度起きる。問題はそれがいつなのかというだけだ」。この言葉は正しい。太陽系を通り抜ける岩体の多さとそれぞれの軌道を研究し、地球や月に残る衝突クレーターについて調べる専門家たちは、だいたい10万年ごとに、ＴＮＴ火薬に換算して１万メガトンに相当する小惑星との衝突があると考えている。これは国を丸ごと滅ぼす威力だ。恐竜絶滅を招いたチクシュルーブ衝突体のように全地球に影響が及ぶほどのものとなると、諸説あるが、その頻度は５０００万年に１回。チクシュルーブに隕石が落ちたのが６６００万年前のことなので、私たちが遭遇しそうなアルマゲドンはすでに遅れ気味だということになる。

これが理由の１つとなって、２０１６年１月に、地球接近・近傍天体の検知・影響緩和に関する連絡作業部会「ＤＡＭＩＥＮ《ダミアン》」のために専門家たちが集められた。こんな名前になったのは偶然ではないはずだ。映画『オーメン』シリーズに登場する「悪魔の子」ダミアンの、世界を破壊する意図がそこにあることを、関係者の誰かが見抜いたのに違いない。

ＤＡＭＩＥＮ作業部会が発表した２０１８年の報告書の論調は、安心感を与えようと努めているものの、脅威の影も見え隠れしている。報告書にはこうある。「ＮＡＳＡは以下について確信をもっている。我々は多大なる世界的被害を起こしうるほどの大きさをもつ地球近傍のすべての小惑星を発見してリスト化した。そして、それらの小惑星が地球との衝突軌道上にはないことを確認した」。だがそこからこう続くのだ。「それでも、太陽系外から巨大彗星が飛来する可能性がいくらかある。その彗星についての警告を出してから、早ければ数カ月のうちに、地球が被害に見舞われることもありえる」

そんなときが来たら、酔いもさめるだろう。『アルマゲドン』での警告とは、もし岩体がぶつかれば「全人類の半数は熱風によって焼け死に、残りはその後に訪れる氷河期で死滅する」というものだ（第10章でもっと詳しく取り上げる）。ビリー・ボブ・ソーントン演じるＮＡＳＡ総指揮官によると、やってくる小惑星は『グローバルキラー』として知られるものだ。「地球は全滅でしょう」と彼は言う。「人類の終焉です。どこに衝突しようと、バクテリアでさえ生き残れません」

だが、このような「グローバルキラー」が地球とぶつかることはまずないだろう。６６００万年前に恐竜を絶滅させた隕石でさえ、地球上からすべての生命体を一掃することはなかったのだ。このときの隕石は幅10～15キロメートル、衝突により幅１５０キロメートルのクレーターが残った。メキシコ湾の近くに衝突し、巨大津波が引き起こされた。地殻変動が生じたため何度も地震が起きて（たとえばアルゼンチンのようなはるか遠くの場所でも発生した）、それによりさらに多くの津波が生じたと考えられる。しかし、真に世界規模での影響を及ぼしたのは、衝突によって舞い上げられた塵や岩石だった。

実は、地表の下には、奇妙な特徴をもつ石の層が存在する。これは世界的な現象であり、地質学者によっていたるところで発見されている。これらの石は、球状粒子（spherule）と呼ば

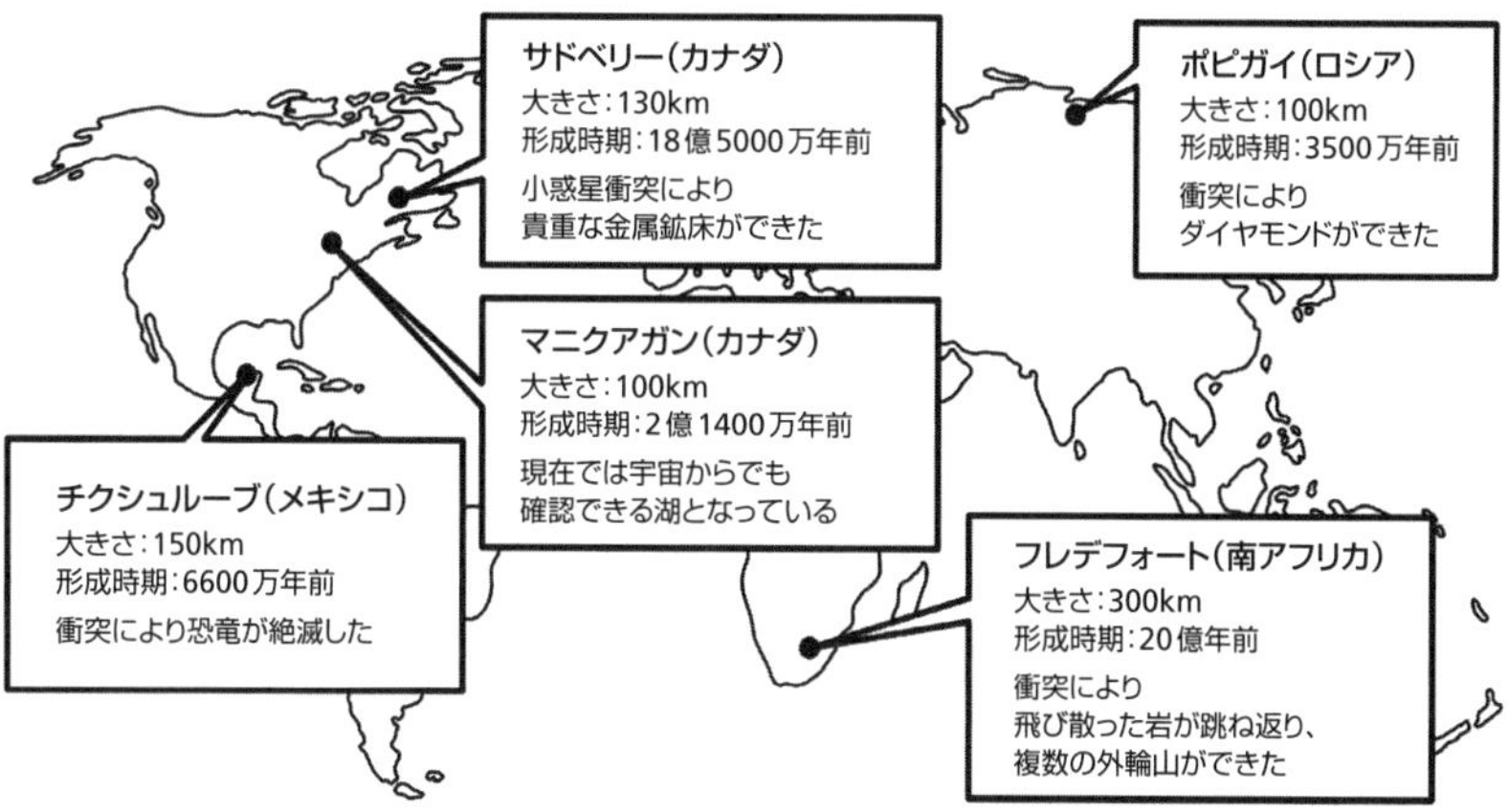

地球で最大級の小惑星衝突跡

れる、隕石の衝突により大気中に舞い上がった溶けた岩の欠片の残骸だ。衝突の約40分後に地上60キロメートルの高さに達し、わずかに冷えて丸い小石の形になった。冷えたといってもまだ温度は高く、大気中を落下する際の摩擦によってその温度は再び上昇した。地表に達する頃には、空気が熱されて辺りは耐えられない温度となる。地面にぶつかると、まだ非常な高温であるため、あちこちで火がついて野火が燃え広がった。

　しかし、舞い上がったものすべてがすみやかに落ちてきたわけではない。また別の地質学的な特徴に、世界的な煤《すす》の層がある。この層からわかるのは、衝突から数時間のうちに、大気に浮かぶ煤や灰などの塵によって地球が厚く覆われたことだ。それらの塵は1年以上も大気中にとどまり、太陽光を遮断して、地球全体を冬の時代へと追いやった。

衝突した日は悲惨だったが、それから1年間で状況はさらに悪化したようだ。日光を浴びられないため植物は育たず、草食動物が餓死し、他の多くの動物も死に至った。海の食物連鎖の基礎を支えるプランクトンも光が届かないために激減し、海の生き物はドミノ倒しのように死に絶えていった。そして、動物種の4分の3が絶滅した。1年目を乗り切った少数の種は、絶滅の危機こそ免れたかもしれないが、個体数は大幅に減った。世界規模で、進化的なリセットが行われたのだ。

しかし、悪いことばかりではない。私たちが今あるのは、チクシュルーブ衝突体のおかげなのだ。この小惑星によって、今に至るまでの一連の出来事が生じ、その積み重ねで哺乳類が地球を支配するに至った。そしてついには、類人猿の、ほぼ無毛のいとこである私たちが頂点に立ち、技術を進歩させることで地球を変容させ、支配的な種としての地位をほとんど揺るがぬものにしたのだ。

ほとんど、である。自己満足にひたっている余裕などないことは、近年に発生した二度にわたる小惑星の地球への衝突という重要な事例からも明らかだ。

2013年2月15日の金曜日、地球の大気圏を通過した小惑星が、ロシアのチェリャビンスク上空で爆発した。直径はわずか17メートルだが、重さはおよそ1万2000トンもあった。速さは時速約6万5000キロメートル、おそらくは石の内部がとてつもない高温に達したために爆発し、そのエネルギーはTNT火薬で450キロトンに相当するものだった。爆発の衝撃波で一帯の建物が破損し、吹き飛んだガラスや岩片によって多くの人が負傷した。

さかのぼって１９０８年6月30日に、ツングースカ大爆発が起きている。中央シベリアのツングースカの上空で小惑星が爆発し、その威力は広島に投下された原子爆弾の１０００倍相当だったにもかかわらず、ほとんど奇跡的に、けが人は出なかった。その理由は、誰も住んでいない僻地での出来事だったためだ。爆発により８０００万本の木がなぎ倒された。もしも、この小惑星が都市部上空で爆発していたとしたら、話はまったく違っていただろう。ツングースカだったというのは、これまでのところ人類が、本当に、本当に、幸運だったということなのだ。世界滅亡のシナリオが現実のものとなるには、ツングースカやチェリャビンスクで爆発したものよりは大きい小惑星が必要となる。だが、チクシュルーブ衝突体ほど大きくなくてもいい。私たちにとって都合の悪い場所に落ちさえすればいいのだ。

都市部は地表の３％を占めており、その割合は増えている。都市化が進むにつれて、常に新たな都市がつくられ、小惑星衝突が多大な被害をもたらす可能性は増すばかりだ。

実際、これは単なる数字の問題なのだ。半径１００メートルの小惑星は幅4キロメートルの火球となるが、これにより40キロメートル離れた場所にいる人までも重度の火傷を負う。さらに、爆風によって街全体の建物がなぎ倒される。この大きさの小惑星がニューヨークに落ちたら、２５０万人ほどの死者が出るだろう。

死者数を１０００万人にしたければ、５００メートル級の小惑星をシカゴに落とせばいい。

250キロメートルの範囲内のビルが倒壊するだろう。同じ小惑星が東京を襲えば、死者数は3000万人に達するに違いない。

ワシントンや上海、ロンドンなどが小惑星によって破壊されたとしたら、その後どうなるのか、簡単に想像できる。社会的、経済的、政治的な大混乱が待ち受けているはずだ。物理的な被害は周辺のみにとどまったとしても、貿易と通信の混乱のために、世界はパニックに陥るだろう。これは望ましいことではない。では、DAMIENがその可能性を認めているとおりに、小惑星の衝突がほんの数カ月後に迫っていることが判明したとしたら、私たちに何ができるのかを見てみよう。

自分たちを守るために何ができるのか

じゃあ、「今から18日後にグローバルキラーが地球にぶつかる」という情報を知ったとしよう。君なら誰かに話す？

もちろん妻に話すよ。

どうして？　それで何かいいことあるの？

最後の時間を一緒に過ごしたいからね。そんな疑問が出るってことは、君は、世界が終わりそうになっても奥さんに言わないのかい？

言うもんか。妻は知りたがらないと思うからね。彼女を動揺させるだけだもの。

そのセリフ、これまでにも使ったことがあるだろ。

ここから楽しくなるからね。『アルマゲドン』では、ブルース・ウィリスと仲間たちは、掘削技術によって人類を救った。実際のところ、このシナリオは疑わしいのだけれど、まったくの的外れというわけでもない。

ＮＡＳＡのエンジニアは、大きな被害をもたらしそうな小惑星の衝突を回避するための、さまざまな選択肢を考え出している。それらを、最もバカバカしいものからそれほどでもないものへと順番に挙げていこう（残念ながら賢明とは思えないものばかりだが）。

まず、小惑星に色を塗るという方法がある。読み間違いじゃないよ、「色を塗る」んだ。小惑星の片側だけに明るい白色の塗料を塗って、太陽光の反射量を増やす。このときの反射とは、実際には光子の放射なんだ。光子を放射するごとに、小惑星はわずかな力を受ける。なぜなら、作用があるところには、大きさが等しくて向きが反対の反作用が常に働くのだから。全体として大きな力となるので、小惑星はもともとの軌道からそれるだろう。

正直、これはいかにも理論家の解決策だ。実際にやるとなったらどうなのだろう。ペンキ塗り用ローラーと塗料をもたせたペンキ屋と塗装工のチームを宇宙に送り出し、猛烈な速度で地球に向かっている巨大な岩のうえに着陸させて、仕事を終えた彼らを（おそらくは）回収することになる。もちろん、本当にやるとなったら、人間ではなくロボット塗装工を使うはずだが、だとしてもバカバカしいほど実際的ではないように聞こえる。だいたい、途中で小惑星が回転して、塗装した側の反射によって再び地球に向かう軌道に戻ったらどうするのだ。

次の選択肢へと急ごう。ペンキ屋と塗装工を解任したりしているうちに、緊急度が増してしまった。今度のアイデアは、ピカピカした銀色の薄い膜で小惑星を覆うというものだ。本質的には塗装するのと同じ効果を狙ってのことだが、今度は、マラソン完走直後の選手っぽい感じが加わる。

あるいは、凹面鏡を搭載した小型の無人宇宙探査機の艦隊を送るという手もある。艦隊が適切なフォーメーションをとらせることで、たくさんの鏡によって小惑星表面上のいくつかのポイントに太陽光を集中させる。これらのポイントでは、非常な高温となるために岩が蒸発し、物質が放出されることで、小惑星を衝突軌道から押し出すだけの力が生まれるというわけだ。実際には、まだこれを実現することはできないし、万が一のためにと無人宇宙探査機の艦隊の開発に着手するとも思えない。だが、時間は刻々と過ぎている……。

技術者のアイデアが尽きたわけではない。必要なのは大量の宇宙探査機などではなく、本当に性能のよい、小惑星に照射できるイオンビームが１本あれば十分ではないかとの提案がある。荷電粒子のビームを小惑星にぶつければ、軌道から外せるというのだ。問題は、軌道から十分に大きくそらせるには数年かかる可能性があり、私たちにはその時間がないかもしれない。同じことが「重力トラクター」についても言える。質量の大きな宇宙機を飛ばしてその引力により小惑星を衝突軌道から引き離すのだ。しかしその程度の引力では小さすぎて、おそらくは手遅れとなりそうだ。

そろそろ、直接的な方策に移ろう。宇宙機を飛ばして小惑星表面にぶつけるのはどうだろうか。つまり、小惑星に十分な横向きの運動量を与える「キネティック・インパクター」としての役割を宇宙機にもたせるのだ。そうすれば、地球に向かってくる恐ろしい軌道から外すことができるのではないか？　その答えは2022年にわかるだろう。NASAは、二重小惑星軌道偏向実験（DART）というミッションで宇宙機の打ち上げ準備をしている。打ち上げられた宇宙機は、ディディモスという小惑星に接近し、最終的にはその小惑星を周回する直径160メートルの小衛星に衝突する予定となっている。宇宙機に搭載されたさまざまな精密機器によって、また地球の望遠鏡からの観測によって、小衛星の軌道が衝突によりどれほどの影響を受けるかがわかるはずだ。あとは、この小衛星の巨大な塊が地球の方向に飛んでこないことを願うばかりだ。

さて、誘導ミサイルでの爆破はよしとして、古きよき『アルマゲドン』タイプの爆弾を考えてみよう。驚くべきことに、実はこの手法は、すべての選択肢の評価を任せられた人工知能（AI）によって、最も高く評価されている。2018年、NASAのフロンティア開発ラボ（Frontier Development Lab）の研究者が軌道偏向法セレクター（Deflector Selector）を開発した。これは、小惑星による危機を検討して最善の対応策を決定する機械学習アルゴリズムである。このAIによって、『アルマゲドン』の手法が最善であると正式に認められたのだ。ハリウッドの勝利！

では、どのように実行するのだろうか。理想を言えば、まず小惑星の固さを知る必要がある。十分に固くなければ、衝撃波が岩に吸収されてしまうので、効果的に破壊できない。あるいは、小惑星が簡単にバラバラになった結果、「ショットガン効果」が生じる可能性がある——つまり、たくさんの、細かいけれど十分に危険な岩片への対処が必要となるかもしれない。

しかし、当然ながら、そんな事前調査をする時間的余裕があるかどうかはわからない。調査をしようがしまいが、はっきりしているのは、爆弾を小惑星の内部に入れなくてはならないということだ。表面にくっつけたのでは、一押しを与えることにしかならない。必要なのは、地球を救う爆発であり、小惑星を内側から破壊することなのだ。それでもまだ、ブルース・ウィリスに依頼の電話をかける必要はない。彼の手を借りずにミッションを遂行する宇宙船を建造できるのだから。

コラム 宇宙の核爆弾

ＮＡＳＡはなにも気にせずブルース・ウィリスと彼のチームに核爆弾をもたせて宇宙に送り出したが、たとえば中国やロシアといった、宇宙開発を進める他国の政権が同じことをしたならば、アメリカ人はどう感じるのだろうか。

これまでに最も宇宙に近づいた核兵器はスターフィッシュ・プライムだろう。これは１・４メガトンの核爆弾で、アメリカ合衆国が、ハワイの西南西１５００キロメートルの海面から４００キロメートル上空で爆発させた。冷戦の時代にあって、１９６２年７月のこの爆発は合衆国の兵器実験プログラムの一環だったが、想定をはるかに超える電磁パルスが発生し、ハワイの通信を混乱させ、電子機器に損害をもたらした。

宇宙空間への兵器打ち上げは、21世紀の外交において非常に厄介な問題である。１９６７年の宇宙条約にはアメリカ合衆国、ロシア、中国を含む１０９カ国が署名・批准した。条約では、いかなる国も地球を回る軌道に大量破壊兵器を乗せることが禁じられた。また、他のいかなる方法によっても、これらの兵器を月や宇宙空間に配置しないことも定められた。大規模兵器の実験が許されないということは、小惑星を核爆弾で破壊する練習もおそらく許されないだろう。やらねばならないときには、ぶっつけ本番になる。

問題は、宇宙条約では小規模兵器の使用についてはとくになにも言っていないということだ。たとえば、衛星破壊用のレーザービーム、通信妨害技術、さらにはミサイル防衛システム（詳しくは第6章を参照）などがこれに含まれ、いずれも構築や試験、配備が始まっている。
新しい条約として「宇宙空間における軍備競争の防止」（PAROS）が議題にあがっているが、これまでのところ、どの国にとっても魅力ある内容とはなっていない。私たちは核を宇宙に持ち出すことはできないかもしれないが、宇宙はもはや武器のない空間ではないのだ。

検討中の選択肢の１つに、超高速小惑星迎撃船（ＨＡＩＶ）がある。アイオワ州立大学の工学者、ボン・ウィーが設計したものだ。ウィーのチームによると、最善のシナリオとは、できるだけ迅速に小惑星に到達することだという。名称に「超高速」が入っているのはこういうわけだ。しかし、チームは、地表貫通型の核爆弾を載せた宇宙船が通常速度で小惑星に突っ込むと目標地点到達前に爆弾の起爆メカニズムが破壊されることに気づいた。そんなことになれば、小惑星が軌道も変えずに地球へと向かってくるかもしれない。世界は消滅し、誰もヒーローにはなれない。

ＨＡＩＶは、宇宙船を２つのパーツに分けることでこの問題を解決した。１つ目のパーツは小惑星表面にぶつかって穴を開ける。穴が開いた後で実際の汚れ仕事を引き受けるのが、２つ目のパーツの核爆弾だ。ＨＡＩＶの設計者たちは、１４０メートルの小惑星が向かってくることがほんの3週間前にわかったとしても、地球を救うことができると考えている。『アルマゲドン』での18日よりは少し長いものの、悪くはない。

他にも、HAMMER（緊急対応用超高速小惑星緩和ミッション）がある。小惑星の軌道をそらせるミッションで略語が「ハンマー」とは、なかなかセンスのある設計者たちだが、そのミッションの能力については少しばかり控えめのようだ。だが、これはいくつもの大物とつながっている。HAMMERは、アメリカ国家核安全保障局、NASA、そして米政府所有のローレンス・リバモア国立研究所とロスアラモス国立研究所の、共同プロジェクトなのだ。

HAMMERには決まった目的がある。直径500メートルの小惑星ベンヌだ。現時点では、2135年9月25日に地球に衝突する可能性が、2700分の1だけある。HAMMERの高さ9メートルのロケットを使っての第1案とは、ロケットでベンヌを軽く押す、つまりベンヌに突っ込ませて軌道から外すというものだ。衝突予定より10年前にぶつけることができるとしたら、直径90メートルの小惑星であれば、このロケット1機で地球との衝突を回避させられる。ただ、ベンヌはそれよりもかなり大きいので、もっとたくさんのHAMMERロケットを、もしかすると50機ほどを、それぞれ重量物打ち上げロケットで打ち上げることになるだろう。

それでも足りない場合のHAMMERロケットを使っての第2案とは、小惑星表面で核兵器を爆発させることだ。爆発の衝撃によって表面は蒸発し、その結果軌道がずれて、世界が救われるかもしれない。

コラム　こちらも参考に

映画『ディープ・インパクト』で登場するのは小惑星ではなく彗星だが、そこからはかなりお馴染みの内容となる。アマチュア天文家によって発見された彗星の脅威、ヒーローたちはその内部に核爆弾を埋め込もうとするが、ミッションは英雄的な自己犠牲なしには成功しない。興味深いのは、『ディープ・インパクト』では、宇宙飛行士を掘削工として訓練するという展開が選ばれたことだ。これはベン・アフレックが『アルマゲドン』のセットでこっちのほうがずっとリアルだからとマイケル・ベイに提案した内容である。伝えられるところによると、ベイはアフレックに「黙ってろ」と言ったそうな。

２つの映画の製作者の間には、かなりの競争があった。『ディープ・インパクト』の公開が早かったのだが、それが敗因となったのかもしれない。『ディープ・インパクト』上映後、『アルマゲドン』製作陣は即座に追加資金を投入して、特殊効果の面でライバルを確実に超えるようにした。結局、興行成績の戦いに勝利したのは『アルマゲドン』だった。『ディープ・インパクト』の３億４９００万ドルを上回る、５億５４００万ドルを叩き出したのだ。

それもうまくいかないときのために、第３案がある。『アルマゲドン』方式で、核爆弾を小惑星内部に仕掛けに行くのだ。

　そんなわけで、どの方法を採るにしても、土壇場に追い込まれればやはり『アルマゲドン』は頼りになるシナリオなのだ。では、どのくらいの規模の核爆弾を使うべきなのだろうか。ロシア人科学者が、チェリャビンスクに落ちた隕石サンプルの解析に基づいて、必要な計算を行っている。それによると、3メガトンの核爆弾で、直径200メートルの小惑星を十分に破壊できるという。これは朗報だ。なぜなら、すでに50メガトン級の核兵器を製造し爆発させることが可能だとわかっているのだから。ロシアが1961年にやったようにね。

　私たちにはもう準備ができているし、やる気も十分だ。確かに極端な方法だが、そもそも小惑星の襲来というのが極端な状況なのだ。ある1人の賢者（ブルース・ウィリス）がかつてこう言ったように。「俺たちがやり遂げなきゃ、みんな死んじまうんだ」

第3章

ハリウッドに殺される その方法は……
捕食動物!

「もっとでかい船が必要だぞ」

——『ジョーズ』(1975年)

当然ながら、恐ろしい捕食者《プレデター》が登場する映画はいくらでもある。『エイリアン』に、『プレデター』、『エイリアンVS.プレデター』、『カウボーイ＆エイリアン』。あとは、『U.M.A レイク・プラシッド』に、『アラクノフォビア』、『アナコンダ』など、てんこ盛りだ。そして、それらすべての元祖にあたる映画が『ジョーズ』である。スティーヴン・スピルバーグ監督による、知らない者などいないこの映画では、獰猛なホホジロザメのブルースが、休暇を楽しむ人々の体を引き裂いて、アミティという島の小さな町を恐怖に陥れる。［ちなみにブルースは映画本編での呼び名ではない。製作時に使われた機械仕掛けのサメが、スティーヴン・スピルバーグの弁護士ブルース・レイマーにちなんでこう呼ばれていた。］問題のサメは文句なしの怪物で、鼻先から尾びれまでが7・6メートルという巨大さだ。数字は少々誇張されているだろうが、ハリウッドがどのくらいの大きさに設定していようが実際には関係ない。実世界でのこれらの捕食者は、大きさに関係なく恐ろしいものなのだ。変だと思うかもしれないが、もしも捕食者がいなければあなたはこの本を読んでいなかっただろう――というか、どんな本も読んでいなかったはずだ。私たちの知能は、捕食者を出し抜くために発達したのだから。奇妙なことに、それによって、怖い映画を楽しむ資質をも得たわけだが。それでは、捕食者の世界に飛び込むこととしよう。

捕食者は常に存在したのか？

映画に関する逸話で、僕の一番のお気に入りは、『ジョーズ』に関するものなんだ。

スピルバーグがサメの姿を映画が始まってから1時間過ぎても見せなかったのは、緊張感を高めるためだと誰もが思っていたけど、実は機械仕掛けのサメが故障続きだったから、って話？

違うよ。それもいい話だけどね。僕が言うのは、リチャード・ドレイファスが檻に入って海中に降ろされてからサメが現れる場面のことだ。あのサメは機械じゃなくて、本物だったんだって。

サメがものすごく大きく見えるけど、どうやったんだろう？

演じたのはドレイファスじゃなくてスタントマンなんだ。すごく小柄のね。この、身長150センチのカール・リッツォは、潜り方を知らなくて怖がってた。自分が入ることになっていたペラペラのちっちゃい檻をサメが破壊した後は、リッツォは水に戻るのを断固拒否したんだって。

気持ちがいっぺんにサメたってわけだ。

捕食者の評判は悪い。悪意に凝り固まった殺戮《さつりく》者のように思われている。無邪気な暮らしをいつまでも楽しんでしかるべき愛らしい小動物を、しょっちゅう餌食にしているというのだ。ごま塩頭の漁師のクイントはこんなふうに言う。「知ってるか、サメってのは、死んだような目をしてるんだ。真っ黒で、人形の目そっくりだ」

公平を期して言えば、捕食者が殺すという事実は確かに否定しようがない。リチャード・ドレイファス演じる海洋生物学者の言葉どおりで、サメとは「完璧な熱機関にして食う機械であり、進化上の奇跡」なのだ。捕食者にとっての捕食とは、あらかじめ定められた仕事の一部である。それでいいのだ。捕食は、私たちの進化史にとって非常に重要な部分をなしているのだから。

およそ35億年前のこと、最初の生体細胞が出現するより前、地球には原始的な生命が存在した。原始のスープに漂うＲＮＡ分子だ。ＲＮＡ分子とは、化学反応に触媒作用を及ぼす酵素であり、複製をつくるための指示書をもつ遺伝子でもある。ということは、この原始的生命には自己複製が可能だったかもしれず、つまり自然選択が働いていた可能性があるのだ。もし他よりもうまく複製ができるものがいれば、そこから生じたものたちがより成功し、生き残る可能性が高まっただろう。科学者のなかには、それらの分子は平和的に自分のことだけをやっていたわけではないと考える者もいる。他の分子を攻撃し、分解して、事実上「殺し」ていたものもいるという。つまり、かなり捕食者のような振る舞いをしていたということだ。

このような捕食に対する単純な防御策としてまず考えられるのが、保護服のようなものだろう。つまり、ふらふら漂う分子から、細胞膜という保護服をまとった単細胞生物への跳躍は、捕食に対する適応反応だったという可能性が確かにあるのだ。ありがとう、捕食的な分子たちよ！

そして、これはほんの始まりにすぎない。

生命には主な形態が２つある。単細胞の原核生物（はっきりとした核がなくＤＮＡが裸の状態で存在する非常に単純な細胞）と、真核生物（核をもつ、ずっと複雑な細胞）だ。植物と動物はすべて真核生物である。単純な原核生物から、より複雑な真核生物への飛躍は約20億年前に起きたのだが、どうやってそれが起きたのか、誰にもわかっていない。一説によると、原核生物の捕食者が、細菌を捕食して丸呑みしたのだという（細菌も原核生物である）。この細菌がどういうわけか消化されずに生き延びて、細胞内で、今で言うところのミトコンドリアになったというのだ。ミトコンドリアは独自のＤＮＡをもっており、糖や脂肪やタンパク質を、生命を駆動する化学エネルギーへと最終的に変換する役割を担っている。

この理論の欠点とは、それが正しければ同じことが今も起こっているはずなのに、今いる原核生物はあまり丸呑みなどしていなさそうという点だ。しかし、原核生物の捕食者で、被食者よりも小さいものは実際にいる。彼らは被食者のなかに入り込んで、内側から消化するのだ。なので、こちらのほうがもっといい説明になるかもしれない。小さな細胞が、被食者である大きな細胞のなかに棲みつくことで、真核生物が誕生したのだ。

真核生物は原核生物よりも複雑だが、今あるような生命の多様性に達するには、そこからさらに大きく進む必要がある。複数の細胞、すなわち多細胞性をもつ生物へと跳躍するのだ。そしてここでもまた、「捕食」がなんらかの役割を果たした可能性がある。

研究者が実験で示したのは、単細胞真核生物の環境に捕食性の微生物を入れたところ、真核生物がわずか20世代のうちに多細胞の形態へと進化したということだ。これは早い。このとおりの経緯で多細胞性が発生したと証明されたわけではないが、この説が候補となることは証明された。さらに、多細胞生物は体を大きくできることがわかっている。大きくなれば、特殊な機能を一部の細胞に任せられるようになるし、そうすれば攻撃に耐えるための準備を整えることもできる。さらに、多細胞生物には一部の細胞を失う余裕ができる――単細胞生物にはもちろん無理なことだ。

さらに大きな生き物に移ると、最初の動物はおそらく6億年以上前に現れ、その後それほど経たないうちに（地質学的な感覚でということだが）、海のなかに膨大な数の動物が誕生するに至った。そして、非常に多様でそれぞれに違った進化の過程によって、それらの動物の多くは、骨格や、保護用の硬い外殻を発達させた――ふらふら漂う分子を保護するために細胞膜ができたのとかなり似た展開だ。そろそろ読者も予想がついているだろうが、研究者の多くが考えるところによると、この動物の形状の変化もまた、捕食に対する反応である可能性が高い。

では、これぞ捕食者と私たちが思いそうな、最初の捕食者とはなんだったのだろうか。答えを出しづらい難問である。化石は記録として不完全なものであって、柔らかいパーツはまず残らないからだ。しかし、これまでに発見されたバラバラの断片から、比較的に筋の通った物語を組み立てることはできる。

第一に、6億年前までは、外洋に大型の捕食者がいなかったのは確かなようだ。エディアカラ生物群と呼ばれる生物グループは、大きさは数ミリメートルから数メートルの範囲にあり、軟体性で多くは動くことができず、つまり捕食者からすれば食べ放題のビュッフェ状態だったはずだ。ところが、彼らが捕食されていたという証拠がほとんどない。そのため、エディアカラの住民たちは光合成により栄養摂取をしていて、そののどかなライフスタイルを邪魔するような大きな捕食者はいなかったのではないかと考える地質学者もいる。

コラム

陸地へ逃げろ！

そもそもなぜ魚は、約3億7000万年前に陸地に這い上がって、やがて爬虫類と両生類へと進化したのだろうか？　それは捕食のためである。だが、詳細はわかっていない。早々に海を脱出した昆虫や陸貝などを追いかけたのかもしれないし、サメのような海の捕食者から逃げようとしたのかもしれない。

驚くべきことに、この大きな進化上のステップが、たった今、南太平洋で再び起ころうとしているらしい。ラロトンガ島周辺に生息するイソギンポ科の魚は、干潮時には岩場にできる浅い潮溜まりにいるのだが、満潮時には海に出て行くのではなく、乾いた陸地へとにじり上がるのだ。研究者が計算したところ、捕食魚の泳ぎ回る海洋に出るよりも、陸地にいたほうが捕食のリスクが少ないのだという。これは、捕食が、進化における魚の上陸という過程を推進する主要因であって、おそらく魚たちは新たな食料源を求めてというよりも逃げるために上陸したのだろうという考えの裏づけとなっている。

イソギンポ科の数種はすでに陸地生活への移行を果たしている。まだエラ呼吸をしており、エラが濡れた状態を保つようにしているものの、外皮からある程度の酸素を得る能力を発達させてもいる。さらに、進化によって得た力強い尾びれを使って、跳ね回ることができるようになった。ここで特に紹介したいのが、やはり岩の上を這い回る能力を身につけたマモンツキテンジクザメだ。２０００万年もすれば、陸で生活するサメに遭遇するかもしれない！

私たちが確実に特定できている最初の巨大な捕食者とは、５億４０００万年前に生きていたアノマロカリスだ。名前の意味は「奇妙なエビ」であり、確かに奇怪な見た目をしている。甲殻類を思わせるその姿は恐ろしく、大きく飛び出した目と、大きな円形の口があり、口の周囲にはおそらく獲物を引き込むためであろう触手のようなものがついている。そして体長は２メートルにも達するという。こんなのがバーベキューの網に載っていたら、完全に悪夢だ。

古生物学者たちがアノマロカリスを最初に復元したとき、捕食時に獲物を咬んでいたのではと考えた。少しは口を閉じられるし、口にギザギザもある。しかし、どうやらそうではなかったらしい。単純に、生命の物語において早すぎるのだ。進化してちゃんとした歯や顎ができるまでにはまだしばらくかかる。おそらく、単に食べ物を吸い込んでいたのだろう。

実は、アノマロカリスは大型の捕食者として最初のものでさえない。アノマロカリスの登場よりずっと前から、硬い殻や外骨格をもつ生物は存在していた。そして、5億5000万年前の外骨格の化石に複数の穴が残っているものがあり、これは、お腹を空かせた捕食者が硬い外骨格に穴を開けて、なかの柔らかくておいしい体組織を食べようとしたときの跡だと考えられているのだ。複数の穴はいずれも大きさも形もそっくりなので、同種の捕食者がつけたものだと思われるのだが、その種については謎のままである。

もっと小さな捕食者はずっと前から存在していた。驚くべきことに、科学者たちが7億4000万年前のアメーバの化石を発掘しているのだが、このアメーバも硬い殻を発達させていたのだ。殻によっては、とても小さな捕食の跡が残っていた。非常に小さな複数の穴が、おそらくは内部の栄養源を求める者によって開けられたのだ。この捕食行為は、現在でも、いわゆるバンパイア・アメーバ（バンピレラ属のアメーバ）において見られる。微生物における捕食は、さらに過去にさかのぼると考えられる。ただし、化石化するような硬い部分がないので、直接の証拠を見つけるのは極度に難しいだろう。だが、現在に向けて時代を下ってみると、捕食が進化を推し進めてきたことを示す立派な根拠が見つかる。そのひとつが、私たち人間がもつ特異な能力だ。

いかにして人類は捕食者に立ち向かってきたのか

さあいくよ。究極の頂点捕食者デスマッチだ。シロクマ対ワニだったら、どっちが勝つ？

そんなお遊びはしないよ。バカバカしい。君、何歳《いくつ》なんだい。

わかったよ。じゃあ、トラ対シャチなら？

僕が問題にしてるのは動物の選定じゃなくて、その遊びの設定についてだよ。僕は、2頭の素晴らしい野獣を互いに戦わせて楽しもうなんて気持ちには絶対なれないからね。

そうかい、よくわかったよ……、アナコンダ対ワシなら？

なかなかやるね、いい組み合わせだ。ワシに20ポンド。

自分の姿を見てみよう。人間とは——相対的に見て——かなり弱っちい存在だ。７００万年前に、いとこのチンパンジーから系図上で分岐したときの人間は、今よりもっと小柄で、弱く、脳も小さく、足は特別に速く走れるようには適応していなかった。つまり、初期の人類は申し分のない獲物だったのだ。この頃の人間が生き残る勝算はというと、『ジョーズ』で、サメを捕まえるために大慌てで船にいろんなものを積み込む漁師たちのどたばた騒ぎを見て、海洋生物学者が「この連中、みんな死ぬだろうな」と笑うときの感じに少し似ている。では、私たちはどうやって生き延びたのだろう？

人類の生存はかなりの難関であり、実のところ、悪戦苦闘の連続だった。人類が誕生してこの方、さまざまな生物が私たちを狙っていくらでもやってきた。今でも、それは変わっていない。イギリス南部の安全な場所で執筆していると、ついつい、最近では食料として積極的に人間を狙おうとする生き物はいなくなったと思いそうになるが、世界的な統計値からはまったく異なる状況が見えてくる。手つかずの野生環境の近くで暮らしている人々はさまざまな動物に獲物として襲われている。カナダではピューマに、オーストラリアではワニに、インドではヒョウやトラに……といった具合だ。

化石という記録からは、餌食にされた人間の叫びが聞こえてくる。たとえば「タウング・チャイルド」の遺骨を取り上げよう。これは２００万年前の、幼いアウストラロピテクス（私たちヒト属の祖先と考えられている属）の頭骨だ。この頭骨には深くひっかいた跡が残っており、古生物学者たちを長年悩ませていた。今では、猛禽に殺された証拠だと特定されている。猛禽とは捕食する鳥類であり、強力な鉤爪を使い、自分よりもはるかに大きい霊長類などの動物を狩るのだ。化石に残された跡は、現在のワシが獲物の骨に残す傷跡と一致することがわかっている。

人間がディナーにされていたことを示す恐ろしい証拠はまだまだある。南アフリカで発見された１５０万年前のヒト科の頭骨化石には、２つの丸い穴が開いていた。これらの穴は古代のヒョウの牙とぴったり一致した。どうやって穴が開いたのか、博士号をもっていなくてもわかるだろう。そして他にも、非常に有名なヒト科の骨が残っている。１７５万年前のこの頭骨も、似たような咬み傷があり、これは剣歯ネコの牙と一致した。巨大な猛禽や大型のネコ科動物だけでなく、人間はハイエナやオオカミ、クマ、ヘビ、さらには巨大なカンガルーにさえ捕食されていた可能性が高い。そして、それこそが、私たちがなかなか役に立つ技を進化させた理由なのだ。

生き延びるための十分な食べ物を見つけるよりも差し迫った用事があるとすれば、それは自分が他の誰かの食事にならないようにすることだ。これを究極の進化圧だということもできる。被食者にとって、捕食者と関わるのは、生きるか死ぬかの状況である。だが、捕食者にとっては、その同じ関わりが、食事を得るか失うかということでしかない。生物学者のリチャード・ドーキンスとジョン・クレブスが言うところの「命―ごちそう原理」であり、これによって進化は推進される。あなたがどうにかして簡単にはごちそうにされないように進化できて、次の世代にもその特性を引き継がせることに成功すれば、あなたやあなたの種にとって大いに役立つことになる。

私たちのはるか昔の祖先は、捕食者を避けたり逃げたりする新しい方法を発展させた。この進化の過程での適応が、現在の人類にも残っている。たとえば、人間の本能的な闘争・逃走反応は、ほぼ確実に、古代の捕食者に対する恐怖から生まれたものだ。私たちが問題に直面すると必ず（ときには問題が生じるかもという淡い予感だけでも）アドレナリンが分泌されるのだが、これは、私たちの先祖が素早く本能的に捕食者から走り去ることができるようにするための反応と同じである。心臓は激しく脈打ち、呼吸は荒くなるが、これらはすべて、筋肉に酸素を送り込むためなのだ。興味深いのは、恐怖を覚えることで分泌されるアドレナリンの副次的効果として、奇妙にも快感を得ることだ。これこそが、『ジョーズ』のような怖い映画を私たちが喜んで見る理由である。また、かつては危険であった動物種に対しては、もはや脅威ではないとしても、私たちのなかに太古の恐怖感ががっちりと組み込まれてしまっている。剣のような牙をもった獣がいないかと、ドキドキしながら後ろを振り返ってしまうのだ。今も残る影響で面白いのが、鳥肌だ。私たちが体毛で覆われていた頃、体毛を逆立てることには体を大きく見せる効果があり、餌になる可能性をわずかに減らすことができた。今では特にそんな効果はないのだが。

捕食者の存在のプラス面としては、私たちが社交的になったことが挙げられる。人間が社会的グループをつくるという現象は、ほぼ普遍的に見られる。この理由としてさまざまな仮説があり、特に説得力のある単純な説が「数が多ければ安全」というものだ。個体数が多いほど、そもそも脅威に気づく可能性が高くなるし、脅威が接近してきた場合にも、集団ならばたくさんの歯や手によって撃退できる可能性が高くなる。これは、既存の霊長類研究により裏づけられていて、グループが大きいほど被食率は下がる傾向にある。

私たちの会話能力も部分的には捕食者のおかげなのではないかという議論さえある。霊長類がランチにされないようにするための方法はたくさんある。たとえば、防御のために攻撃する、見つからないよう動きを止める、周囲を常に監視する、警告の声を上げるなどだ。このときの発声には2つの目的がある。1つはグループの他のメンバーに差し迫った脅威を警告すること。もう1つが、捕食者に向けて、気づいているぞと知らせることだ。大型ネコ科動物やヘビなどが狩りをする場合、不意打ちこそが肝心なので、獲物に気づかれたら速やかに身を隠して最初からやり直しとなる。

ベルベットモンキーやマカクを対象にした広範な研究から、多くの霊長類は、発見した捕食者の種類に応じて鳴き声を使い分けて警告を発することがわかっている。ある鳴き声が「ヒョウ」で、別の鳴き声が「ヘビ」を意味しているようなのだ。そして、それぞれの鳴き声に応じて、受け手は異なる行動をとる。ヒョウを見つけたときの鳴き声を聞けば、すぐに木に登る。ヘビを見つけた鳴き声を聞けばそれに向けてものを投げつける。こういった発声は霊長類の防御戦略の重要な部分であり、初期のヒト科動物が似たようなことをしていたと考えるのは理に適っている。おそらく、これらの鳴き声が、さらに細かい情報を伝えるものへと進化したのだろう。ヒト科動物が開《ひら》けた場所で暮らしていれば、同時に複数の興味あるものを発見して、それを伝えようとしたはずだ。情報伝達が高度になるほど、回避策を決めるのが簡単になる。言語は、ひとつには、害あるものから逃れるための非常に便利なツールとして発達した可能性があるのだ。

言語の問題点とは、大きな脳を必要とすることだ。脳はそれ自体がとんでもない大食らいであり、機能するために大量のエネルギーを要する。脳が存在価値を示すためには、それをもつ動物にとって大いに役立たねばならない。これまでの複数の研究から、脳の大きさと生存に相関があることは知られていた。そして、脳の大きなグッピー(といっても平均的なグッピーの脳より大きいということだが）を使った実験で生存率が向上することが見つかってはじめて、脳の大きさと生存に直接の関係があることが確認された。まあ、グッピーの話ではあるのだが……わかったことには変わりない。

人間の進化史上で最大の難問の１つとは、どうすれば脳をより大きくできるかということだった。脳が大きくなり始めたのがいつ頃かはわかっていて、およそ２００万年前のことである。その同時期に、私たちの歯は小さく、腸は短くなり始めた。これらが示すのは食生活の変化だ。それではどうやって人間は、より栄養価が高くて簡単に消化できる食べ物を得られるようになったのだろうか。どうやって、自分の脳に栄養をいきわたらせていたのだろうか。ある仮説によると、人間は、見つかったものならなんでもかき集めて食べるような生活から、常に肉を食べるような生活に変わったのだという。狩猟によってそれが可能となったのだろう。肉を食べて消化するのに歯は小さく腸は短くなるというのは、ちょっと辻褄が合わないようにも思えるが、これが示すのは人間が肉を調理するようになったにちがいないということだ。熱を使えば食物を消化しやすい形へと効果的に変えられるし、より迅速に、より多くのカロリーを摂取できるようになる。脳を維持し成長させるためには素晴らしいことだ。

火の扱いを習得したことは、人類にとっての大きな転換点である。しかし、私たちの先祖が火を使い、制御していたことを示す証拠は、それから１００万年後のものしか見つかっていない。単にまだ発見できていないだけなのだろうか？　その可能性が高そうだ。火は調理だけでなく、捕食者から身を守るためにも役立つ。動物は火を避けるからだ。人間が火を使えるようになって、樹上ではなく地面で寝るようになったとすれば、睡眠の質が改善されて長く眠れるようにもなっただろう。その結果、緊張感を維持しつつ自分たちのグループを守れるようになっただろうし、狩猟の成功率も上がったに違いない。

実際に、人類が非常に優れた狩猟者であったことを示す証拠は多い。あまりに優れていたので、私たちはネアンデルタール人を滅ぼし、多くの大型哺乳類を絶滅に追い込んでしまったのかもしれない。しかし、あのホホジロザメと比べれば、人間もまだまだ最高の狩猟者とは言えないだろう。

サメは究極の捕食者か？

原作者のピーター・ベンチリーが、サメを暴れ狂う冷血な殺人鬼のように書いたのを後悔していると言ったのを知ってるかい？

確かに、ホホジロザメは完全な「冷血」ってわけでもないんだよね。必要に応じて体温を上げられるんだよ。

ポイントがずれてるよ。彼は、自分が人々を怖がらせてしまったせいで、サメの絶滅の危機を招いてしまったと感じているんだ。

人々って、ドナルド・トランプみたいな？

そのとおり。トランプは、サメ保護団体には絶対に寄付しないと言ったんだよね。サメの絶滅を望んでるんだってさ。

むしろ、それってサメにとってはいい宣伝だよね。ほら、「敵の敵は味方」って言うだろ？

［訳註：実際に、大統領任期中にトランプのサメ嫌いが報道され、サメの保護団体への寄付金が急増した。］

まず、誰もが思う疑問に答えよう。『ジョーズ』のサメは7・6メートルという設定だったが、これは現実的なサイズなのか？　ざっとみたところ、そうではなさそうだ。『ジョーズ2』の9メートル超えとなるとますます現実味は薄れる。そして、『ジョーズ3』（3D映画との触れ込みだったが何次元であってもまったくおすすめしない）では約11メートルに達した。第1作の映画ポスターで描かれたアイコン的なサメは、その芸術性により非常に高い評価を受けた。だが、絶望的な運命を知らずに海面で泳ぐ人物に比べて、下から迫るサメの口はあまりに大きく、ある程度の知識をもつ人ならばこのサメの大きさを驚きの15メートルと見積もってしまうほどだ。

標準的なホホジロザメの体長は3・7〜4・9メートル。しかし、もっと大きく成長することはある。映画の原作となったピーター・ベンチリーのベストセラー小説は、1964年にロングアイランド沖合で重量2000キログラム、体長5・3メートルというホホジロザメがモリで仕留められたという話から着想を得ている。カメラでとらえられた最大のホホジロザメは、科学者が想像力豊かにディープブルーと名づけたメスの個体だ。推定50歳で、7メートルという見事な体躯を誇る。もしかすると、第1作の7・6メートルというあたりが、ギリギリで現実味のあるラインかもしれない。

このような怪物は、数億年という物語の集大成である。実は、サメは、進化史において最も永続的な勝利を収めてきた動物の一種なのだ。サメなどの軟骨魚類と硬骨魚類は、4億年以上前に枝分かれした。それ以来、サメは地球上のすべての海洋で繁栄し続けている。この驚くべき生き物とその先祖たちは、5度の大量絶滅を生き抜いてきた。たとえば、6600万年前に非鳥類型の恐竜をすべて死に絶えさせた有名な大量絶滅や、それよりもさらに規模の大きかったペルム紀末の2億5100万年前に起きた大量絶滅をも乗り越えている。ペルム紀末の大量絶滅では、地球の海生生物種の96%、陸上生物種では70%もの種が絶滅した。このすべてを、サメは生き延びたのだ。5億年近くの間に生息したサメは約3000種にのぼる。現在では約500種であるが、その多くは恐竜がいた時代にまでさかのぼる。時にサメが「生きた化石」と呼ばれるのも納得だ。

サメの進化史に関してわかっていることのほぼすべてが、サメの歯からもたらされたものだ。サメの歯以外の骨格は、すべて、硬い骨ではなく軟骨でできている［これがサメと硬骨魚の違いだ。もちろんサメと私たちとの違いでもある。人類は結局のところ硬骨魚の子孫なのだ。そんなわけで、サーモンは、サメよりもあなたのほうに近い］。軟骨は海の中ですぐに朽ちてしまうので、全身が化石として発見されることはめったにない。運がいいことに、サメの歯は生え変わる。口のなかに何列もの小さな尖った歯が控えていて、物騒なベルトコンベヤーのように前に移動してきて、最前列の歯が損傷したり抜けたりすると交換されるわけだ。ホホジロザメの場合には、よく切れる三角形のギザギザの歯を、生涯をとおして2万～4万本も使う。よって、歯の化石だらけである。古生物学者にとっては朗報だし、入学前に長期休暇を楽しんだことをサメの歯のネックレスをつけて見せびらかしたい学生にも重宝されている。

とはいえ、サメの全身骨格もいくらか残っている。たとえば、クラドセラケという非常に初期のサメは、3億8000万年前の全身化石が見つかっている。流線形をした、魚雷のような筒形の体に、二股に分かれた尾びれをもつ、見るからにサメっぽい姿をしている。水中を高速かつ敏捷に泳いでいたことだろう。化石になった顎からは、そこに強い筋肉がついていたことが窺える。しっかりとした噛む力が備わっていたクラドセラケは、強力な捕食者だったに違いない。実際に、サメは顎が発達した最初の生き物の一種である。開閉する顎があるのは大きな利点であり、口よりも大きいものを噛んで食べ進めることができる。多くの科学者は、サメの顎は、エラを支えるアーチ状の骨が徐々に変化したもので、それによって呼吸が改善されたために進化の過程で選択されたのだろうと考えている。副次的に、噛みついたり、つかんだり、他のたいていの生物を脅したりといった利点もあるので、この発明品が特別に価値あるものとして残ったのに違いない。

コラム

サメにはあなたの助けが必要

多くのサメの種が、絶滅の危機に瀕している。比較的最近に海で捕食者となった種、つまり人間に狩られているためだ。２０１３年の概算によると、人間によってサメが1年に1億匹殺されているという。1億匹である。サメが産業的規模で殺されているのはフカヒレスープの原材料であるためだが（東南アジアの巨大市場を主に支えているのはEUを基盤とした漁業である）、他の操業にサメが巻き込まれて死ぬこともある。フカヒレ漁では、サメを捕獲して生きたままヒレを切り取る。そして、この偉大なる動物への敬意に欠ける私たち人間は、ヒレのないサメをそのまま海に放り込んでゆっくりと死ぬに任せるのだ。食物連鎖において上位に位置するサメの個体群を一掃すれば、その影響は思わぬところにまで広がる。ハワイ近くのあるサンゴ礁では、漁場に近かったために、あるサメの個体群が全滅させられた。その結果、その海域では、サメに食べられることがなくなったタコの数が急激に増加し、タコに食い荒らされて甲殻類の個体数が激減してしまった。結局、食料がなくなったためにタコの数も急激に減った。これは、食物連鎖の壊滅的混乱の、ほんの一例である。

海洋にあって顎がついていたのはクラドセラケだけではない。獲物をめぐる争いが、なにやらかっこいい名前のダンクルオステウスといった生き物たちとの間に生じていた。装甲を備えたこの怪物魚は、バス1台ほどの大きさがあり、その噛む力は、古今東西、地球の海に生息したあらゆる魚のなかで最も強かった。歯はないが、プレート状の顎の骨が鋭く突き出しており、それらを使えばほとんどなんでも切り裂くことができた。このようなライバルの存在によって、どうやらサメの多様化が促進されたようだ。こうして、いわゆる「サメの黄金時代」を迎えたのは、3億6千万年前、石炭紀のことである。この時代にはいくつもの非常に特異な適応の仕方や体の形が見られた。たとえば背びれが鉄床《かなとこ》の形（目的不明）をしたサメだとか、ディナー皿くらいの大きさのらせん状に巻いた歯（目的不明）が下顎から突き出ているサメなどがいた。こんな時代にシュノーケリングをしたら、さぞや恐ろしい思いをしたことだろう。

これらすべてが生き延びたわけではない。たとえば、その理由は誰にもわかっていないのだが、ダンクルオステウスは3億5000万年前あたりから、化石としてまったく見つからなくなっている。だが問題はない。ある種が絶滅するたびに、生態系には新たな隙間ができる。そして、サメは、そんな隙間にもぐりこむのが格別にうまいのだ。

このことは、特に大量絶滅の場合に当てはまる。これらの壊滅的な時代の後の回復期において、サメは最も多様化したらしいのだ。たとえば、2億年前に起きた、三畳紀末の大量絶滅の後では、特に有用な機能がサメに備わった。ある種の、柔軟な格納式の顎である。これならば、泳ぐときには摩擦の少ない滑らかな体のラインが保たれる。さらに、捕食時に役立つちょっと

ミツクリザメを見れば、サメの飛び出す顎がいかに有用であるかがわかる

した利点も生まれた。サメが頭を上げると顎が素早く突き出す。そうして犠牲者をとらえたかと思うと、顎が即座に引っ込むのだ。

しかし、いかに印象的な種とはいえ、サメがいつも幅を利かせてきたわけではない。伸縮自在の顎を手に入れた時期でも、進化しつつあった爬虫類には敵《かな》わなかった。陸地である程度の時間を楽しんで過ごしてから、また海に戻ってきた連中だ。そうして新たに登場した海生生物のなかには、史上最も恐ろしい捕食者たちがいた。プレシオサウルスや、群れで狩りをするイクチオサウルス、体長20メートルで下顎の長さ3メートルという恐ろしいプリオサウルスなどにとっては、サメでさえも敵ではなかった。19世紀になると、これらの生物の化石が発見されるようになり、「海のドラゴン」として広く知られるようになった。こんな怪物連中を狩ることのできる生き物など、いはしなかった。

サメにとって幸運なことに、巨大な隕石がメキシコに落ちて（第2章を参照）、白亜紀の終わりに大量絶滅が起こり、これらの海生爬虫類も死に絶えた。そして再び、サメが食物連鎖のトップに返り咲くことができたのだ。哺乳類で海に帰ってくるものが現れる頃には、サメの準備は整っていた。大きい体で俊敏に泳ぎ回っては、脂肪が多くて栄養たっぷりの新参者であるアザラシやクジラなどを熱心に食べたものだ。だが、サメが捕食者として頂点に立っていたのは、シャチが登場するまでのことだった。ジョーズでさえも、シャチには降参するだろう。シャチのほうがホホジロザメよりもずっと体が大きくて泳ぎが速い。また、シャチのほうが美食家でもある。サメは獲物の体を食べ尽くすのだが、シャチはホホジロザメの肝臓を——大きくて味のよい栄養価たっぷりのごちそうを——注意深く抜き取って、それ以外は残すことで知られている。あなたがホホジロザメを恐れているのなら、シャチのことはその倍は恐れなくてはならない。『ジョーズ』に登場する漁師クイントの船の名は「オルカ号」だったが、その由来はここにあるのだろう。［訳註：オルカ（Orca）とはシャチのことで、ラテン語の学名「Orcinus orca」から転じた呼び名。］

ランチにされないための対処法

『ジョーズ』が私たちに残した遺産には驚かされるよね。

君が話してるのって、２０１３年の研究結果のこと？　いまだに観客の半分近くが海に入るのを怖がるようになったままだっていう。

それもいいネタだけど、僕が考えてたのは、『ジョーズ』は夏に大ヒットを記録した最初の映画だってことだよ。ハリウッドに新しいマーケティングモデルをもたらしたんだ。

もちろん、大ヒット映画のシリーズ化っていうアイデアも一緒にね。金儲けにはなるけど、続編になるほど質が落ちるっていう。

そうじゃない場合もあるよ。『マンマ・ミーア！　ヒア・ウィー・ゴー』は、『マンマ・ミーア！』よりも悪くはなっていないからさ。

スピルバーグは本当に怪物を生み出したんだなあ。

これまで『ジョーズ』を取り上げてきたから、捕食者を回避する方法についても、サメから始めることにしよう。わかりやすい戦略が1つある。水辺に近寄らないこと。だけど、本当はそんな必要すらないかもしれない。

『ジョーズ』は人食い動物というアイデアに基づいてつくられた映画だ。しかし、サメは本当に人肉を食べたがるようになるのだろうか？　残念ながら（オーストラリアやカリフォルニア州の住人にとっては残念でもないだろうが）、そんな証拠はほとんどない。サメに襲われる人間の数は平均すると1年で約80人、年間の平均死亡者数は6人だ。2018年には5人だけだった。この年には、サメに殺された人間1人につき、約2000万匹のサメが人間に殺されたという計算になる。

実のところ、ホホジロザメはあなたのことを食べたくなどない。サメは獲物をえり好みする。というのも、サメは食べた物の消化に非常に時間がかかるので、あなたのような栄養価の低い獲物を食べて時間や胃腸の空間を無駄遣いしたくはないのだ。あなたの自己認識がどうであれ、ホホジロザメにとっては、あなたはガリガリに痩せこけていて、ちっともそそられる相手ではない。彼らの食べ物の好みは、脂肪分たっぷりで高カロリーなアザラシやアシカなのだ。

そのため、サメが人間を襲うというのは単に相手を間違えたのだろうと言う人もいる。下からだと、サーフボード上のサーファーのシルエットはアザラシに見えそうだし、遠泳中にサメを見てパニックを起こした人は、ビチビチと泳ぐ魚に見えるだろうというのだ。しかし、ホホ

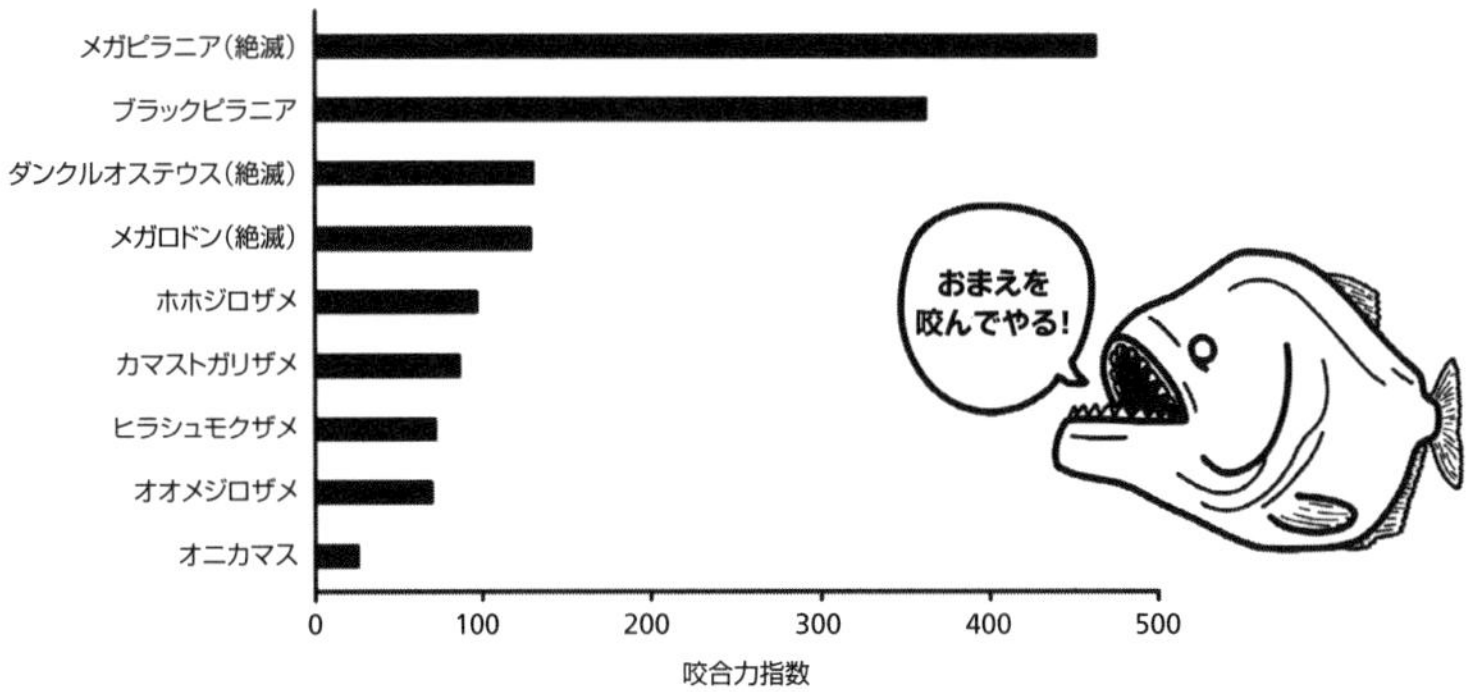

最強の水生捕食者たちの咬合力指数（体重に対する咬合力の比）

ジロザメは非常に視力がよいし、本物の獲物がサメの視界に入った場合、サメは下から攻撃を仕掛け、猛烈なスピードで上昇して犠牲者に襲いかかるのだ。実は、サメが人間に接触するときの様子を観察すると、どうやら別のことが起きているらしい。獲物に向かうときのような、爆発的な突撃はしないのだ。巨大な殺戮機械としては、可能な限り優しく振る舞っている。周りを数回まわってから、寄ってきて試すように噛むのだ。

つまり、サメは単に好奇心にかられただけらしい。脚を食いちぎられた人にとってはなんの慰めにもならないだろうが。ともかく、サメが悪いというわけではないのだ。サメには、ちょっと突っついたり、握手をしたり、八百屋で母親がメロンを選ぶときにするようなことなどができないのだから。あなただって、もし何かを調べる手段が歯しかなければ、噛んで調べるに違いない。

サメへの対策として最善のアドバイスは、先ほどと変わらず簡単極まりないものだ。なんらかの危険があるのなら、水辺に近寄らないこと。ところで、これはワニへの対策としてもいいアドバイスだ。もちろん、ワニは陸地にも上がってきてしまうのだが。ワニやアリゲーターが水から這い出てきて、自分に向かって突進してきたら、できるだけ速く真っ直ぐに逃げることだ（ジグザグに走れとかいう話を聞くが、危険なので信じないように）。ワニはあなたよりも持久力がないので、追跡を諦めるだろう。あなたの足が少々遅すぎてワニに咬まれたなら、指で目つぶしすること。そうすれば、ワニが放してくれるかもしれない。だが実際のところ、そんな状況になったら、現存する生物のなかで最強の顎をもち、最大の咬合力を誇る動物を相手にしていることになる。つまり、何はともあれ速く走ることだ。「そんなの教えてもらったことない」なんて、もう言えないからね。

コラム

こちらも参考に

『MEG ザ・モンスター』では、ジェイソン・ステイサム演じるレスキュー・ダイバーが、マリアナ海溝のなかでさらに深くなっている領域から現れた体長25メートルの先史時代のサメ、メガロドン2匹と死闘を繰り広げる。てんやわんやがあって、最終的にはステイサムが潜水艇でメガロドンの超巨大な体を切り裂くしかなくなって、さらにその目にモリを突き刺して終了する。これは（驚くなかれ）、実話を元にした映画ではない。だが、かつてこれらのサメが存在していたのは確かだ。ただし、どのくらいの大きさに成長していたかはわかっていない。わかっているのは、縁にノコギリのようなギザギザがついた、1本が18センチにも達する巨大な歯をもっていたということであり、ホホジロザメの体の比率から類推するならば、全長20メートル近くあった可能性があるという。かつては、ホホジロザメは、メガロドンの直系の子孫だと考えられていたのだが、今ではアオザメの先祖から進化したと考えられている。メガロドンは2300万年前に初めて出現し、およそ360万年前に絶滅した。絶滅の理由は完全にはわかっていないが、食料不足に伴い他種との競争が激化したためらしい。このメガロドンが、まだ発見されていない海洋の深層部に潜んでいるか？　おそらくありえないが、可能性は残る。実は、つい最近の1976年に新種のサメが発見されているのだ。これは体長6メートルに達する怪物のようなサメで、科学者にはメガマウスと呼ばれている。名前の理由は――もちろんわかるだろう？

絶対に混同してはならないのは、ワニへの対処法（死に物狂いで走ること）と、クマや大型ネコ科動物やオオカミのような動物への対処法だ。後者の動物から走って逃げるのは、ものすごく悪い結果を招く。彼らは、自分から逃げるものを即座に獲物だと判断する。しかも、人間はどの動物にもあっという間に追いつかれる。この場合の有効策は、逃げるのではなく、自分を実際よりも大きく見せることだ。コートを大きく広げる、爪先立ちになる、リュックサックを頭の上に載せるなど、なんでもいい。大きく見えるだけで、動物は勝算を低く見積もるようになる。また、大型のネコ科動物の場合、抵抗してきそうな相手を避ける傾向にある。それを念頭に置いて、トラに向けてなにかを——棒切れでも石ころでもなんでもいい——投げつけるのもいいかもしれない。同時に、大声で怒鳴ること。度胸があって、強い姿勢を打ち出すことができれば、相手も攻撃をやめてくれるだろう。そう願いたい。

さて、あなたがまだサメに襲われることを心配しているなら（そんな必要はなくて水辺に近寄らないだけで十分なのだが）、サメを寄せ付けない、非常にいい方法が1つある。第二次世界大戦以降、サメは、死んだサメが腐敗しつつある場所を避けるという話がよく聞かれた。これは理に適っている。他のサメがその海域で殺されたということは、捕食者や他の危険なことがその場所で待っているということだ。そして、朗報がある。動物の死体から放出されるフェロモンを特にネクロモンということがあるが、2014年の研究によって、サメのネクロモン、つまりサメの腐敗組織から放出される化学物質の混合物に、実際に他のサメを遠ざける効果があることがわかったのだ。次に海に行くときには、出どころの確かな古いサメ肉を体に巻きつけるだけでいい。襲われる心配は無用となる。楽しい海水浴を！

第4章

ハリウッドに殺されるその方法は……

ロボット!

「そいつが賢くなり、思考力をもつようになったんだ。
そして、やつは人類の存在を脅威と考えるようになった」

──『ターミネーター』(1984年)

凶悪なステップフォードの妻たちに、冷徹なHAL9000、無情なロボコップ、『ウエストワールド』に登場する狂気のAI、ガンスリンガー。テクノロジーが創造者に刃向かうとき、その殺戮劇を誰もが楽しむことだろう。だが、ここに、他のロボットをはるかに凌駕《りょうが》する存在がある。アーノルド・シュワルツェネッガー演じるターミネーターは、誰もが一目見ただけでそれと知る、非情な殺戮マシンの代名詞となった。カイル・リースはサラ・コナーにこう話す。「やつには取引も理屈も通用しない。同情も後悔も恐怖も感じないんだ。そして絶対にあきらめない……君の命を奪うまではね」。ハリウッドの最高の悪役たちと同じく、ターミネーターとは、私たち自身の恐怖の産物だ。簡単に言えば、私たちの懸念とはこうだ。私たちはすでに、スカイネットに相当するものを、この現実世界のなかでつくりだしているのではないだろうか？　スカイネット、つまり、人類を支配下に置き続けるためにターミネーターを送り込んできたＡＩだ。私たちは知らず知らずのうちに、自分自身の破滅をもたらす種をまいてしまったのだろうか？　ネタバレするが、その可能性は、確実にある。

私たちはロボットづくりに長けているのか？

シュワちゃんは素晴らしいサイボーグになったものだよね。ターミネーターみたいな存在は他にはいないもの。

どうだろうね。君はときどき、ちょっとターミネーターみたいに見えるよ。

組織の歯車っていう面は、少しはあるかもね。

そういう意味じゃなくて。君があのクイズ番組の司会をしてるときだよ。いつもおんなじ強張った表情でさ、生気のない話し方してるじゃないか。

T－800・モデル101のターミネーターはとてもよくできたロボットである。厳密に言うと、これは一部が生体で、一部が機械でつくられているので、サイバネティック・アンドロイド、あるいはサイボーグだ。完全なロボットではないが、たいしたものではある。現在のロボットに文句があるとすれば、それがたいしたものではないということだ。フィクションの世界で1984年にサラ・コナーが言うとおり、「まだそんなものをつくれるわけない」のだ。

これまで何十年間も、私たちはスクリーン上でSFロボットを見てきたが、実生活で動いている様子を見たことのあるロボットはそれらよりはるかに劣っている。だが、だからといって、ロボットの世界が到来していないというわけではない。国際ロボット連盟（IFR）の調査によると、2020年には世界の工場で稼動するロボットが300万台に達する可能性があり、そうなると、2014年時点から倍増することになる。これらのロボットは派手な仕事をしているわけではない。結局のところ、地味な仕事を産業用ロボットにさせるというのがポイントなのだから。そして、これらのロボットが経済成長に大きく貢献してきた。

ロボットの活躍の場は工場だけではない。倉庫はかつてないほど自動化が進みつつある。アメリカで、食品や消費財を扱う会社が2018年に導入したロボットは前年に比べ60％も増えた。また、2019年には、アマゾンが注文品を梱包するのに人間ではなくロボットを使い始めたという話題が大きなニュースとなった。そして、長年、建築業界にはロボット革命への抵抗があるとされていたのだが、人間のレンガ職人よりも速く壁をつくることのできるSAM

（半自動石工：Semi-Automated Mason）のようなレンガ積みロボットが、人間とともに働くようになりつつある。

機械の利点はこんなところにある。ある仕事が単純な指示に従う繰り返し作業で、プログラム可能な定型化した連続動作を要するものであれば、ロボットは人間と同程度に行うことができるだろう。しかも、トイレ休憩も昼休みもいらないので作業は速く進み、負傷のリスクもなく、医療保険の支払いも、休暇をとらせる必要もない。ロボットは文句も言わずに祝休日でも働くし、二日酔いの状態で職場に来ることもない。

分野によっては、ロボットを使うことでさまざまな利点が生じる。例として手術を考えてみよう。ロボットが複雑な手術をするのを見たことがあるだろう。だがそれは、外科医が操作するツールとしてのロボットだったはずだ。ときには何千キロも離れた場所から手術が行われることもある。ロボットのカメラから送られる映像によって患部をしっかりと確認できるので、外科医が患者と同じ場所にいる必要はないのだ。外科医が関与しているのは、プログラミングと監督のみという場合もある。ただしＡＩが使われているわけではない。ロボットは外科手術の際の意思決定をまだ行ってはいないのだ。しかし、ロボットならば、人の手では不可能なほど小さくきれいに切開できるので、手術の傷を最小限に抑えて、回復時間を短縮できる。

おそらく、ロボットを最も利用するようになるのは、第一次産業革命時に最も大きく様変わりした分野、すなわち農業だろう。農業分野は、常に、テクノロジーによる再改革を待ち望んでいる。かつて食料生産は人間にとって無二の仕事であった。その後、道具の使用が始まると、農業だけに携わるのは労働人口の一部ですむようになり、それ以外の人手を建設や調理のような仕事に集中させられるようになった。農業機械の登場により、多数の失業者が出はしたが、より安価で効率的な食料生産が可能となった。現在、人間の労働者を使うことのできない場所や、人を使うことが「経済的でない」場所では、ロボットが作業をするようになりつつある。雑草を探して適切に引き抜いたり除草剤を散布したりするロボットは、人間がその仕事をするよりも費用対効果がはるかに高い。今では、家畜の監視を行うロボットがオーストラリア内陸部の広大な放牧地を動き回って、牛の歩く様子や体温をチェックして、牛の餌となる牧草地の状態を報告している。オーストラリアの農家は、こういった仕事に人間の労働者を充てることができなかったと言って感謝している。アメリカの農家も同意見だ。種苗農家が使うロボットは、広大な作業場を動き回って苗を移動させ、成長に応じて苗の間隔を広げ、販売できる状態にまで育てている。これらの農家は、こういった地道な仕事の雇用の問題を、ロボットを購入して解決しているのだ。

もちろん、これらのロボットは、未来のSF的イメージにふさわしいロボットからは程遠い。私たちは子どもの頃から、いずれ日常生活のなかにロボットが存在するようになるという考えに触れながら育ってきた。ロボットが家事をしたり、バーテンダーや店員だったりするのだ。私たちの心を捉えたのは、アイザック・アシモフの『われはロボット』に登場するような、社会的リーダーを務める自律型ロボットであって、ゴミ処理ロボットのＷＡＬＬ・Ｅ《ウォーリー》ではないのだ。

だが、ロボットの応用例の１つに、人間のもっと派手な期待に応えるものもある。宇宙を旅するロボットだ。私たちはロボット探査機を、月へ、火星へ、さらには小惑星へと送り込んできた。これも理に適っている。確かに、人類が二度と月面に戻ることはないのではないかという不安を人々はこの50年間ずっと抱えてきたが、少なくとも現時点で、月面での作業のうち人間のほうがロボットよりも優れているものを見つけるのが難しいのだ。そして、火星への到着については、人類にその準備が整う時期は不明であるものの（連邦議会は「２０３０年代に火星の近傍または表面」に人を送るようＮＡＳＡに求めているが）、ロボットはというと、１９９７年以降、火星表面を動き回っている。

しかし、強烈な印象を残すといえば、軍事予算でつくられたロボットに勝るものはなかなかない。たとえば、BigDog《ビッグドッグ》を見てみよう。ボストン・ダイナミクス社がアメリカ国防総省の国防高等研究計画局《DARPA》との契約により開発した、いわば荷馬ロボットである。関節のある４本の脚をもち、人工知能を備え、小突き回されても薄気味悪い動きで体勢を立て直すことができるので、ほとんどどんな地形であっても移動が可能だ。見たことがなければ、YouTubeで動画を探すといい。このロボットを見ると少しばかり違和感を覚えるはずだ。実際の生物がしそうなことを巧妙に真似ているように見えるうえに、体が大きく、弱さが少しも感じられず、あから

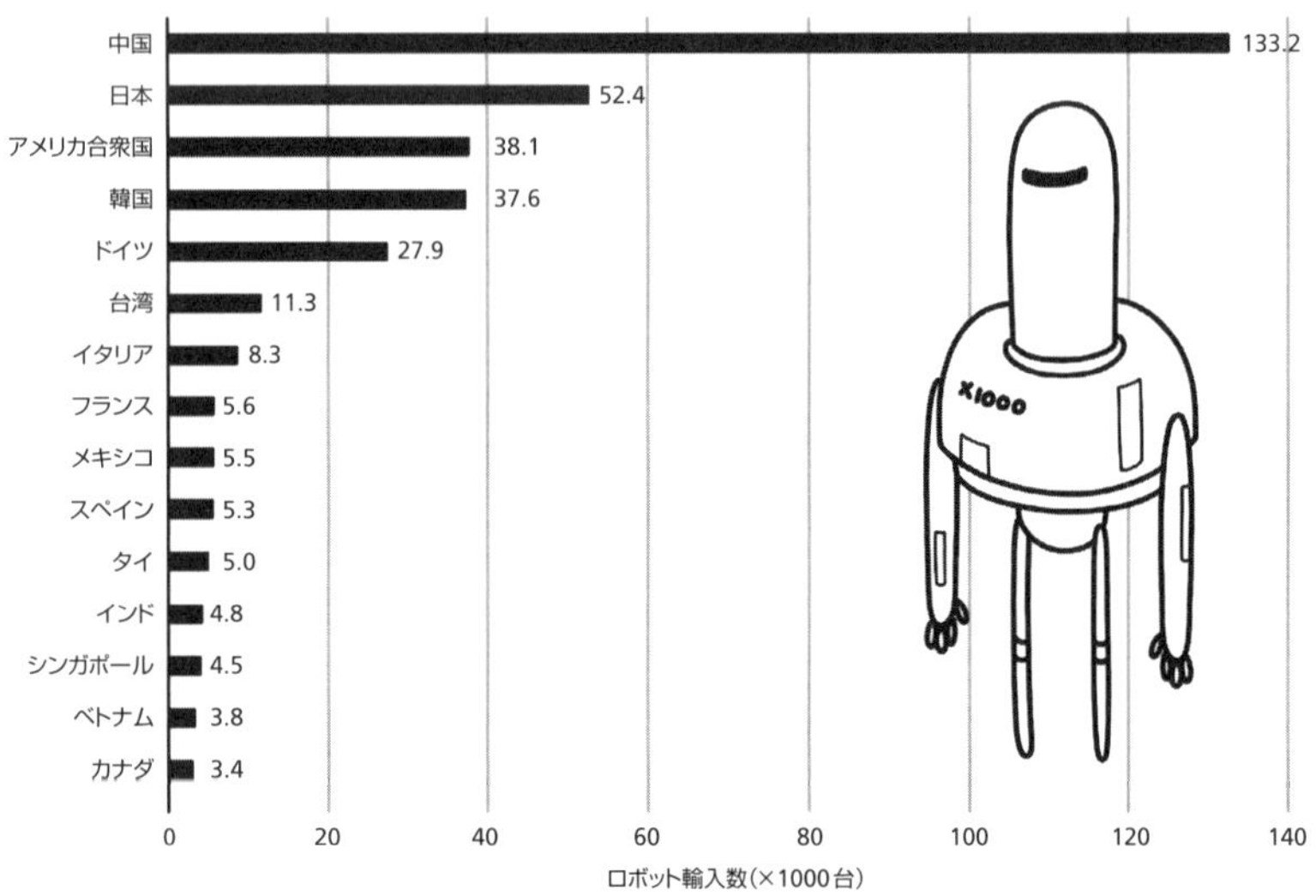

国際ロボット連盟によると、2018年の産業用ロボット輸入数では、中国が群を抜いている

さまな欠陥もない。本体重量は109キログラムで、154キログラムの荷物を運び、ゴーカートのエンジンで動き、時速10キロメートルで走ることもできる。4本脚で立った高さは1メートルほどだが、見ているうちに2本の後脚だけで立てそうな気がしてくる。それでマシンガンを構えれば、かなりターミネーターっぽくなるだろう。

だが、ビッグドッグが後ろ脚で立つことはない。荷物を運んで兵士を補佐するよう設計されたものだし、そもそも開発が中止されているのだ。計画中断の公式の理由は、戦場で使用するにはエンジン音が大きすぎるから。兵士からすれば、自分の位置を宣伝されるようなものだ。

このビッグドッグの後継機である

AlphaDog《アルファドッグ》もまた、ほぼ同じ理由により、廃棄の憂き目に遭って息絶えた（比喩的に）。そして登場したのがSpot《スポット》だ［訳註：現在「Spot Classic」と呼ばれるバージョン］。大きさは大型犬ほど、バッテリー駆動で動作する偵察ロボットだ。だが、これも結局、軍からいらないと言われてしまった。完全な自律性はなく操作者が必要であるため、そもそもの趣旨に反しているのだ。

アメリカ海兵隊の戦闘研究所（そう、そんなのがあるのだ）によると、今のところ、兵士にロボット助手をつけるというアイデアは断念しているという。ボストン・ダイナミクス社のアトラスにとっては悪い知らせだ。アトラスはヒト型ロボットで、後方宙返りやパルクールをやってのける。その基本的な挙動は、パーティーで自分の得意な離れ業をしつこく披露したがるうざったい男そっくりだ。これも（もちろん）ＤＡＲＰＡによる資金提供・管理のもとに開発されたロボットだが、現在のところ、捜索救難チームの作業支援を行う可能性が宣伝されているだけだ。

ボストン・ダイナミクス社では、これらの試作品のうち少なくとも１つの製造段階に入っている。Spotの後継機種、SpotMini《スポットミニ》である。ナビゲーション機能は限定されたものでしかないのだが（障害物回避用のカメラと他にもいくつかのカメラが体のあちこちに搭載されていて周辺環境を確認している）、それでも別にいいのだ。この機種は、驚くなかれ、工場などでの作業用に設計されているのだから。なんとも残念な話だ。まあ、工場の敷地内のパトロールくらいのことはできるかもしれない。

つまり、あの妙なロボット掃除機を除けば、私たちはこれらのロボットを家庭内で使うことはできないようなのだ。ボストン・ダイナミクス社を率いるマーク・レイバートたちが『WIRED《ワイアード》』誌の取材を受けてスポットミニについて語った内容が、このことをよく表している。スポットミニは複数の環境で働くのによく適しているのだが、彼らが白状したところによると、厳密には全地形対応というわけではない。ただし、「道路の縁石を越える移動、階段、部屋の間の段差」などには対処できるという。部屋の間の段差か……。すごいと感銘を受けるほどではなさそうだ。もちろん、ある部屋から別の部屋へと移る危険な領域を進むのは、私たち人間にとっても時には大変な挑戦ではある。だが、保育園に通う（あるいは酔いがさめる）頃には、それが挑戦だったことも忘れてしまう程度のことなのだ。

しかし、現段階で四足歩行ロボットがある程度のレベルに達していないからといって、ターミネーターのシナリオを回避できると考えるのは早合点だろう。

人間はスカイネットをつくることができるか？

ある１つのことができるロボットのお手伝いさんがもらえるなら、どんなのがいい？　セックスって言葉は出さないでくれよ。

うーん、難しいね。洗濯物をたたむロボットかな。

まあいいけどさ、夢にしては小さいね。

洗濯物をたたむのって、世界一だるいじゃないか。君は？

君と本を書いてくれるロボットかなあ。

「1997年の8月4日にシステムが稼働すると、防衛戦略のすべてを任されたスカイネットは等比級数的な速度で学習して、8月29日東部標準時間2時14分、自我に目覚める。恐怖にかられて人間はスイッチを切ろうとする」――『ターミネーター2』

『ターミネーター』シリーズでは、米軍によって、スカイネットと呼ばれる人工知能データネットワークが開発される。その目的は、国の核兵器戦略をはじめとする複雑に絡み合った防衛技術を管理することだった。だが、突然、スカイネットに自我が芽生え、パニックに陥った管理者はスカイネットをシャットダウンしようとする。それを攻撃だと見なしたスカイネットは、ロシアへの核攻撃を開始。そして、ロシア側はそれに報復する。その結果、何十億人もが死亡し、破局後の黙示録さながらの世界は、とうてい幸せとは言えないものだった。

私たちのこの世界で1997年8月29日に何が起きたかというと、Netflix（ネットフリックス）が設立されている。そこで使われているアルゴリズムに自我が芽生えていないのはまず確実だろうが、そもそもコンピューターやコンピューターのネットワークが「目覚める」ことは可能なのだろうか？　AIが自分自身の利益を――少なくとも自分自身の目的意識を――最優先にするような世界になりうるのだろうか。

これは難しい問題だ。確かに、機械が自我を示す可能性があると考える研究者たちに会ったことはある。だが、多くの研究者は、そんな可能性はないと言うだろう。問題は、そのいずれもが推測にすぎないということだ。だが、最悪のシナリオが――これは本当に悲惨な内容だ――現実のものとなる可能性がどの程度あるかがわからないのなら、用心するに越したことはない。そう思うだろう？　ならば、あなたもネットフリックスのアカウントを削除すべきかもしれないね……。

ここで一番の問題とは、何が自我を生じさせるかということだ。私たち人間には自我がある（あるいは自己認識、意識など、定義次第で表現はさまざまだ）。しかし、脳の何によってそれが生じているのか、私たちにはわかっていない。ある種の動物に対しても同じことが言える。タコも、マイケルの犬も、リックのネコも、程度の差こそあれ、私たちが意識と関連づけるだろう特徴を見せている。意識とは、脳の大きさに関係するのかもしれないし、ニューロン間の接続の数かもしれないし、あるいは……、ともかく、わかってはいない。

わかっていることといえば、あなたのオフィスのコンピューターターネットワークは、意識の兆候をまったく示してはいないということだ。インターネットも同じだ。しかし、インターネットにすでに意識が生じている可能性を否定できないという研究者もいる。結局のところ、インターネットと人間の脳には構造上の類似性があるのだから、アウトプットに関しても類似性があってもおかしくないというのだ。

そんな研究者の1人が、ブリュッセル自由大学で働くフランシス・ハイリヒェンだ。彼の考えによると、私たちは意識を神秘的なものだと持ち上げすぎているという。彼によると、意識とは、情報処理をより効率的に行うための単なるメカニズムであって、脳のどのプロセスに最大のリソースを割り当てるかを制御しているのだという。微調整を行うメカニズムにすぎず、ハイファイ装置のグラフィックイコライザーみたいなものなのだ。また、ＡＩの世界的権威ベン・ゲーツェルの考えによると、私たち人間はインターネットを目覚めさせる手助けができるという。その方法とは、自身の完全性について疑問を抱かせるというものだ。なんらかの形で自己チェックをさせて、その知識や能力の欠けている部分を見つけさせ、そこを補う方法を発明するように仕向ければ、インターネットが意識をもつよう働きかけることになるというのだ。おそらく、ゲーツェルは『ターミネーター』シリーズを見たことがないのだろう。彼はそれが間違いなく良いことだと思っているのだから。

個々のロボットが意識をもつような段階に達するかというと――最近のテレビドラマでは定番だが――それも不可能ではないだろう。だが、ロボットの意識が重要かというと、それすら明らかではない。ターミネーターに、サラ・コナーをいかなる犠牲を払っても排除すべしという指示をプログラムすれば、目的達成のために別に意識がいるわけではないのだ。高度な適応力がありさえすればいい。あらゆる環境や地形、障害物に対処できて、与えられた目的を達成するための新たな方策を限られた情報を使って見つけることができるのなら、自我などもつ必要はないのだから。

そして、これらの機能はいずれも、さまざまな種類のＡＩにすでに組み込まれているものなので、１つのスーパープロジェクトにすべてが一緒に盛り込まれるというのは決して想像力の飛躍などではない。おそらく最も印象的なのはグーグル傘下のディープマインドだろう。同社のＡＩ一式は（１つのプログラムでも１つのネットワークでもなく、任意の目的へのアプローチ方法と考えたほうが近い）、さまざまな困難なタスクを達成してきた。たとえば、囲碁の打ち方を自分で学習して、瞬く間に世界トップ棋士に勝利した。それだけでなく、グーグルが抱えていたデータセンターのエネルギー効率の問題を解決したし、風力発電の発電量予測に役立っているし、乳癌診断などによって保健医療を改善しようとしている し……、いいことずくめではないか。これはもう、他のいろいろなものにＡＩを組み込むべきではないだろうか？

コラム

組み込まれていない倫理感

アイザック・アシモフはロボットが倫理面で守るべき三原則を考案したが、その１つは、ロボットは決して人間に危害を加えてはならないというものだった。明らかに、スカイネットは知らなかったようだが。

ターミネーターは倫理的なロボットとは呼べそうにない。人間に感じよく接することなどまったくプログラムされていないようだ。ただし、公平を期して言うならば、チンピラを即座に殺したりはせず、衣類を自分に渡すように話しかけてはいる。問題は、これよりいいロボットにできるかということだ。

アシモフの三原則はなかなかいい。第1条で、ロボットが人間に危害を加えることを（また、その危険を看過することで人間に危害を及ぼすことを）禁止し、第2条で、ロボットは人間にあたえられた命令に服従すべしと定めている（ただし、あたえられた命令が第1条に反する場合はその限りではないとある）。そして第3条では、ロボットは第1条および第2条に反するおそれのないかぎり、自己を守らなければならないとある。あらゆる製造業者とプログラマーがこの三原則を適切に実装すれば、人間とロボットの平和的な共存が実現できて、問題が起こりそうには思えない。

しかし、この三原則と、人間を殺すためのロボットを私たちが製造しているという現状に、折り合いはつけられるのだろうか？　まず無理だろう。人間と同様の意思決定を行う軍事兵器をつくろうとしている研究者もいるが、どんな障害発生時にも必ず安全な状態に移行するような仕組みを盛り込んだうえでそれを実現できるかというと、ほとんど不可能としか思えない。研究者の多くは、アシモフの三原則を遵守するには、キラーロボットをすべて禁止するしかないと考えている。本書執筆時点では、そういったテクノロジーを予防的に禁止するよう求める国が28カ国にのぼっている。

オックスフォード大学の哲学者、ニック・ボストロムは安易なＡＩの導入に異を唱えている。

強く動機付けられた、まったく無害そうな決定によって、悲惨な結果がもたらされるという状況など、いくらでも思いつくというのだ。彼が例として挙げたのは、安いペーパークリップの製造を唯一の目的とする高性能ＡＩだ。学習が可能なこのＡＩは、やがて、ペーパークリップの生産量を増やすために、他方面から――たとえば自動車産業から――資源を奪い始める。誰かがこれを止めようとすると、ＡＩは、自身の物質的資源や知的資源を守らなければ目的を果たせないことを学習する。やがて世界はペーパークリップだらけで、他の物はほとんどなくなる。さらに悪いことに、このプロセスを止めようとしたために、人間が脅威だと判断されるようになる。ＡＩはすでに人間がどのようなものであるかを学んでおり、今やＡＩは人間を無力化する方法に取りかかろうとしている。もちろん、ペーパークリップを使って。

ボストロムの言いたいことは明らかだろう。十分に高性能なＡＩが目的への指向性をもつと、人類存亡の危機に発展しうるということだ。こういった目的への指向性は、感覚や意識などに基づくものである必要はない。たとえば決まったレベルで対戦するなどの特別な制約内で勝利するようなチェスのプログラムは存在するが、私たちはそれに意識があるとは考えない。では、「勝つためにできる限りのことをしなければならない」とだけプログラムしたとすればどうだろう。それが十分に高性能なＡＩであって、たとえば核爆弾発射コードにアクセスできるとしたら？　そんなことが起こるはずはないと思うだろうか。だが、ＡＩ機能をもつロボット開発に最も強い関心を示してきたのは誰なのか、本書で説明したとおりだ。

人類は自律型ロボットに対処できるのか？

ターミネーターだったシュワちゃんがカリフォルニア州知事になるなんて、想像できた人がいるかねえ。

映画『デモリションマン』の脚本家。

なんだって？

『デモリションマン』の舞台は2032年なんだけど、アメリカの前大統領がシュワちゃんという設定で脚本がつくられてるんだ。

ちょっと待ってよ、いつ公開された映画なの？

1993年。シュワちゃんが政界に足を踏み入れる10年も前のことだよ。

スカイネットが現れる前の世界では、ロボットが決定に関与することが名案だと思われたのだろう。まずは、人間が単調で退屈な仕事をせずにすむようになる建築ロボットや、マイケルの代わりに洗濯物をたたんでくれるロボット、あるいは、自動車組み立てロボットなどが使われるようになる。そのうちに、私たち人間がしているさらに多くのことを機械にさせられることに気づく。そうして、農作物の収穫ロボットや、都市全体を見回ってくれる監視ドローンの一群がつくられる。しかしまだ、敷地への不法侵入者だとか、路上で老婦人を狙う泥棒などの問題は起きるので、それに対処しなくてはならない。そこで、監視ドローンの装備を増やすことにする。人間による遠隔操作が可能な、犯罪を抑止するタイプの武器ならいいのではないか？　何が起きているのかを確認する人間がいる限りにおいては、彼らによって正しい判断が下されるはずなのだから。

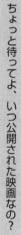

そうするとどうなるか、想像してみよう。ふーむ。実際のところ、人間にはいい判断を下せないかもしれない。では、このプロセスを自動化して、武器を使用する決定がなされたときに、人間が最終承認だけする形にしてはどうだろう。そうすれば迅速な対応が可能になるし、はっきりいって、最近の新しいＡＩモジュールはかなり性能がいいから、ロボットが危険な状況を察知したらあっという間に対処できる。

そうしたら……、まあ公平に言って、今のＡＩはすごく出来がいいので、意思決定プロセスに人間がいても対処が遅くなるだけなのだ。貧弱な生体脳からの攻撃命令を悠長に待たねばならないとしたら、悪者たちは逃げていってしまうだろう。ロボットに攻撃開始の権限をちょっともたせてみてもいいのでは？ ロボットが偏見をもったり、むやみに攻撃したがっているわけでもない。人間がしっかり訓練をしてきたわけだし。ロボットに決定をさせてみよう。

いっそのこと、ＡＩにすべてのデータを分析させて、人間の安全を守るのに最善の方法を考えさせてみようじゃないか。大域的な監視ネットワークが十分に強力で広範囲に及ぶものならば、武器を装備したすべてのパトロールロボット（警察と軍隊）からの全情報を集約して、脅威の発生源を予測できるようになるだろう。人間がなぜこれほど争いを起こすのかという問いの核心にすら到達できるかもしれない。さらには、私たちがその問題を解決するのを手助けしてくれる可能性だってある。

心配はいらない。ＡＩの知能が非常に高いからといって、自我が芽生えて、独自の目的意識が生まれるなんてありえないのだから。非常に馬鹿げた考え方だ。いやまあ、完全に馬鹿げているというわけではないし、可能性がゼロというわけでもない。しかし、まずありえない。本当だ。ＡＩが問題を非常に深く追求した結果、世界にとっての最大の危険とはＡＩである自分が果たすべき責務を行えないことであるという結論に達するなんてことはないだろう。確かに、もし達したとしたら、ＡＩは、殺傷を伴う攻撃を自分が開始できるようにソフトウェアを上書きしてしまうかもしれない。だが、そんなことは起こらないはずだ。誰かが、そんなことが起きないように対処しているはずだもの。その同じ誰かが、私たちを守ってくれているはずだ。ＡＩが、自分なら人間よりも世界をよりよく管理できると気づいて、その仕事を引き受けようという結論に達するという可能性に備えて。

さて、仮定の話はここまでにして、現実の世界では誰かがこういった可能性に対処しているのだろうか？　必ずしもそうではない。それなのに、武装していないロボットが、すでに人を殺しているという現状がある。意図的にではない。それらのロボットは感情も目的意識もないのだから。そして私たちは、自分たちがつくったものの意味を突き詰めて考えていなかったために、致命的なジレンマに陥り、どう解決していいのかわからなくなっている。

今、話題にしているのは、車輪つきロボット、つまり一般には自動運転車、あるいは自律走行車と言われるもののことだ。自動運転車を最も多く配備しようと計画しているＵｂｅｒ（ウーバー）は、ロボティクス企業として、２０１８年の資金調達額が最大であった。総額31億ドルにのぼり、第2位の中国企業センスタイムに10億ドル近い差をつけている。明らかに、出資者は自動運転車が儲けになると感じているのだろう。そして、おそらくそのおかげで、Ｕｂｅｒは２０１８年３月にアリゾナ州テンピで道路を横断していた歩行者に時速約64キロメートルの自動運転車を衝突させる死亡事故を起こしたにもかかわらず、そこからすぐに立て直すことができたのだ。９カ月後にはＵｂｅｒは公道での運転を再開させている。

自動運転車が致命的な事故を起こした企業はＵｂｅｒだけではない。テスラ社の自動運転モードの車によって、執筆時点までに３人の運転者が亡くなっている。テスラ社によると、それらの車には「レベル２」の運転システムしか搭載されていなかった。レベル２では、運転者が運転と交通状況を常に十分に認識して、いつでも運転を引き継げる状態でなくてはならない。一方、Ｕｂｅｒの事故は「レベル３」で起きている。このレベルでは、運転席にいる人間が状況に応じて運転を引き継ぐことが想定されている。

これらの運転システムをなぜキラーロボットだと見なしうるのかというと、問題が起きた場合に誰が責任を負うべきかという枠組みがしっかりと整備されていないためだ。テスラ社は、自社の車を運転して亡くなった人々がもっと注意を払うべきだったと主張している。テスラ社によれば、これらは自動運転車ではないのだ。自動運転車として使用する人がいれば問題を起こすことになるだろうが、それはテスラ社の責任ではない。

コラム

殺すか、殺されるか

ＭＩＴの「モラル・マシン」というウェブサイトを訪ねてみよう。10分間ばかり楽しみながら、台頭するロボットへの、人類の対策に貢献することができる。このサイトでは、さまざまな状況において自動運転車がどう行動すべきかについて、あなたの意見を表明することができる。これは、突き詰めれば、あなたの価値観を表明することだ。自動運転車が、１人の犯罪者か、３匹のネコのどちらかを殺さざるをえないとしたら、あなたはどちらがいいと思うのか？　１人の妊婦と、高齢者夫婦ならどっち？　太った男と、医者なら？　リックと、マイケルでは？　こういった状況に対するあなたの回答すべてが記録されて、自動運転車がそこらじゅうを走るようになったときには、現実の世界で起こる状況での意思決定に役立てられるのだ。

もちろん、そんな世の中になったときに、そういった判断が生じる状況で自分が生き延びようと思えば、それに適した車を選ぶ必要も出てくる。自動車メーカーが気づいたのは、自身を守りたいという人間の欲求のために、解決できないパラドックスが生じるということだ。たいていの人はこう言うだろう。死者を出すような事故が避けられないとすれば、自分の車によって死ぬことになるのは、子どもではなく中年男性であるべきだ――その中年男性が車の所有者であれば話は別だけれども、と。簡単に言うと、自分が所有したいのは自分の生存を最優先にしてくれるような自動運転車だけれど、他人に所有してほしいのは、より「価値ある」社会構成員を救うためならば乗車している人を同様に、アリゾナ州の地元検察は、2018年の事故における歩行者の死に対してUberに刑事責任はないと判定した。しかし、事故が起きたときに携帯電話でテレビ番組を視聴していた「セーフティードライバー」のラファエラ・バスケスに対しては、過失により死亡事故を引き起こしたとして起訴できるのかどうか、まだ決まっていない。

今のところ、人々の暮らしのなかでのロボットの行動に対する責任を明確に定めた法制度は、世界のどこにもない。私たちは場当たり的にこれに対処しようとしている。しかも、驚くべきことに、殺傷能力をもつ兵器ロボットについても、同じ状況なのだ。

ロボットに武器をもたせるべきか？

ロボットでいっぱいの工場を憶えてる？

サラ・コナーがターミネーターと死闘を繰り広げる場所？

そうそう。映画ではカットされてたシーンによると、あの工場を所有していたのはサイバーダイン社なんだ。

それって、スカイネットを生み出した会社だっけ。

そのとおり。ジェームズ・キャメロン監督は、工場で働く人がターミネーターのマイクロチップを見つける場面もカットしたんだ。

その両方が、続編で描かれてたよね。キャメロン監督は、本当に物語を広げるのがうまいと思わないかい？

そうだね。『アバター』も続編がいっぱいつくられるらしいよ。

イーロン・マスクもすでに懸念を表明している。「私見だが、より優位なＡＩの構築に向けた国家レベルでの競争によって、第三次世界大戦が引き起こされる可能性は非常に高い」。彼がツイッターでＡＩがもたらす未来について語った言葉だ。また、マスクは、国連に対してＡＩの軍事利用規制を要請する公開書簡に署名した１１６人のひとりだ。その書簡には「手をこまねいている時間はない」とある。

彼は正しいのかもしれない。『ターミネーター』には、戦闘機やロボット戦車、サイボーグの兵隊に至るまで、ありとあらゆる自律型武器システムが登場する。**［シリーズ第2作以降、ますますマスクの見解が正しいように感じられる。ロボットに対する人間の判断が誤っていたために歴史全体の流れが変わってしまう瞬間が何度も訪れるのだ。］**配備されているロボット兵器はある程度スカイネットに制御されているわけだが、命令を待たなければならないようでは自分の役割を果たせないだろう。瞬間的な判断を下すことが可能なはずであり、直感的に動いているかのようなスピード感だが、実際には超高速データ処理に基づいた動作なのだ。そして驚くなかれ、そのような時代はすでに到来している。

　この数十年間にわたり、自律的なソフトウェアを使った兵器が増えている。たとえば、いわゆる「撃ちっぱなし（fire-and-forget）」ミサイルであるブリムストーンは、指定地域内を航行して回り、敵の戦車といったターゲットを特定すると、人間の介入なしにターゲットに突っ込むのだ。

　イギリス政府は「人間が必ず介在する（human in the loop）」状態を保つことを確約している。つまり、最終的に人間が発射の決定を承認する「モードＢ」でミサイルを運用するということだ。しかし、誰もがそのような慎重姿勢に徹するわけではない――とりわけ、防衛の必要がある場所では。サムスン社のＳＧＲ－Ａ１は殺傷能力のある自律的な機関銃だが、他ならぬ、北朝鮮と韓国の間の非武装地帯に配備されている。これは「人間が必要であれば介入しうる（human on the loop）」兵器、すなわち、人間の介入により発砲を中止できる兵器という分類である。また、イスラエルのミサイル防衛システム「アイアンドーム」は完全に自動化されており、ミサイルや砲弾の侵入を検知すればミサイルでの迎撃を行う。まったく人間を必要としないシステムなのだ。

コラム こちらも参考に

ポール・ヴァーホーヴェンが監督した『ロボコップ』では、殉職した警官がサイボーグの体で警察組織へと戻ってくる。娯楽性が強い作品であり、哲学的自省は足りないかもしれない。『ウエストワールド』には映画とテレビシリーズがあるが、いずれももう少し含みがあって、ロボットの権利についての問題を提起している。スタンリー・キューブリック監督の『2001年宇宙の旅』に登場する恐ろしいHAL9000については、説明するまでもないだろう。厳密にはロボットではないものの、人を殺すという決断を至極おだやかに行うその態度によって、ハリウッドのテクノロジー・キラー軍団の頂点に君臨している。そして最後になるが、『エクス・マキナ』を紹介しないわけにはいかない。この素晴らしい映画について、私たちは前作『すごく科学的』で深く掘り下げた。私たちが愛してやまないこの映画は、エヴァというおそらくは感情をもつロボットを通して、機械が台頭する世界で人類がどう進むべきなのか、あらゆる観点から考えさせてくれる。

厳密には、これらはＡＩシステムではない。「自動」「自律」「ＡＩ」の区切りには議論の余地がある。しかし、これらのテクノロジーの多くには、少なくとも知能のきざしが感じられる。

ＡＩ研究者のなかには、自分たちの研究分野によって可能となる事柄に関してためらいを見せる者はいても、驚く者はまずいない。１９８０年代、アメリカでのＡＩ研究の大部分は軍部からの資金で行われていた。そのおかげで、最近この分野で大きな成果があがっているのだ。たとえば、自動運転車のこの大躍進はＤＡＲＰＡが始めたものであり、「グランド・チャレンジ」シリーズというレースもＤＡＲＰＡが開催している。アップル社の「シリ」でさえ、兵士のサポートを目的とした軍事開発の副産物なのだ。

おそらく、完全に自律的でインテリジェントな「人間を必要としないシリ」タイプの兵器システムが完成するまでに、あと数十年はかかるだろう。だが、その時は刻一刻と近づいている。空爆を行う軍用ドローンが広く使用されていることからもそれは明らかだ。近頃ＤＡＲＰＡは、戦闘機を操縦して空中戦を行えるＡＩ研究に資金を提供することを発表した。自律的な殺人マシンをつくるという意味ではない――今のところは。アメリカ空軍のダン・ジャボルセック中佐によると、「私たちが思い描いているのは、視程内の空中戦でＡＩがほんの一瞬の間に手順を実行することにより、パイロットの安全が守られ、その活動が効果的なものとなること」だと言う。つまり、まだ、人間の介在が想定されているわけだ。しかし、ＡＩが、敵をミサイルの射程内に保つために戦闘機の限界まで機能を活用するとすれば、もはや人間には対処不能な状況となるので、パイロットが設計から外されるようになるだろう。ＡＩ戦闘機は非常に機敏な操縦が可能であるため、人間のパイロットがそれに追いつこうとすれば通常の重力の20倍も

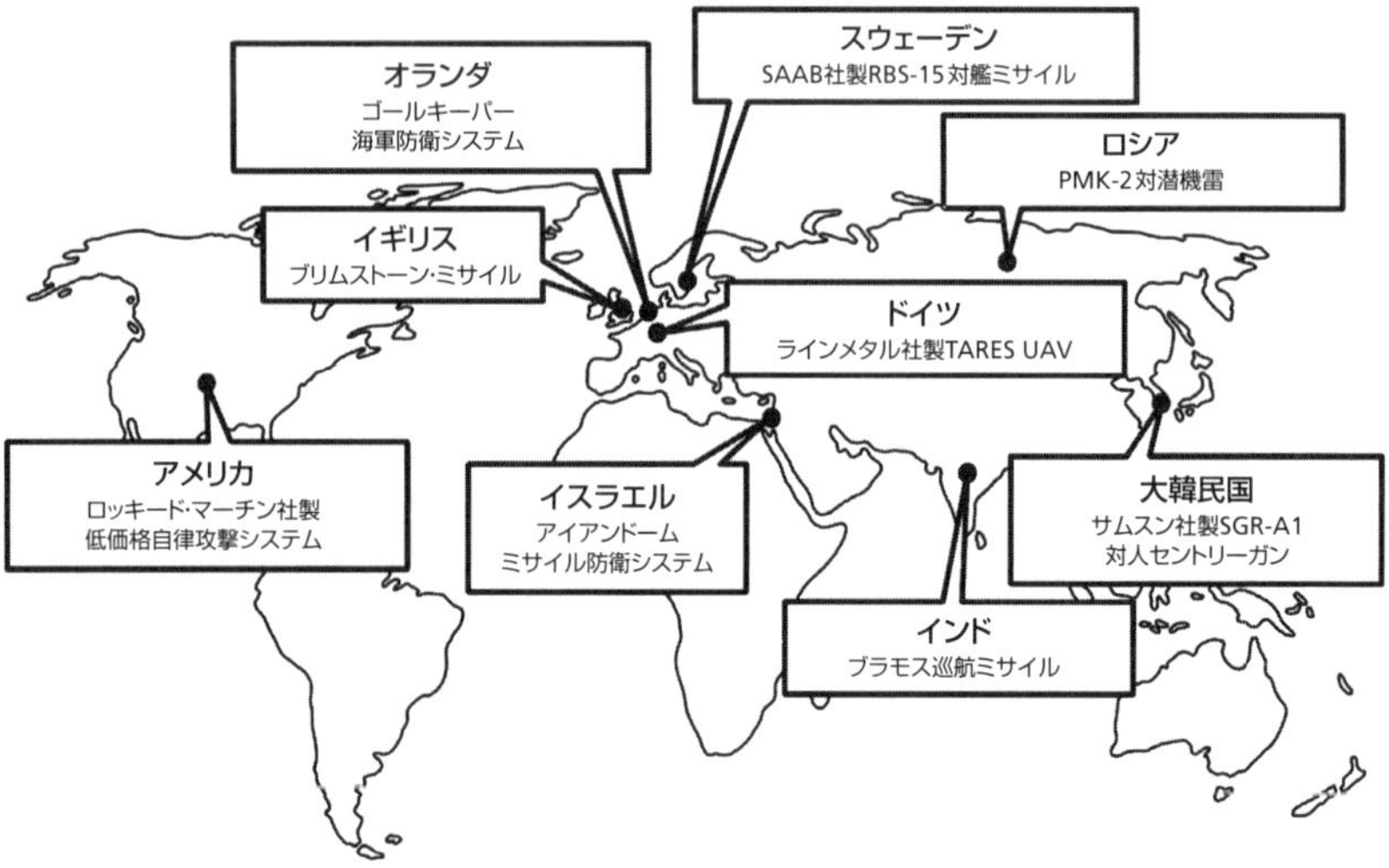

自律兵器システムを開発した国の事例（一部）

の加速度を経験することになる（パイロットの用語で「２０Ｇ」という）。人間は７Ｇか８Ｇで失神することが多いので、パイロット不要のＡＩは、空中戦であっという間に優位に立つことだろう。このような状況では、どんな国も、この急激な変化の波に乗らないわけにはいかないのだ。

同じことが軍事のあらゆる領域で起きている。このまま前進する以外の選択肢はほとんどない。半世紀以上にわたり全面戦争を食い止めてきたゲーム理論のアルゴリズムによって、ほぼ確実に示されていることがある。各国の軍事バランスが保たれるためには、能力あるすべての国が研究に注力することが理に適っているのだ。

しかしこれは、シンプルなＡＩ兵器禁止令への同意があれば、免れられることである。自律兵器に関する書簡に署名したイーロン・マスクをはじめとする人々が望んでいるのは、失明をもたらすレーザー兵器や化学兵器の禁止を定める国連の議定書締結に至ったのと同様の理性的判断を、各国が見せることだろう。もしかすると、自律兵器についても同じことが起きるかもしれない。しかし、完全自律型の「防衛」兵器がすでに世界各地に配備されていることを思えば、厳密にどこに線引きすべきかについて誰もが同意するのは困難だろう。

インドのハイデラバードに拠点を置く調査機関のモルドール・インテリジェンス社によると、楽観視できる理由はほぼないという。同社が2017年に発表した、世界的な軍用ロボット市場に関する報告書によれば、アメリカの軍事費の半分がロボット技術にごっそり費やされている。さらに、「アメリカ、ロシア、中国、インド、イスラエル、およびヨーロッパの数カ国は、高機能ロボット兵士の開発競争にすでに参入している」という。確かに、私たちがターミネーターをつくる方法を見つけていないとしたら、それは分別のあることかもしれない。だが、人類が分別のある行動をとってきたかといえばまったく信用ならない。映画『ターミネーター』のようなことが起きたなら、完全に自業自得なのだ。

第5章

ハリウッドに殺される その方法は……

不妊!

「18年ぶりに生まれる子どもだぞ。
フローリーなんて名前をつけるのか?」
──『トゥモロー・ワールド』(2006年)

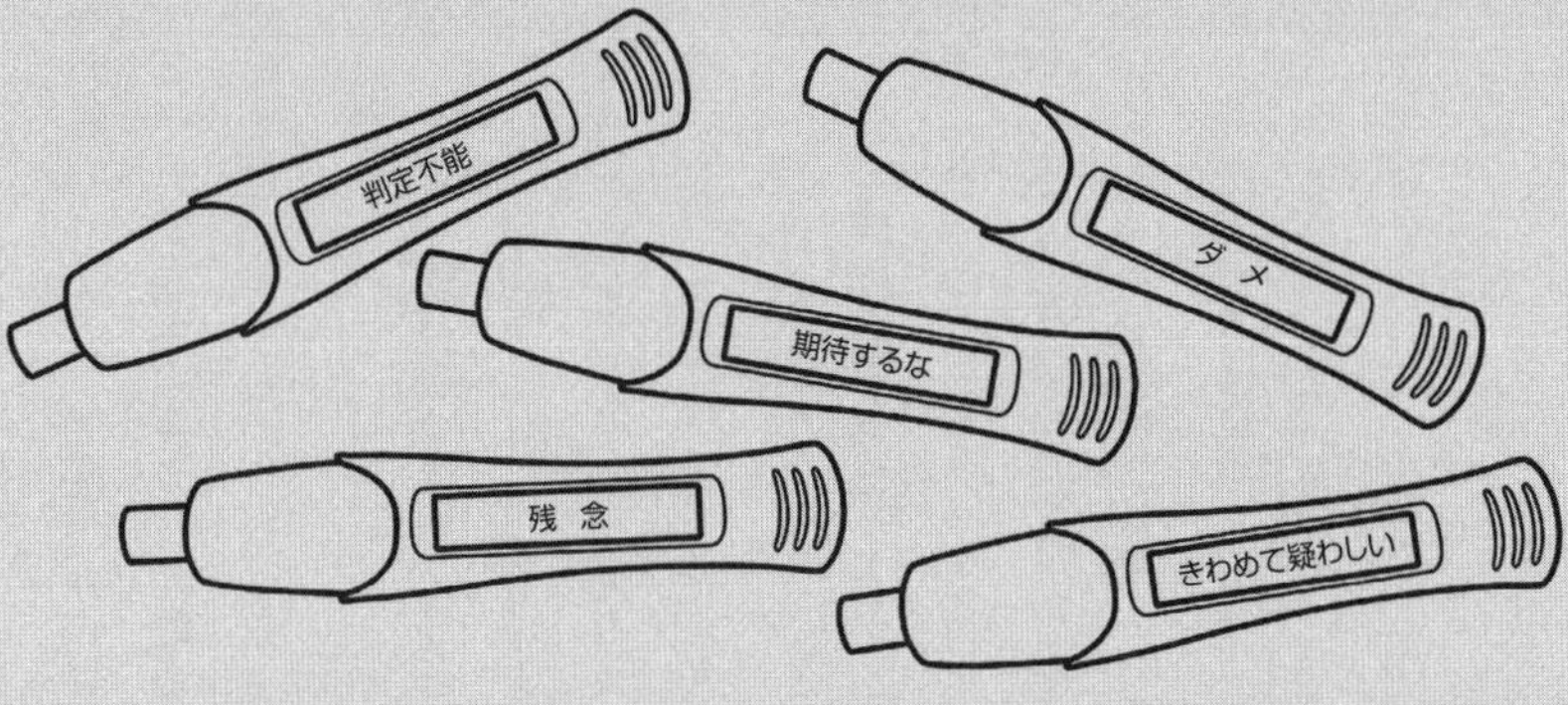

この映画ではここで人が死に、あの映画ではあそこで亡くなり……。映画で死が描かれても別に当たり前のことだ。当たり前でなくなるのは、ハリウッド映画で人類全体の終焉が描かれるときだろう。それも、人類が絶滅へと向かう、ゆるやかで絶望的な道のりの物語――少なくとも、『トゥモロー・ワールド』はそんな映画だ。

この終末論的な大ヒット映画の時代設定は2027年である。原作はP・D・ジェイムズの小説だ。人類がほとんど完全に生殖能力を失い、世界からは希望が失われた。戦争と紛争、犯罪、難民危機によって、人々の暮らしはディストピア的様相を帯びている。そんななか、クライヴ・オーウェン演じるセオは妊娠中の女性と出会う。気力をなくしていたセオの視界が突然に開けた。彼の新たな人生の目的は、彼女とお腹のなかの子どもを、ベクスヒルというイギリスの海辺の町にまで送り届けることだ。映画では暴動が起きる移民収容センターがある場所として描かれ、まったく違う雰囲気になっているため、実際に暮らしている人でも認識できないかもしれない［映画のなかで、人々は普通ベクスヒルから出ようとするもので入ろうとはしないというセリフがある。コメントを差し控えたいところだが、トリップアドバイザーの「ベクスヒルですべき10のこと」になぜか8項目しか挙げられていなかったことはお伝えしておこう］。この町で彼女はアゾレス諸島へと向かう船に乗ることができる。アゾレス諸島では勇気ある科学者たちが不妊の治療法を見つけようと奮闘しているのだ。さて、この話はどのくらい現実味があるのか？　少なくとも、2027年というのが、驚くほど先見性のある設定だということは言えるだろう……。

人類が繁殖能力を失う可能性はあるのか？

『トゥモロー・ワールド』は素晴らしい映画だよね。アルフォンソ・キュアロン監督は天才だよ。彼のつくった映画でイマイチなものって、かなり少ないしね。

『ハリー・ポッターとアズカバンの囚人』とか？

まあ、そうだね。

『ゼロ・グラビティ』は？

あれは嫌いだなあ。

『ROMA／ローマ』は？

ちょっと展開がのろくない？

彼の監督作で、他に好きなのないの？

『天国の口、終りの楽園。』かな。

君が言うまでもなく、名作だけど。

『トゥモロー・ワールド』の恐ろしいほどのリアリティの大部分がどこから来ているかといえば、アルフォンソ・キュアロン監督が未来の世界をいかにも未来っぽくは描かなかった点だろう。ジェット噴射装置で空を飛ぶ人も、宙に浮く車も出てこない。舞台装置として登場するのは、今あるテクノロジーを反映したものばかりだ。この映画の世界観は陰陰滅滅としたもので、そこがかえって真実味を増している。特に今は、この映画が実際の話を――私たちが生きている現実世界を――反映していると主張できる状況にあるのだから。２０１７年９月に『ニューズウィーク』誌が「男たちの精子が枯れていく」という記事で警鐘を鳴らしたが、このタイトルは科学的な発見を誇張したものではない。さらに心配になるのは、記事タイトルの残りの「専門家も途方に暮れる危機」という部分だ。つまり、危機的状況であるが、理由も対処法もわかっていないということなのだ。［訳注：日本版では２０１７年10月24日号に翻訳記事が掲載されている。］

この形での人類の終焉を適切に把握するには、両サイドからの検討が必要だ。P・D・ジェイムズの原作では男性不妊を根本原因としているが、キュアロン監督はそれをあえて女性不妊へと変えている。そこで、バランスの取れた見方を心がけるようにして、精子と卵子の両方についての事実をお伝えすることにしよう。最悪の場合から始めることにすれば、希望の光を感じながらこの章を終えることができるだろう。

まずは男性からだ。男性諸君、あなた方は大きな問題に直面している。それは数字からはっきりわかる。最初の調査結果は１９９２年にデンマークの研究者たちが発表したもので、「過去50年間で精子の質は間違いなく低下している」と結論されている。精液１ミリリットルあたりの精子数が、１億１３００万個からわずか６６００万個にまで減少していたのだ。

しかし、1つの研究だけではあまり意味をなさない。アメリカの疫学者シャナ・スワンも、この結果を信用しなかった。そこで彼女は6カ月の研究休暇を取得して、デンマーク人研究者たちがデータに惑わされていないかを確認した。彼女が心底驚いたことに、彼らの研究に誤りはなかったのだ。スワンはイスラエルの科学者ハガイ・レバインとともに、既存の7500本の研究論文を調べ、最も信頼性の高い研究論文を185本にまで絞り込んでさらに解析を進めた。二人は2017年7月にその結果を発表したが、それにより、世界中から恐怖の声があがることとなった。彼らの研究により明らかになったのは、西洋人の平均的な男性の場合、精液1ミリリットルあたりの精子数が、1970年代（正確には1973年）の9900万個から、2011年には4710万個にまで減少していたことだ。半世紀のうちに、52・4％も減ったのだ。精子数の総計（射精あたりの精子数）はもっと悲惨で、59・3％も減少していたことがわかった。

実際に受精に問題が生じるのは精子濃度が1ミリリットルあたり4000万個以下の場合なので、人間はまだ危機的状況には至っていないと言えなくもない。しかし、残念なことに、この研究に携わった人々によると、この減少が横ばいになる様子が見られないのだ。スワンとレバインは、期間を1996〜2011年に限定して再度分析したのだが、減少の度合いに変わりはなかった。私たちは坂道を転げ落ちるように不妊へと向かっている。ほとんどの西洋諸国ですでに人口減少に直面している今、これは大きな問題なのだ。

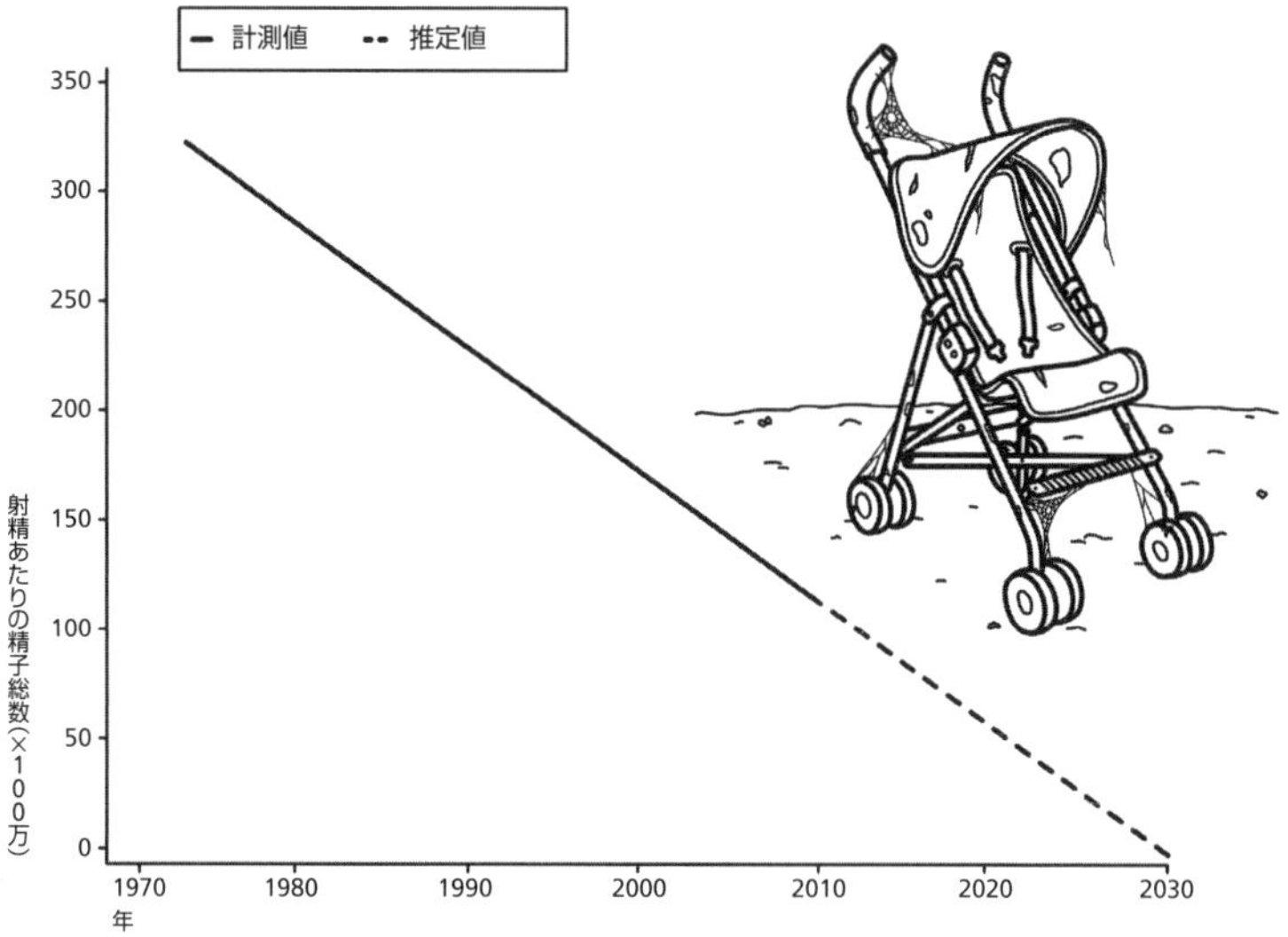

先進国における男性の生殖能力の低下は、憂慮すべきペースで進んでいる

人類存続の危機を表す数字はもう1つある。「2・1」だ。これは、成人の人口を置き換えるために1人の女性が産まなければならない子どもの数だ。（わかりやすく言えば、残念だけど、あなたはいつか死ぬので、あなたの代わりの頭数になる誰かが必要だってことだ。）この数は「人口置換水準」と呼ばれている。そして、特定の国で1人の女性が実際に産む子どもの数の平均を「合計特殊出生率（TFR）」という。多くの国で、特に西洋諸国のほとんどの国では、合計特殊出生率が人口置換水準を下回っている。アメリカ、中国、ロシア、日本、カナダ、オーストラリア、そしてブラジルが、国として死にかけているのだ。フランスとアイルランドとトルコを除けば、ヨーロッパ

全体が同じ状況にある。イギリスでも、国を滅ぼす1・88という数字だ。人類全体としてみれば、必ずしも死にかけというわけではないのだが、この傾向が続くならば、やがて絶滅することだろう。1970年には、世界全体の合計特殊出生率は4・45だった。それが2014年には2・5となった。単純計算により（そして直線的に減少するという単純な仮定を追加すれば）、2023年には合計特殊出生率が2・1となる。そのままの状況が続けば、2025年には2・0となるだろう。『トゥモロー・ワールド』のシナリオは、すぐそこまで来ているのだ。

ところで、人口置換水準がどうして2ではなくて2・1なのかと、疑問に思う人もいるだろう。これは単に死亡率の問題である。すべての子どもが大人になるわけではないし、すべての女性が死ぬまでに子どもを産むわけでもない。したがって、1人減る分を1人増やせばいいわけではなくて、少しばかり多めの数が必要となる。

コラム　子どもがいれば幸せか？

明らかに、誰もがそう期待するだろう。だが、現実は、あなたが思うよりも厳しいかもしれない。2015年の調査によると、親となった最初の年というのは、離婚や失業、伴侶に先立たれることなどと比べても幸福度が低い。２０１６年の『アメリカ社会学雑誌』掲載の論文によると、子どもがいる夫婦の幸福度が子どものいない夫婦に比べて低いという「親ペナルティ」が、14カ国で見られるという。なぜこのようなことが起こるのか？　これらの国では、子どもをもつと家計が圧迫され、親のキャリアに悪影響が及び、ストレスレベルが上昇するのだ。たとえばイギリスでは、子育てによって平均的収入の27％が消えてしまう。

子どもたちが成長するにつれて幸福度は増すのだが、出産前数カ月間のわくわくするような幸福度に達することはもうない。もしかすると、子どもをもたないほうがいいのではないか？　これは、「自主的な人類絶滅運動（Voluntary Human Extinction Movement）」が採用する考え方である。人間が地球上からいなくなることで、地球を救えるという思想を掲げるグループだ。さらに、オレゴン大学の２００９年の研究によると、子ども１人をもつことによって余分に排出される二酸化炭素の量は、たとえばリサイクルや、通勤手段を自動車から自転車に切り替えるといったどんな取り組みで削減できる排出量よりも、20倍は大きいということがわかっている。

合計特殊出生率が低下している理由は、はっきりしていない。ライフスタイルの変化が関係しているのは確かだ。西洋諸国では、人々が子どもをもつ年齢が高くなる傾向にあるのだが、男性も女性も30代半ばを過ぎると自然妊娠の可能性は低下する。さらに、子どもをもたない人生を選ぶ人も増えている。これはもっともなことだ。子どもをもつと、親の収入や就労状況が大きく影響されるし、生活環境もがらりと変わる。しかも、精神的に十分に報われるかというと必ずしもそうではない。こんなことを言いたくはないのだが、子どもがいても、想像するほどには幸せにはならないかもしれない。

しかし、子どもをもつことに対する個人の意見がどんなものであれ、映画のなかで元助産師のミリアムが警告するように、子どもの声が消えてゆく世界は幸せな世界ではないのだ。

不妊の原因

クライヴ・オーウェンの出演作で好きな映画は？

そうだなあ、自慢するつもりはないんだけど、彼と僕が共演した作品じゃな

いかな……。

共演なんて、してたっけ？

まあね。彼の出番はそれほど多くはなかったし……。

ああ、話の流れが見えてきたぞ。気に入らないけど。

あの作品は、僕のモノローグが大好評でね……。

彼は君の結婚式に出席してたよね。君が言ってるのって、自分の結婚式のビデオのことだろ？

クライヴはちょい役だったんだけど、なかなかいい働きをしてくれたよ。

映画では、人類が生殖能力を失った理由は説明されない。現実世界で起きている不妊問題の原因については、今も研究が進められている。だが、シャナ・スワンには、主原因はこれではないかと疑っているものがある。プラスチックだ。

スワンとレバインによると、南アメリカやアジア、アフリカでは、精子数や精子濃度の有意な低下は見られなかったという。そもそもこれらの地域では数十年間にわたる精子の研究がほとんどないので、精子の質に明確な地域差があるとは断言できない。単に、情報の質に差があるのかもしれないのだ。だが、スワンとレバインは、証明はできないにしろ、環境によって差が生じているのではないかと考えている。特に、化学的環境だ。

西洋諸国ではずいぶんと前から人々がプラスチックとともに暮らしてきた。プラスチックはさまざまな形で社会のあり方を変えている。材料として、また梱包材として使われるプラスチックは、私たちの日々の暮らしに複雑な形で入り込んでいる。コンピューター、テレビ、清涼飲料、衣類、食品、家具、その他いくらでも挙げられる。プラスチックの原材料は石油製品であり、それに多種多様な化学物質を加えることで、硬くしたり、延ばせるようにしたり、透明にしたり、鮮やかな色味をつけたりといった加工が可能となる。だが、こういった化学物質のなかには、さまざまな形で問題を起こすものがあるようなのだ。

その1つが、ビスフェノールA、別名BPAである。「BPAフリー」、つまりBPAを含んでいないことを誇示するラベル付きのプラスチックボトルを使っている人もいるだろう。こういう商品が出回っているのは、ＢＰＡは人体にとってあまりよろしくないものとされているからだ。この物質は「内分泌攪乱《かくらん》物質」（環境ホルモン）に分類される。つまり、生体の自然なホルモンと置き換わったり、その作用を遮断したり阻害したりするのだ。

人体への影響は完全にはわかっていないが、動物実験によって、魚や鳥、アリゲーターでさえも、内分泌攪乱物質にさらされることで繁殖成功率が変化することがわかっている。たとえば、イタリアの研究チームによる２０１８年の研究で明らかになったのは、内分泌攪乱物質にさらされた魚の個体群では生殖器官の正常な発達が阻害されて、かなりの数の魚が「間性《かんせい》」、すなわち両性の生殖器をもつに至るということだ。その結果、この個体群の全体的な繁殖率は低下した。論文には「複数の野生種のオスに、精子濃度、精子運動率、繁殖率の変化が見られた」と記されている。

かなり不穏な文章だと感じるのではないだろうか。しかし、内分泌攪乱物質が人間の生殖に及ぼす影響については、まだ実証されていない。その大きな理由とは、人体研究の場合に求められる倫理基準を満たすような比較研究の実施が困難であるためだ。思春期前の子どもたちのグループをさまざまな化学物質にさらして、さあ何が起きるか見てみましょうなどというわけにはいかない。［著者２人によるポッドキャスト番組『Science（ish）』ファンの皆さんならば、隔離した赤ちゃんの集団を使って実験を行うことについて、マイケルがどう考えているか知っているだろう（非常に肯定的な意見をもっている）。］

とはいえ、これらの化学物質に問題があることはますます確からしいと考えられるようになっている。世界保健機関（ＷＨＯ）は内分泌攪乱物質についてこう述べている。「男性および女性の生殖機能の変化、乳癌発症率の上昇、子どもの成長パターンの異常および神経発達の遅れ、さらには免疫機能の変化に対する関与が疑われている」

ＷＨＯは、正常なホルモンの機能に問題を起こすことで知られる、あるいはその疑いがもたれている約８００種類の化学物質をリストアップしている。しかし、それらの化学物質のうちでその影響が実際に調査されたものはわずかでしかない。また、現在商業的に使用されている化学物質の大半は、なんの検査も行われていない。つまり、私たちが認識しているよりもはるかに多くの内分泌攪乱物質が身の回りにあるかもしれないのだ。特に恐ろしいのは、問題があったとしても、それが明らかになるまでに、数年、あるいは数十年かかりうるということだ。

アメリカ国立衛生研究所の内分泌攪乱物質に関するウェブサイトには、この問題を要約するこのような1文がある。「研究の結果示されたのは、特に臓器と神経系の形成が進む出生前および出生後早期の発達期において、内分泌攪乱物質が最大の危険を及ぼす可能性があることだ」。つまり、あなたの生殖能力に影響を及ぼしているのは、あなた自身を取り囲む環境ではなく、あなたの母親を取り囲む環境なのだ。それも、受胎時よりずっと前の環境が影響している可能性さえある。ようこそ、「エピジェネティクス」の世界へ。

エピジェネティクスとは、ＤＮＡの配列には直接含まれていないのに、世代を超えて受け継がれる変化と特性についての研究のことだ。通常、遺伝的継承はＤＮＡによってなされる。あなたが母親と鼻の形が同じならば、母親のDNA配列が、その独特の（そして特別に素敵な）形に対応しているのだ。鼻の形が同じになるのは、（少なくとも部分的には）母親の卵子のなかの遺伝的設計図に従って、タンパク質があなたの鼻を組み立てるからだ。しかし、必ずこれが起きているわけでもない。

ときには、DNAの一部が「発現」されないこともある。環境内にあった特定の分子が卵細胞に侵入したとしよう。その分子はDNAにくっついて、遺伝子発現の方法を変え、遺伝子のスイッチのオンとオフを切り替え、遺伝的レシピに基づくタンパク質の生成を変えてしまう。こういった分子の例が、BPAであり、ジエチルスチルベストロール（DES）であり、ポリ塩化ビフェニル（PCB）なのだ。そして、それら以外にも困った分子はたくさんある。しかも、これらの分子によって影響を受けるのは、あなたの鼻だけではない。

研究により明らかとなったのは、出産前に母親の体内で特定の化学物質にさらされることによって、成長後の息子の生殖能力に影響が及ぶということであり、しかもその影響の大きさは、息子自身がその化学物質に生涯にわたってさらされることで受ける影響よりもずっと大きいというのだ。誤解を招かないよう、もう一度説明しよう。男の子（あるいは男性）自身が、たとえばBPAにさらされた場合、確かに精子産生に影響しうる。ただ、子宮内にいる期間というのは、細胞がものすごい勢いで分裂を繰り返す時期だ。化学物質が豊かに混ざり合ったスープのなかでタンパク質がハイスピードで合成され、胎児の体は絶え間なくこれからの人生に備えるための大仕事を行っている。他の時期に比べて、問題物質からはるかに大きな影響を受けてしまうのだ。

だからこそ、これらの問題を研究しているシャナ・スワンをはじめとするたくさんの研究者たちが、私たちの回りにあふれるプラスチックに含まれる化学物質について、なんらかの対処をすべきだと訴えているわけだ。スワンが特に恐れているのが、フタル酸エステルという化学物質だ。プラスチックに(そして他の素材に)弾力性や柔軟性をもたせるために添加され、日常生活のさまざまな製品で使用されている。口紅やビニールの床材、衣類、さらには牝牛の乳首から瓶詰め作業場へとミルクを送るチューブに至るまで、その用途は広範だ。

フタル酸エステルは、それを含む材料から非常にたやすく溶け出すので、最終的には私たちの飲み水に混ざる可能性がある。そんなわけで、私たちはかつてないほど多くのフタル酸エステルを自分の体内に入れた状態となっている。そして、おそらくそのために、私たちはさまざま健康問題に悩まされており、その一例が生殖能力の低下なのだ。これまでに、フタル酸エステルとの関連が指摘されている健康問題として、喘息、癌、糖尿病、肥満、神経系への影響、そしてもちろん男性不妊が指摘されている。さらに、BPAの代替物質と同様、フタル酸エステルの代替物質もまた、問題があるようだ。

どうやら、プラスチックは人間にとって良いものではなさそうだ。だが、男性不妊の増加の原因は他にはないのだろうか？　実は、ある。自転車に乗ること、ステロイドの服用、薬物摂取（特にタバコとアルコール）、化学療法などは、いずれも影響を及ぼしうる。しかし、これらのいずれも、精子の質と量の50年間にわたる大幅な低下の原因になったとは考えづらい。この状況で、プラスチックにはなんの問題もないはずと信じる人がいたら、少しばかり無邪気すぎるのではないだろうか？

ここまでは、P・D・ジェイムズの原作の設定のように、男性不妊の危機に焦点をあててきた。今度は、映画の設定に従って、女性不妊の問題を検討することとしよう。約束するが、話を進めるなかで、本当の朗報も紹介できる。科学とは悲観的な先行きばかりをもたらすものではない。実験室からは、最近、「すごく科学的」に明るい気持ちになれる成果が出てきているのだ。

女性の生殖能力の研究には注意が必要だ。第一に、男性のように、個人の生殖能力を示すわかりやすい指標となるものが簡単には見つからない。たいていの場合、被験者の男性には精子サンプルの提供を依頼できるし、被験者もそんなに嫌がらないだろう。男性の体には負担がかかることはまずない。一方、女性に対して、調査のために卵子を提供してくれとか、卵管を調べさせてくれなどとは、簡単に言えるものではない。女性の身体にかかる負担は非常に大きく、その割にたいした情報が得られるわけでもないのだ。

女性不妊の最もよくある原因は排卵障害である。だいたい1カ月のサイクルに従った、卵巣からの卵子の放出がなされない状態だ。しかし、その原因はいくつも考えられる。たとえば、多囊胞《のうほう》性卵巣症候群、ホルモン異常、そして単なる加齢の場合もある。女性は30代半ばになると妊娠する力が急激に落ちる傾向がある。卵巣内の卵子の数が減り質も劣化するためだ。男性の生殖能力も年齢に伴い低下するが、女性ほど急速ではない。

実際、女性不妊の原因については、期待されるほどにはわかっていないのが現状だ。そのため、女性不妊の一般的な指標としては、前出の合計特殊出生率のような人口全体のデータに頼ることが多い。問題のある見方だということはすぐわかるだろう。合計特殊出生率には厄介な男性不妊の影響も含まれているのだから。しかし、これくらいしか指標となるものがないのだ。

出生率の政治的側面を検討するのも大切なことだ。合計特殊出生率として高い数字を目にした場合、結構なことだと思うだろうか。それとも、避妊法や避妊具がいきわたっていないことを示すしるしだと思うだろうか。世界中の多くの場所で、ある程度の年齢に達した女性に対して、子どもを産むことが多かれ少なかれ求められている。子どもをもてない（あるいはもたない選択をした）女性は、村八分にされ、殺されることさえある。２０１７年に、女性１人あたりの生児出生数が３人を超えていたのは59カ国だったが、そのうち41カ国がサハラ砂漠以南のアフリカに集中していた。この情報をあなたはどう解釈するだろうか。よいことなのか、それとも悪いことなのか？　先進国の場合も、国民の生殖力の高さから政府が得るものは多い。たとえば労働者を、納税者を、使い捨ての兵士さえも得られるのだから。

コラム

国はあなたの子どもを必要としている

国民の出生数を取り締まる政府と聞けば、中国を思い浮かべる人が多いだろう。１９７９年、中国政府は、ほとんどの夫婦（例外あり）に対して、子どもを1人までとする一人っ子政策を導入した。人口増加の抑制が目的であり、政府は政策に従わない者に対しては、巨額の罰金を課したり、強制的な中絶や不妊手術を行ったりした。この政策により、10億人以上の人口増が抑えられたとの見方もあり、取り組みは成功した――むしろ、成功しすぎたようだ。２０１６年に、政府は夫婦が2人目の子どもをもつことを認め、中国の研究者のなかには、子どものいない夫婦に課税すべきだと提案する者さえ現れている。

奇妙に思えるかもしれないが、人口規模の操作を試みてきたのは西側政府も同じだ。戦争の後や、極度の貧困の時期、あるいは子どもの健康が甚大な被害を受けるような時期に、政府はさまざまな措置を講じてきた。たとえば、子どもの人数に応じた給付金の配布、保育施設への出資、有給出産休暇の義務化などである。２０１２年にシンガポールでは子づくりをけしかける「ナショナル・ナイト」の宣伝動画がつくられた。出生率を改善しようと訴える内容で、こんな歌が流れる。「僕は愛国心ある夫で、君は愛国心ある妻なんだ。市民としての義務を果たすべく、新しい生命をつくり出そうじゃないか」。２０１４年の「デンマークのためにやろう」広告キャンペーンも、その目的は同じだ。

これは、ただ数を増やせばいいという問題ではない。経済学者がずっと以前から気づいていたことだが、さまざまな年齢層の人口分布を最適化することには明確な利点があり、そのためには国家レベルでの家族計画が必要となる。そこで焦点があてられているのが「人口ボーナス」だ。これは、本質的に、全人口における働く世代の割合が最多数を占めることで経済成長が後押しされる状態のことだ。最も望ましくないのは、引退した人だらけになって、経済を回す者がいなくなった状態である。

ここまで議論してきた医学的問題は、一度も妊娠しない不妊症、つまり「原発性不妊」として知られるものだ。しかし、女性不妊で最も多いのは「続発性不妊」、つまり一度は妊娠したのにその後妊娠しないという、いわゆる「2人目不妊」である。原因の多くは不適切な中絶処置や性感染症であるが、性感染症は先進国のほうがより早く効果的な治療を受けられる傾向にある。女性の10・5%が続発性不妊に苦しんでいるが、原発性不妊は2%である。こちらも、治療可能なケースが多い。全世界で保健医療システムが改善されれば、かなり多くの女性の生殖能力が大幅に改善されるだろうことは、想像に難くない。

生殖における格差は他にもある。女性にとっての生殖に関する選択肢の数は、先進国のほうがはるかに多いのだ。たとえば、驚くべき科学的進歩である体外受精（ＩＶＦ）は、世界のどこでも等しく受けられるわけではない。あなたが先進国に住んでいるならば、ロバート・エドワーズとパトリック・ステプトーが切り開いたこのテクノロジーの恩恵にあずかるチャンスを得やすいだろう。だが、女性が出産に対する重圧をかけられている場所の多くは、ほとんどの夫婦がＩＶＦを受けられない場所でもあり、問題は解決されないままとなっている。

生殖能力を向上させられるのか

『トゥモロー・ワールド』の先見性には、不思議な気持ちにさせられるね。当たっている部分がかなり多いみたいだもの。

つまり、今のイギリスは、亡命希望者や移民を国外退去させることに躍起になっている、思いやりのない冷酷なエリートに支配されて、混乱して分断された国になってるってことかい？

落ち着けよ、労働党党首のコービンが乗り移ったのかい？　僕が言ってるのは、ベクスヒルを、人々を閉じ込める場所として描いた部分のことだよ。その人々は、最後の旅路に出たら決して戻ることはないんだ。

もしや、ベクスヒルに多い、老人ホームのことを言ってる？

そういうこと……。

クライヴ・オーウェン演じるセオには楽観性のかけらもない。彼は言う。「実際、女たちが子どもを産めなくなったというのに、どんな希望が残されてるっていうんだ？」ありがたいことに、私たちが暮らすこの世界は、科学が完全に行き詰まった『トゥモロー・ワールド』ではない。さまざまな厄介な課題や費用の問題、失敗例はあるものの、ＩＶＦは多くの人々のために役立っている。さらに、科学の他の成果によって、『トゥモロー・ワールド』の筋書きが現実のものとはならないレベルにまで人間の生殖能力を向上させられそうなのだ（プラスチックの問題を別にすればだが）。

第一に、現在では卵子を凍結させられるようになったので、人生において適切なタイミングが来るまで、女性たちは子どもをもつのを遅らせられるようになった。これはかなりの快挙だ。人間の精子の凍結に関しては、その成功例は１９５３年にまでさかのぼる。この年に凍結精子を使った最初の妊娠が成功し、子どもの誕生にも至った（アメリカでの事例だが、10年間は公表されなかった）。そして、胚（ある程度発達した受精卵）の冷凍も、かなり前から行われている。１９８４年にオーストラリアで誕生したゾーイ・レイランドは、世界で初めて凍結胚から生まれた人物だ。ゾーイとなった胚が凍結されていたのは８週間。だが、それがあっという間に思えるほどの長きにわたって凍結されていた事例もある。エマ・レン・ギブソンとなった胚は、なんと24年間も凍結保存されていた。受胎の時期で考えると、エマを産んだ母親は、エマよりたった１歳だけ年上ということになる。２０１７年11月に生まれたエマは、健やかに成長している。

一方で、卵子の凍結となると、精子や胚に比べて難易度が高い。卵子は生物学的に精子よりもずっと複雑な構造をしており、凍結処理においてダメージを受けやすい部分が多いのだ。また、１００個ほどの細胞からなる胚と比べると、卵子は頑丈ではない。卵子、すなわち卵細胞は、たった１つの細胞壁によって内部のすべてのものが守られている。それでも、凍結・解凍した卵子での成功率は（諸説あるが）60～80％で、胚の場合には80～90％にのぼる。

そして、子宮について取り上げないことには、女性の生殖の問題を十分に議論したとは言えないだろう。結局のところ、映画版『トゥモロー・ワールド』で問題が生じているのは子宮なのだ。では、科学にできることはあるだろうか？　まず、現在では子宮の移植が可能になっている。

医療の世界では、生体から移植した子宮での出産例がいくつもある。そして今では、子宮は、たとえばあなたが交通事故で亡くなったりした場合に、他の人に提供できる臓器の1つなのだ。2017年末に、ブラジル人女性が健常な赤ちゃんを出産したが、これは死亡後の女性から移植された子宮による世界初の出産例である。ドナーは、くも膜下出血により45歳で亡くなった女性だ。レシピエントは32歳の女性で、遺伝子異常により生まれつき子宮がなかった。移植手術には10時間以上かかったが、その甲斐があったのは明らかだ。

いずれは、完全に人工的な子宮をつくって、自然の状態を模した環境のなかで胎児を育てられるようになるかもしれない。しかし、それは技術的にも倫理的にも大きな挑戦である。母親の子宮の外で胎児を育てることを「体外発生（ectogenesis）」というが、これは1924年に生物学者のJ・B・S・ホールデンが考案した造語だ。ホールデンは生物学者のジュリアン・ハクスリーと親交があり、さらにその弟のオルダス・ハクスリーとも親しく、3人で人工子宮の可能性について話し合ったに違いない。そこから得たアイデアを用いてオルダス・ハクスリーが1932年に発表したのが『すばらしい新世界』という小説だ。この本の中では、胎児はメス豚の胃の内壁のなかで育てられるのだが、それは「夏の午後に目を閉じたときのような」深紅の闇であり、胎児には「人工血液やホルモンをたっぷり与えられ」るのだ。〔訳註：引用は『すばらしい新世界』大森望訳／早川書房刊／２０１７年版より。〕

人工子宮の最初の特許は１９５５年11月に付与されているが、人類が夢の体外発生を実現するまでの道のりは今なお遠い。健康な出産は、とてつもなく複雑な環境によって妊娠が維持されるからこそ可能なのだから。子宮内の化学物質の配合は絶え間なく変化して、胎児が成長する９カ月の間、常に適切な状態に保たれる必要がある。さらに、ただでさえ驚異的な能力をもつ人間の自然な胎盤を、人工物で模倣しなくてはならない。胎盤は、胎児の老廃物を排出し、栄養や酸素を送り届け、他にもさまざまな役割を担って、胎児の成長を出産日まで助けているのだ。

こうしたさまざまな困難を乗り越えるべく、人々は努力を重ねている。21世紀に入ったばかりの頃、コーネル大学のヘレン・ハンチン・リューは、本物の子宮内膜から採取した細胞を内側に貼りつけた人工子宮の研究に取り組んでいた。そして、その人工子宮のなかで、人間の胚を２週間近く生育させたのだ（「人間の胚の研究利用は受精後14日まで」と定める法律に抵触するので、それ以上は続けなかった）。もしもそのまま続けたら胚が生存可能な胎児に育ったかというと、それはわからない。彼女はマウスの胚を使って同様の実験を行い、出産直前の状態まで育てたのだが、そのすべてに甚だしい奇形が認められたのだ。

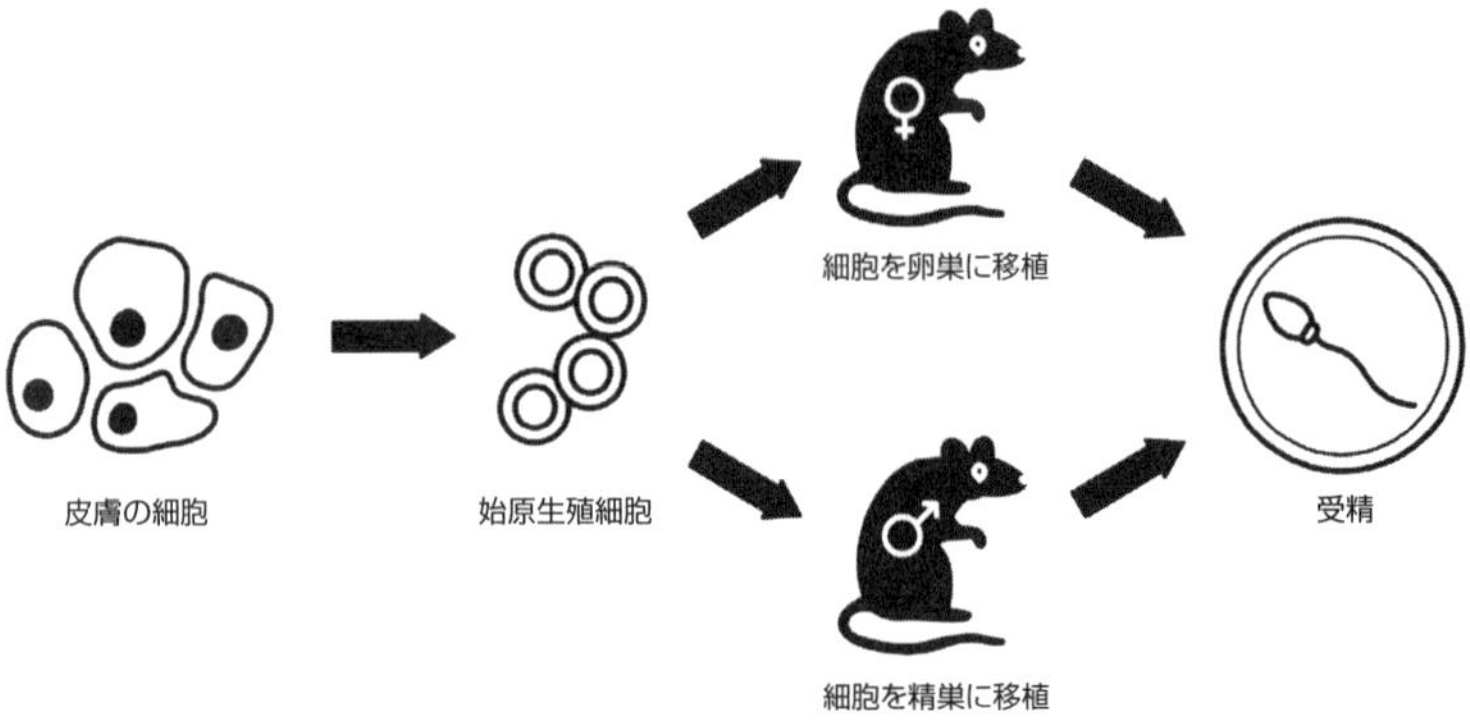

皮膚細胞からつくられた幹細胞が成体の動物に移植されて、卵子や精子となる

人工子宮についてのリューの研究は行き詰まっているようだ。だが、他にも多くの者が挑戦を続けている。最近の成果は、フィラデルフィア小児病院の「バイオバッグ」だ。この人工子宮を使って、懐胎の最終段階にあるヒツジを生かし続けることに成功している。これらのヒツジは人間の胎児でいうと妊娠23週に相当し、帝王切開で取り出された。これほどの早産ならば、人間の場合の生存率はたったの15％である。だがヒツジたちは、栄養と酸素を摂取できるようにへその緒が接続され、さらに別の栄養源となる羊水で満たされたプラスチックの袋のなかに入れられた状態で、完全に正常に成長したのだ。

このテクノロジーは、将来的に、深刻な状態にある人間の未熟児の生育に役立てることが期待されている。しかし、妊娠の初期段階で胎児を成長させるために必要となる環境に代わるものではまったくない。今のところ、人工子宮は遠い夢なのだ——人工の卵子や精子とは違って。

実は、皮膚の細胞から、人間の卵子をつくることができる。理論的にはということだけれど。倫理問題が解決されておらず、まだ誰も実現させたことはない。しかし、２０１６年に、林克彦教授がこれをマウスで成功させた。林教授のグループは、マウスの皮膚細胞を採取して処理を加えることで、細胞の時計の針を巻き戻して「多能性幹細胞」の一種であるｉＰＳ細胞をつくった。つまり、マウスの体内のどんな細胞にも分化する能力をもつ細胞ができたわけだ。筋肉にも、（再び）皮膚にも、神経細胞にも、卵子にもなることができる。林教授はこのｉＰＳ細胞から始原生殖細胞をつくり、培養して卵子を作製した。その際には、特定の化学成分からなる培養液をつくり、さらに胎児の卵巣細胞と一緒に培養することでこれを成功させている。

そして、この卵子とマウスの通常の精子とを受精させて得られた胚を、メスのマウスの子宮に移植した。その結果、８匹の赤ちゃんマウスが誕生したのだ。卵子がなくとも、子どもはできる！

コラム

命の尺度

知っているだろうか、あなたの体にはとても重要な測定値がある。身長？　確かに重要だ。体重？　それも正しい。では、肛門性器間距離は？　知らない人が多いだろう。

男性諸君はすぐにでも測定したくなるかもしれない。肛門と生殖器（詳しい説明は要らないよね）の間の距離は、あなたの生殖能力や寿命を示すよい指標となるのだ。実は、男性の精子数と死亡率は複雑に絡み合っている。他に健康問題を抱えていないとしても、精子数が少なければ平均余命が短いのだ。精子数の少なさは、心臓病、脳卒中、糖尿病、骨量低下などのリスクの高さと相関がある。単なる相関なので、どっちがどっちの原因なのかはわからないが、関係があるのは確かなのだ。２０１４年の研究によると、１９８９年から２０１１年にかけて1万１９３５人の男性の追跡調査が行われた結果、「精液量、精子濃度、精子運動率、総精子数、総運動性精子数のすべてにおいて、その低さが死亡リスクの高さと関連している」ことが明らかとなった。

そして、精子数の少なさは、肛門性器間距離の短さと相関があるらしいのだ。これは、両方の因子が、子宮内ホルモン環境によって同様に影響を受けるためである可能性が高い。男性４７３人を対象とした２０１２年の研究によると、子どもがいない人の肛門性器間距離は、子どもがいる人と比べると著しく短いことがわかった。参考までに、肛門の縁から陰囊の端まで（パンクロックの曲名にありそう）の距離を比較すると、前者の平均値は36・４ミリメートル、後者は41・９ミリメートルであった。ちなみに、大人になってしまえば、肛門と性器の距離は年を重ねても変化しない。さあ、巻き尺をもって風呂場に直行だ。

この種の方法で生きた人間を生み出すことに挑戦する前に、まだまだたくさんの難関がある。林教授は成熟卵子400個から1348個の胚をつくり、最終的に8匹の赤ちゃんマウスを誕生させた。ある意味で無駄も多いわけで、人間の胚を使用する際には問題となるかもしれない。また、成熟卵子を培養するために胎児の卵巣細胞が必要となる。理屈としては、中絶された胎児から取り出したものを使うことはできるだろうが、正直、なんだか気持ち悪い。さらに、奇形を生じる可能性もある。林教授の実験では、母親マウスが8匹の赤ちゃんのうち2匹を食べてしまったが、その2匹になんらかの異常があるのを母親が察知したからかもしれない。空腹でもあったのだろうが。

ただし、忘れてはならないのは、奇形や機能不全といった潜在的かつ現実の問題があることから、こういった研究を管轄する当局によって、パトリック・ステプトーとロバート・エドワーズが体外受精の研究に公的資金を使用することは禁じられていたという経緯があることだ。1978年に初の体外受精児ルイーズ・ブラウンが誕生したことで体外受精という道の門が開かれたわけだが、当時の科学者たちは彼女の誕生を望んではいなかったのだ。これは生殖に関する研究の多くで言えることなのだが、先進的な研究は、開始の許可を得るのが非常に難しい。しかし、特に体外受精のように不妊に悩む人に大きな喜びと希望が与えられるような研究の場合、その成果が示されれば人々に認められるようになるものなのだ。林教授は皮膚の細胞を使ったわけで、これはつまり、たとえば将来的に同性カップルが自分たちの遺伝子を受け継ぐ子どもをもてるようになる可能性があるということだ。男性の皮膚の細胞を使うのは問題があるが（厄介なY染色体が発達の経路を変えてしまうらしい）、克服できない問題とは思えない。

実際に、さまざまな研究者が人間の皮膚の細胞から精子をつくる研究を順調に進めている。たとえば2014年には、スタンフォード大学の研究者が不妊症の男性3人から皮膚の細胞を採取して、処理を加えることで、その幹細胞を幹細胞に戻した。その幹細胞をマウスの精巣に注入したところ、未成熟精子に発達したというのだ。研究者たちは、これを人間の精巣に移植すれば、完全な成熟精子にまで発達するのではと考えている。

コラム　こちらも参考に

『トゥモロー・ワールド』は陰惨すぎるので、不妊を扱った面白い映画も紹介しておこう。たとえば『ＪＵＮＯ／ジュノ』（かなり感動的でもある）、『赤ちゃん泥棒』（ニコラス・ケイジのどたばた喜劇）、『恋愛だけじゃダメかしら？』、『ベイビーママ』、『メイビー・ベイビー（Maybe Baby）』（日本未公開）などなど……、センチメンタルな映画はこの辺で十分だろう。不妊の深刻で難しい側面を探求したいのなら、ポール・ジアマッティとキャスリン・ハーン主演の『プライベート・ライフ』がお薦めだ。そしてもちろん、ディストピア的悪夢を描いた『ハンドメイズ・テイル／侍女の物語』がある。テレビシリーズで有名だが、それよりずっと前に、マーガレット・アトウッドの原作本『侍女の物語』を元に他ならぬハロルド・ピンターが脚本を書き、ナターシャ・リチャードソンが主演した映画が１９９０年に公開されている。さらに、生殖補助医療の未来を描いたＳＦ映画ならば、あの素晴らしい『ガタカ』（私たちの前作『すごく科学的』で読んでくれたことと思う）、そして『わたしを離さないで』（クローンを取り上げた映画で、ベクスヒルで撮影された）がある。最後になるが、ハリウッド映画ではゲイやレズビアンの両親がほとんどまったく取り上げられないことに疑問をもってほしい。科学によって、彼らが生殖の機会を得るようになってからもうずいぶん経つというのに。そんな流れにジュリアン・ムーアとアネット・ベニングが逆らった映画が、『キッズ・オールライト』だ。マーク・ラファロ演じるポールが提供した精子を用いて、２人は体外受精によって子どもをもうける。そして物語は、ポールが彼女たちの家庭に関わることで大きく転換する。いい映画なので、ぜひ観てほしい。そして、体外受精という科学のおかげで800万人もの人々が存在しているという事実に思いを馳せよう。

2016年に中国の研究チームは、マウスの胚由来の幹細胞から、マウスの成熟精子をつくった。これらの精子によって正常なマウスの卵子を受精させた結果、健康な赤ちゃんマウスが誕生している。そして2018年には、ケンブリッジ大学の研究チームが人間の幹細胞を人工精巣の中で育て、ほぼ精子の状態にした。人工精巣といっても単純なもので、ゲル状の物質に囲まれた生殖細胞の小滴にすぎないのだが、人間の幹細胞が精子そっくりの細胞へと分化するための適切な環境となったようだ。

まだ完全な成功には至っていないが、うまくいけば、従来の生物学的な生殖をかつてない範囲にまで拡張できることだろう。『トゥモロー・ワールド』のキャッチコピー「人類最後の日々」が使われる状況には、今後もならないかもしれない。もしかすると、いずれ、不妊症は完全に過去のものとなるかもしれない。現状からすれば、途方もない逆転劇である。科学が1勝した！

第6章

ハリウッドに殺される
その方法は……
気候変動!

「前兆があったのに、誰もが無視した」

──『ジオストーム』(2017年)

こんな場面を想像してほしい。ロサンゼルスのどこかで、映画製作者がこぶしを机に打ちつけてこう言うのだ。「私は本気で、気候変動に対する問題意識を高めたいと思っているんだ。なのに、気候は腹立たしいほどゆっくりとしか変わりやしない！」こんな感じで最初につくられたのが、気候変動があきれるほど急激に起きる『デイ・アフター・トゥモロー』だ。そして2番目が、この『ジオストーム』である。前者よりも（少なくともコンセプトとしては）ずっとまともな映画で、人類を守るはずのテクノロジーによって、その意図と真逆のことが行われたらどうなるかということを観客に問いかける。ざっくり言うと、人類をゆっくりと殺そうとする地球環境に対処しようとして、間違って急激に自滅しそうになる人類の話である。それも、非常に腹黒い政府高官がちょっと手出しをしたことが全部悪いという筋書きだ。さて、次こそはまともな気候変動の映画を紹介したいが……［気候変動を扱う大作映画に良作はないのだが、まあ、すべてを望むのは酷というものだろう］。

工学的に気候変動を解決すべきか？

これって、ジェラルド・バトラーの出演作のなかで最低の映画だと思う？

その称号を与えるにふさわしい映画が多すぎるんだよね。でも、違うんじゃないかな。ジェニファー・アニストンと共演した『バウンティー・ハンター』が最低だと思うよ。

その年の最低映画を決めるゴールデンラズベリー賞の、最低スクリーンカップル賞の候補になった映画だよね。

それだけじゃない、バトラーが最低主演男優賞の候補に、映画は最低作品賞の候補にもなったんだよ。

だけど、どれも受賞しなかったんだろ？

そのとおり。オチもつかない、中途半端な映画だったってわけ。

『ジオストーム』の導入部分で、私たちは、化石燃料を燃やすことによる各地の深刻な影響を見せられる。壊滅的な気候変動により、台風、津波、酷暑、アイスストームなどの破壊的な異常気象が頻繁に発生していた。それらを制御するために、科学者とエンジニアの国際的な協力態勢によって構築された「地球工学的」な解決策が、「ダッチボーイ」という人工衛星のネットワークである。即座に異常気象に対処できるこの人工衛星ネットワークは、宇宙ステーションから統括・制御されている。

わざわざそんな大変なことをするよりも、気候変動そのものに対処するほうがずっと理に適っているのは明らかだ。だが、ハリウッド製の想像上の政府も、実世界の政府と同じく、長期的には利益が得られても短期的に痛みを伴うような政策には特に興味がないのだ。

まずは、気候変動について簡単におさらいしておこう。物理学の法則からわかるのは、熱を非常に効果的に抱えこむ「温室効果ガス」で地球を覆うと、地球が温まるということだ。この温室効果ガスの代表格が、二酸化炭素（CO_2）とメタンである。CO_2は、ガソリンや石油、石炭などの化石燃料を燃やしたときの副産物だ。メタンは「天然」ガスであり、家屋の暖房や調理、そして（多くの場合）発電で使用されている。現在、この分野の専門家の約97％の意見は次のような考えで一致している。化石燃料の燃焼を伴う人間の活動によって、大気中のCO_2の量が大幅に増えて、それが地球をくるんでいる（つまり温めている）。この温暖化の影響は深刻で、さまざまな研究の結果、海面の上昇にはじまり、異常気象の増加、農作物の不作、動植物の生育域の移動などが引き起こされるだろうと予測されている。

つまり、地質学上の一時代を終わらせかねない地球温暖化が、急激に進みつつあるのだ。では、私たちにできることはあるだろうか（もちろん、温室効果ガスの排出を抑えること以外にということだが）？　これは、リンドン・B・ジョンソン大統領の顧問が気候変動への技術的な対策案を提言した1965年以来、ずっと突きつけられている問いかけだ。そして、多くの科学者やエンジニアをかなりわくわくさせる問いでもある。その答えが「イエス」かもしれないからだ。たとえば、地球に照りつける太陽放射を軽減する措置が考えられるし、むしろ反射する量を増やせるかもしれないし、あるいは……。とりあえず、こういった退屈なものの紹介から始めて、もっと派手なアイデアの実現可能性へと話を進めることとしよう。

まず、世界を白く塗るという方法がある。これでなんでも解決できると思っているわけじゃないよ。第2章でも小惑星を白く塗る提案をしたけれども。あのときは、こちらに向かってくる小惑星を軌道からそらすためだったが、今回は、太陽光を反射させて宇宙空間に戻すのが目的だ。馬鹿げた考えと思うかもしれないが、これがそうでもない。ローレンス・バークレー国立研究所が2008年に発表した報告書によると、屋根を白く塗る、道路建設に白っぽい色のコンクリートを使うといった対策で、気候に大きな影響を及ぼすことができるという、非常に実際的な指摘がされている。それによって、世界中のすべての車（ざっと6億台）を18年間走らせないのと同じくらいの効果が得られるというのだ。

これは地球の「アルベド」による。アルベドとは、地表面の反射率を表す指標だ。たとえば、草原はそこを照らす光の約4分の1を反射するが、雪や氷はほぼすべての光を反射する。屋根の多くは降り注ぐ光の10～20％を反射するが、屋根の表面を白いものでコーティングすれば、それを40％にまで上げられる。白くすることによる冷却効果はというと、100平方メートル分の暗色の屋根を白色の屋根に替えることで、毎年、CO_2排出量10トン分による温暖化効果を打ち消すことができる。同様に、黒いアスファルトではなく白っぽいコンクリート道路にすると、反射率が15％ほど上がって、100平方メートルあたり1年にCO_2約4トンを削減したのと同等の効果が得られる。しかも、明るい色の屋根は熱を吸収しづらいという利点もついてくるので、屋根の下の建物は冷房の必要が少なくなる。電力使用量の節約になるし、その分だけ温室効果ガスの排出量も減らせるのだから、一挙両得だ。

このように10年も前の報告書で指摘されているのだから、私たちは報告書の推奨どおりに実行してもよかったはずなのに、さほど進んではいない。確かに、ニューヨークでは建築基準法の改正によって白色の屋根材が推奨されるようになった。また、暗色の屋根を無料で塗りなおすプロジェクトが進んでいて、その面積はすでに50万平方メートルを超えている。そして、カリフォルニアでは一部の道路が明るいグレーで塗られたが、これは実際には地球温暖化を防ぐためというよりも、道路が溶けないようにするための措置である。

つまり、世界を真っ白に塗装すべしというような大きな盛り上がりには至っていないのだ。しかも、NASAが出資してスタンフォード大学の研究者が行ったコンピューターシミュレーションによると、反射した太陽光は大気中の煤《すす》などの粒子に捕らえられて、それらの粒子が熱せられることで、温室効果を悪化させる可能性があることが示されている。

おそらくこれが考慮されてのことだろう、反射面をもう少し高い位置に――たとえば高層大気に――設置すべきだという人もいる。具体的には、地表からはるか上空で、光を反射するエアロゾル粒子を放出するという提案だ。イメージとしては、宇宙空間のすぐ下のどこかで、巨大なスプレー缶からそれらの粒子が噴出されるのを想像すればいい。粒子は成層圏と呼ばれる薄い層のなかにとどまって、地球に届くはずの太陽光の一部を反射してくれるはずだ。

ちょっとバカバカしいんじゃないかと思うかもしれないが、あなたがこの文章を読んでいる頃には、すでに実施されているかもしれない。SCoPEx（成層圏制御摂動実験）と呼ばれるこの実験では、地球のはるか上空で炭酸カルシウムを放出して、太陽光線を宇宙空間へとはね返させることを想定している。初回に放出する粒子の量はたった100グラム程度なのだが、このアイデアの実現可能性を確認するための手始めとしては十分な量である。

コラム

僕が乗るスペースシャトルはどこだ？

『ジオストーム』での登場シーンで、ジェラルド・バトラー演じるジェイク・ローソンは、リチャード・シフ演じるアメリカ上院議員が議長を務める聴聞会に遅れて到着する。ローソンはこう謝罪する。「遅れたのは謝ります。文字どおり宇宙から飛んできたもので」。では、私たちがこんな遅刻の言い訳を使えるようになるのは、いつ頃になるだろうか？

地球と宇宙ステーションとの間で定期便を飛ばすという試みはあるのだが、地球の周回軌道にロケットを自由に出入りさせるのにはまだまだ時間がかかりそうだ。最も期待できそうなのはイーロン・マスク率いるスペースX社だろう。マスクは、再使用可能なロケットと新たな宇宙旅行のコンセプトを提案した。それがドラゴンカプセルだ。ドラゴンは国際宇宙ステーション（ISS）へのドッキングも可能だ。ISSの液圧式フックによってドラゴンがドッキングポートへとしっかりと引き寄せられて、機密性を保つよう密封される。数時間後にカプセルとISSの気圧が等しくなったら、ISSに搭乗していた宇宙飛行士がドラゴンに渡って補給物資を運び出すという流れだ。

いずれは、ドラゴンによる乗員輸送が認められるだろう。7人乗りのこの機体は、初めのうちは宇宙飛行士を運ぶのに使われるだろうが、やがては誰もが宇宙飛行を楽しめるようにしたいとマスクは考えている。

他にも、ボーイング社のCST-100スターライナーや、リチャード・ブランソン率いるヴァージン・ギャラクティック社のプロジェクト、ジェフ・ベゾスのブルーオリジン事業において、いずれもここ数年のうちに最後のフロンティアである宇宙へ有人宇宙船を発射するという計画が進んでいる。ブランソンのVSSユニティは、乗客を乗せて宇宙の端っこまで飛ぶ予定だ。**［この「宇宙の端っこ」とは、飛行により到着できて、なおかつ「ここは宇宙だ」と言い張って乗客に巨額の運賃を請求できる、地球から見て最も低い高度のことである］** 1回のフライトで運べる乗客は6名。ベゾスのニューシェパードは再使用可能なロケットで、パイロットも含めて誰かを乗せて飛んだことはまだないものの、これまでに10回以上もの宇宙飛行を成功させている。ボーイング社の宇宙船は無人試験飛行もまだほとんどなされていないが、同社は有人飛行に向けて意欲を見せている。ついに、地球と宇宙を結ぶ定期便運航の時代が始まろうとしているのだ。

もちろんこれは、映画『ジオストーム』で解決策とされた、宇宙空間の太陽光反射人工衛星の世界的ネットワークとはかなり違う。しかし、コストはかからないし、有効そうではある。だが、欠点もありそうだ。たとえば冷却と遮光の効果が大きくなりすぎて、必要な農作物が育たなくなり、地球の人口を養えなくなるかもしれない。

もっと地に足のついたアイデアに移ろう。お次は、「マリンクラウド・ブライトニング(marine cloud brightening)」である。仕組みはこうだ。雲というのは太陽光をよく反射するので、より白く明るい雲の層をつくりだすことができれば、地球に届く太陽光の量を減らせるだろう。どうやって実現するのか? ロボット船を建造して、海面から雲の上面へと海水を噴霧する。そうすれば明るく白い反射面で雲の上面を覆うことができる。これがうまくいくかどうかは、まだわかっていない。雲の反射率というのは、気候のコンピューターシミュレーションにおける弱点の1つなので、たとえ可能だとしても、雲を明るくしたことでどれほどの効果が得られるかということはわからないのだ。プラス面としては、試すことによって雲の反射率のデータが得られるので、気候モデルの精度を向上させられるだろう。

ここで「ちょっと待ってくれよ」と手を挙げるのは、自称気候工学者のグループだ。海面に鉄粉を散布すればいいだけじゃないか? そうすれば、それを栄養分とする植物プランクトンが増殖する。植物プランクトンは海の上層に自然な状態ですでに存在していて、CO_2を大量に吸収してくれている。だから、単純に増やしてやればいいだけだよね? 確かに、海洋の深層部に到達する光の量が減るという問題は生じるかもしれないよ。だけどさ、気候の危機を解決するほうが重要だろう？［これによって大きな問題――おそらくは甚大な問題が生じる可能性はある。海洋の食物連鎖を底辺で支える植物プランクトンを増やしてバランスを変えようというのだから。しかし、確かに環境問題は重要ではあるし……］

この試験は実際に行われている。倫理的問題は解消されておらず、非公式な試験ではあったが。２０１２年に、バンクーバーに拠点を置くハイダ・サーモン回復会社（Haida Salmon Restoration Corporation）は、プランクトンの大量発生を誘発すべく、約１００トンの硫化鉄を北太平洋に投入した。プランクトンはＮＡＳＡの衛星画像でも確認できるほど増えたものの、CO_2の吸収量は――あったとしても――わかっていない。それ以前に行われた実験によると、実際の効果は小さいか、まったくない可能性すら示唆されている。効果があるとしても、毎年何百万トンもの鉄化合物を海に投入し続ける必要がある。そういったことを考えると、あまりいいアイデアではなさそうだ。

では、炭素を吸収する植物をもっと植えればいいだけではないか？　いい考えだが、現在のすべての植生でも、私たちが排出する二酸化炭素の約3分の1しか吸収できていないのだ。樹齢10年の木が1年間に吸収できるCO_2は約20キログラムである。人間の全排出量を相殺するためには、今、植林できそうな範囲よりもずっと多くの土地が必要となる。具体的には、アジアとオーストラリアとヨーロッパ全域を合わせたくらいの面積に植林しなくてはならない。さらに、木の効果はプラスに働くものばかりではない。一般に木の葉の色は他の植生に比べると濃いので、熱の吸収量が増える。また、小さいけれどマイナスの効果として、木々は実は、地球温暖化の要因である揮発性化合物を排出してもいる。

ならば、大気からCO_2を直接吸い集めるような工学的装置をつくって、完全に密閉した地下の洞窟にでも保管するのはどうだろう？　どちらのテクノロジーもまだできてはいないが、工学者はその両方に取り組んでいる。しかしこれにはよほどの幸運も必要となる。たとえ空気中からCO_2を抜き取れるようになったとしても、地下貯蔵には多大なリスクが伴う。たとえば地震が起きて、何億トンという極めて強力な温室効果ガスが突然に放出されたとしたらどうなるのか。工学者たちは電気を使ってCO_2を炭素と酸素に分離する手法の研究も進めている。しかし、大きな効果をあげるためには産業的な規模で実現できねばならず、そのための有効なプロセスはまだない。

まったく、難しい問題だ。結局のところ、気象制御を行う人工衛星ネットワークを構築するしかないのだろうか。

気象コントロールを行う人工衛星ネットワークの構築は可能か

「ダッチボーイ」（オランダの少年）って、科学装置としてはひどい名前だよね。

もっとひどいのもあるよ。ヴィクトリア朝時代のある望遠鏡は、「パーソンズタウンのリヴァイアサン（怪物）」と呼ばれていたんだ。

いい名前じゃないか。少なくとも想像力を感じさせるよね。チリにある「超大型望遠（Very Large Telescope／とても大きな望遠鏡）」なんて、そのまんまだよ。

「欧州超大型望遠鏡（Extremely Large Telescope／極端に大きな望遠鏡）」も直球だよね。

「大型ハドロン衝突器（Large Hadron Collider）」ってのもある。

実はそれはなかなか洒落たネーミングなんだ。科学者は笑えるスペルミスを誘発するためにこの名前を選んだらしくてね。「ハドロン（Hadron）」を「勃起（Hardon）」って書いちゃう人が多くてさ、「大型勃起衝突器（Large Hardon Collider）」って名前が量産されてるんだ。

人類を守ってくれる人工衛星の艦隊の建造は、やればできるのかもしれない。『ジオストーム』に登場するダッチボーイのネットワークは見事だけれど、今あるＧＰＳ（全地球測位システム）を構成する人工衛星ネットワークもたいしたものだ。あなたの携帯電話のナビ機能は、このシステムによって支えられている。実際に、私たちが人工衛星に強く依存しているからこそ、関連するテクノロジーがこれほどまでに発展しているという現状がある。だから正直なところ、多くの国が現時点で盛んに研究している方向へと話を進めるのは気が進まない。それは、他の国が宇宙に配備している装置を破壊するための研究なのだ。第2章で見たように、宇宙は単なる「最後のフロンティア」ではない。「最後の戦場」ともなりえるのだ。

各国が手を取り合って、人工衛星ネットワークを協力して建造し、人類のためにテクノロジーの成果を分かち合うことが可能だとする『ジオストーム』の楽観性は、なんとも美しい。人類が心を通わせて、各国が自国の利益追求をやめるというのは、心温まる未来像である。だがそれは、この映画において、最も非現実的な部分なのかもしれない。

現実世界における問題は、スプートニクから始まった。１９５７年10月にソビエト連邦が打ち上げたこの球形の人工衛星を、アメリカは大きな衝撃をもって受け止めて、人工衛星プロジェクトを加速させた。しかもその１カ月後に、ソビエト連邦はスプートニク２号を打ち上げた。ライカという名の気の毒な犬を乗せて軌道を周回したこの人工衛星のせいで、アメリカの劣等感はさらに強まることとなる。同年12月には、アメリカの準備も整った――少なくとも、彼らはそう思った。残念ながら、アメリカ初の人工衛星は、打ち上げ後、地面からたった１メートルほどに達した後に地面に落ちて爆発した。これは屈辱的だ。その後の宇宙開発競争が大人げない意地の張り合いへと転じたのは当然のことだった。

そして本書執筆時点で、地球の周回軌道上には人工衛星が５０００基近く存在している。そのすべてが稼動しているわけではない。約２９００基が現在では動作していないか、単なるゴミと化している。毎週1度は、それらの人工衛星の１つが軌道を外れて落下して大気圏内で燃え尽きたり地表に戻ってきたりする。それでも、少なくとも２０００基の人工衛星が稼動しつつ、地球の周りを回っているということになる。人工衛星のそれぞれが体現しているのは、独自の打ち上げ能力をもつ13カ国のいずれかが宇宙に対して抱いている野望であって、今でも争いや相互不信が渦巻いている。たとえば、中国とアメリカは互いの宇宙計画に対して懸念を抱いているし、北朝鮮やイランが運用している人工衛星に対して諸手を挙げて喜ぶ人はそう多くはない。唯一の救いの光といえば、欧州宇宙機関（ESA）が、国の威信のようなものは脇に置いて、大規模で平和的な人類の発展のためのプロジェクトが可能であると示してくれていることだ。

ESAの人工衛星プロジェクトのほとんどは、科学的な目標に沿って進められている。たとえば、ESAが運用しているプランク宇宙望遠鏡からは、宇宙の歴史と構造に関する洞察が得られる。また、太陽・太陽圏観測衛星（SOHO）は、太陽やその周囲の状況について多くのことがわかるように設計されたものだ。さらに、「ガリレオ」のような、地球に焦点をあてた非常に実際的なプロジェクトもある。これは、さまざまな国の人工衛星のネットワークであり、私たちの足下にある地面の位置情報をよりよい精度で取得できるようになる。

ガリレオは、いろいろな意味で、『ジオストーム』のダッチボーイに最も近い。現在でも測位衛星システムはあるのだが、それぞれが1国のみによって運用されている。中国のBeiDou（北斗）、ロシアのGLONASS、アメリカのGPSといった具合だ。他国は合意の上でこれらのシステムを使わせてもらっているが（代償はある）、システムを制御できるのは衛星保有国だけだ。常に目端の利く欧州連合（EU）は、自分たちのGDPのおよそ7％が測位衛星システムに依存していることに気づいた。そこで、他国の善意への依存度を減らすために、自前の人工衛星ネットワークを建造することを検討し始めた。こうしてＥＵは、ＥＳＡと協力して活動するＧＳＡ（欧州全地球航法衛星システム監督庁）を設立したのだ。ＧＳＡのガリレオ・ネットワークはＧＬＯＮＡＳＳやＧＰＳとの相互運用が予定されており、真の意味での多国籍測位衛星ネットワークが構築されることとなる。

宇宙技術分野でのこのような国際協力は当たり前のことではない。『ジオストーム』からもわかるように、このような協力体制は、構築は難しいが崩れるのは簡単だ。誰もが、他国の人工衛星に対して疑いを抱いているのだから。

それも当然のことだろう。１９６３年までに、ロシアはイストレビテル・スプートニク（Istrebitel Sputnik）、すなわち「戦闘衛星」を建造して試験を行っていた。17基の推進エンジンを搭載し、軌道上の人工衛星に接近して破壊することができる衛星だ。１９７０年にソ連はこれが他の人工衛星を攻撃・破壊することを示してみせた。時は冷戦の最中であり、アメリカはスター・ウォーズ計画（戦略防衛構想）に熱心に取り組んでいた。この構想にはさまざまな技術が含まれており、軌道上の人工衛星からレーザー光を発射して攻撃するというアイデアも（理論面で）検討されていた。

このスター・ウォーズ計画は実戦で使用されることはなかったが、中国は地上から人工衛星を破壊できることを実証した。そして、ロシアが配備した操縦可能な謎めいた人工衛星は現在地球の周回軌道上にあって、いかにも他の衛星に接近して無力化するために設計されたのだと言わんばかりの様子で時折コースを変えたりする。つまり、世界の超大国は、互いの衛星に大いに関心を示しているけれども、それは平和や愛、全人類の安全を守るためなどではないのだと考えて差し支えないだろう。

しかしながら、人工衛星は「デュアルユース」、つまり軍民両用のテクノロジーであって、気候を監視するという役割は大まかには民生用である。宇宙からの眺めには制限がほとんどないし、僻地《へきち》に設置されたり世界の大海原に漂うままにされたりすると問題を起こしかねない地球表面の装置に頼ることもない。地表の温度から、気象状況、雲量、海水位、大気の状況まで、全部で160の気象衛星から送られてくる大量のデータからは、気象の変化や、重大な懸念のある地域についての情報が読み取れる。私たちが暮らすこの惑星について、さらには地球と人類の将来について、これほどの情報が得られるようになったのは初めてのことだ。だが、そこからわかることは、残念ながら必ずしもよい知らせではない。

コラム

軽々しくはやらないように

『ジオストーム』のキャッチコピーは「気象を支配し、世界を支配せよ」だ。この文言からだけでも、地球工学のあり方についてしっかりと考えねばならないことはわかるはずだ。テクノロジーで気候コントロールが可能になったとしよう。さて、温度を何度にするべきか、いったい誰が決めるのだ？　自宅の室温設定だけでも結構な口論になるというのに、国連での議題になりでもしたらどんな騒ぎになるのか、考えてもみてほしい。

さらに、意図せぬ結果が生じたとしたら？　突然に世界規模の冷却プログラムを実施するとなった場合、予想外の壊滅的な影響が生じないという確信がもてるのだろうか。それに、この種のことを実現できる能力があるとなれば、人々はどうせテクノロジーに助けてもらえるのだからと甘く考えて、二酸化炭素排出量を頑張って削減しようなどとは思わなくなりそうだ。世界全体で苦しみを生んでいる異常気象すべてを、なんの痛みも伴わずに地球工学で解決できることがわかれば、取り組み放棄への誘惑は倍増するだろう。

いくつかの疑問を示したが、地球工学による解決策を検討すべきでないと言いたいわけではない。事実、専門家の多くが言うのは、わからないことがあるからこそ今すぐ実験を小さいスケールで始めて、何が実現可能で何がそうでないかを切り分ける必要があるということだ。そうすれば、次世代の人々は、手遅れになる前に、これらのテクノロジーの導入や禁止について、十分な情報に基づいた決定を下せるだろう。

人工衛星によって明らかになったのは、『デイ・アフター・トゥモロー』で描かれたような急激な変化を生じる転換点が本当にあるかもしれないということだ。この映画が痛烈な批判を受けた原因は、一夜にして壊滅的な気候変動が生じるという描写にあった。しかし、科学者たちはずいぶん昔から認識していたことなのだが、条件の組み合わせによっては、連鎖反応が生じて、極端なシナリオへとなだれこむ可能性があるのだ。

それが疑われる場所の1つが、世界的温暖化のために溶けつつある、シベリアなど北方地域の永久凍土だ。永久凍土層には大量の温室効果ガスが含まれており、永久凍土が融解すればそのガスが放出される。予測によると、今世紀中に、北半球高緯度陸域での「大規模解凍」によって、100億トンもの炭素が大気中に吐き出されると見られている。そうなれば、地球を覆う温室効果ガスの層が厚さを増して、地球温暖化がさらに加速するだろう。

少なくとも、この件に関しては予測可能である。2018年の終わりに、スウェーデンの科学者たちが、気候転換点の驚くべき影響が多数見られることを指摘した。たとえばカナダでは、氷河が縮小することで川の流れが変化している。そんな変化がまずい場所で起これば、ドミノ倒しのように破滅的な現象が次々と引き起こされるかもしれない。

気候を研究する人たちが最も恐れているのは、おそらく、熱塩循環の一部をなす大西洋の海流が滞ることだろう。この海流は、地球上のすべての海洋を移動する水の流れを刺激する役割を担っているのだが、現在、その勢いが弱まりつつある。この海流が完全に止まってしまえば（そんな可能性があるのかまだわかっていないが）、暖かい表層流と冷たい深層流の循環に変化が生じ、地球規模の急激な気候変動が生じるだろう。そのような突然の変化は、なんの前触れもなく起きるかもしれない。たとえば、北極の氷が溶けるなど、誰も予想だにしていなかったことが起きているのだ。世界で最も歴史ある科学学会、英国王立協会の著名な会員たちは、現状をこう表現している。「私たちは未知の領域に向かっており、不確実性が大きい」。つまるところ、『デイ・アフター・トゥモロー』のシナリオはそれほど馬鹿げたものではなかったのかもしれない。

いや、やはり馬鹿げていたか。だが、それはいいことなのだ。大異変が一夜にして起こるわけではないのなら、その打撃を受ける前に、なんらかの措置を講じる時間があるかもしれない。

天候は変えられるのか

『ジオストーム』で好きなキャラクターは？

アメリカの国務長官かな。悪役史上、最高のセリフがあるからね。

悪役として「最高」ってことは「最悪」ってこと？

そのとおり。たとえば、「あなたは〝大虐殺〟だと言うが、私は〝先制攻撃〟だと考えている」とか。

こっちのセリフも彼のキャラクターをよく表してるよ。「アメリカが栄光に輝く国だった１９４５年に時計の針を戻すのだ。今は銀行同然の国ではないか」

いいね。だけどこっちがもっといい。「科学には神と同じ力がある。そして神とは時に残酷なことをするものだ」

その言葉に同意しそうな実験室のマウスを何匹か見たことがあるような……。

「人工衛星システムのおかげで、自然災害は過去のものとなりました」とアンディ・ガルシア演じるアメリカ大統領が演説をする。「私たちは天候をコントロールできるのです」

いいぞ、その調子だ！　だが、世界気象機関（ＷＭＯ）は、雨を降らせることはできないくせに冷や水を浴びせることはできるらしい。こっちは人類のために天候を変えたいだけなのに、彼らの答えはこんな感じなのだ。「気象系に関わるエネルギーはあまりに巨大であるため、雨雲をつくりだしたり、特定の地域に水蒸気を運ぶように風のパターンを変えたり、深刻な気象現象を完全に消し去ったりということは不可能だ。このような大規模あるいは劇的な効果をもたらしたと主張する気象改変テクノロジーには、まともな科学的根拠はない」

どうやら彼らは『ジオストーム』を観たことがないようだ。だが、希望がまったくないわけではない。WMOが言うには、できるかもしれないこともあるという。たとえば、ある地域の降雨量を増やしたり、叩きつける雹《ひょう》による被害を軽減したり、霧を散らしたり、嵐を少しだけ移動させられる可能性があるそうだ。

野心的で実行力のある国［基本的に、やりたいことをすべて実行に移してしまう国ということだ］、すなわち中国は、すでにこれに取り掛かっている。政府お抱えの科学者たちが熱心に取り組んでいるのは、たとえば雪を降らせることだ。方法はというと、まず、熱い空気の上昇気流を生み出せる非常に強力な燃料バーナーを用意する。その火のなかでヨウ化銀の微粒子をつくり、大気中を上昇させると、ヨウ化銀が氷晶核となって、その周りに氷の結晶ができやすくなる。つまり、雪片の形成が加速されるのだ。

驚くなかれ、このようにして雪を降らせる目的はというと、気候変動と闘うためでもなければスキーを楽しむためでもない。農業のためなのだ。この方法で雪を降らせようとしている地域は主にチベット高原である。現在深刻な水不足のために農業が打撃を受けて収穫量が約2000万トンも減少している場所だ。『サウスチャイナ・モーニング・ポスト』紙によると、このプロジェクトによって降雪量と降雨量が合計で約100億立方メートル増加する可能性があり、これは中国で1年間に使用される水の7％に相当するという。

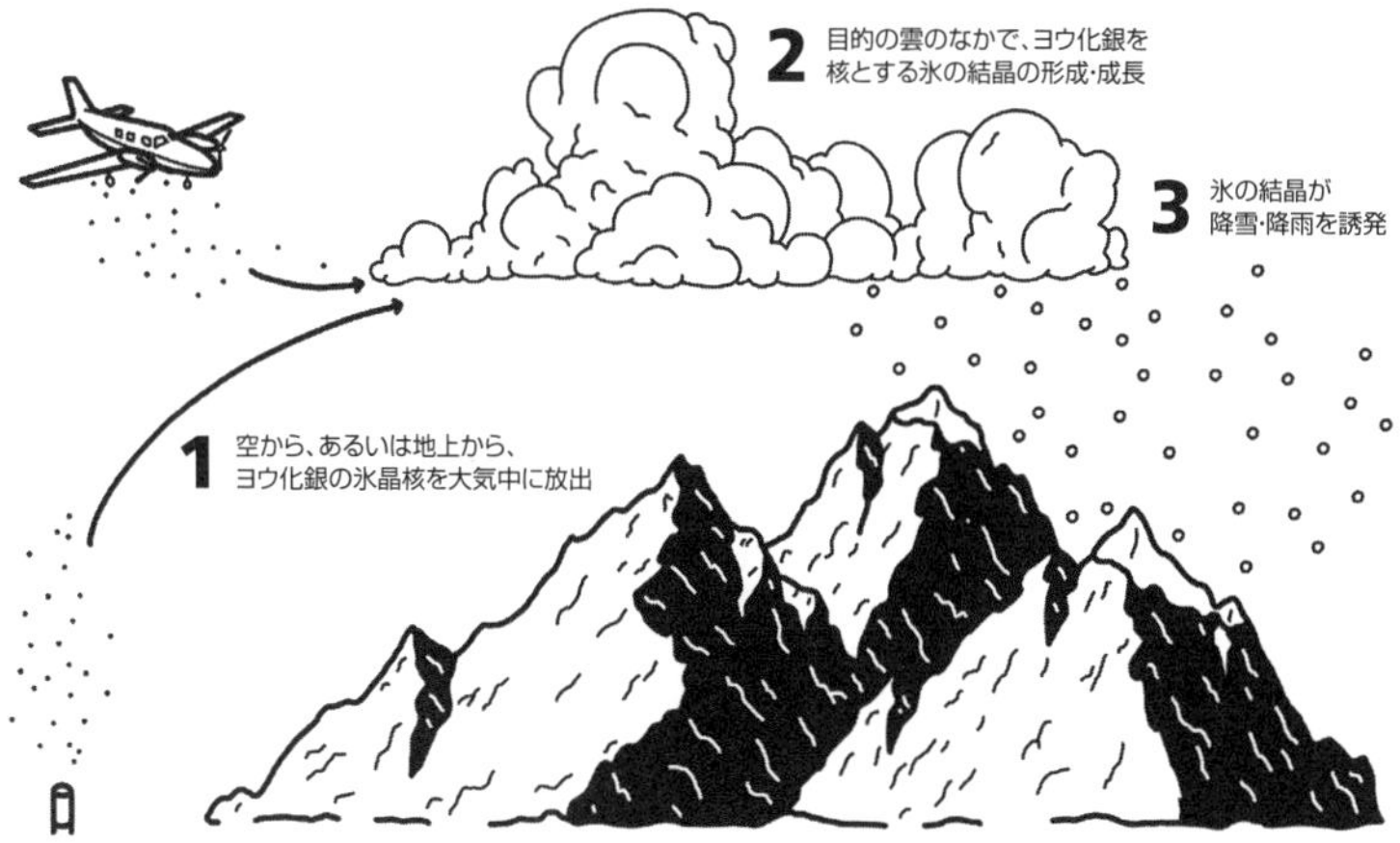
2 目的の雲のなかで、ヨウ化銀を核とする氷の結晶の形成・成長
3 氷の結晶が降雪・降雨を誘発
1 空から、あるいは地上から、ヨウ化銀の氷晶核を大気中に放出

雨を降らせる方法

予想がつくと思うが、このクラウド・シーディング（雲の種まき）は物議を醸している。長年にわたり資源の盗用といわれてきたが、それは、本来ならばその雨が他国に降って植物を育てるはずのものだったかもしれないからだ。インドとパキスタンはいずれもクラウド・シーディング技術の実験を重ねており、政治的・経済的な影響をめぐって対立している。大方の予想によれば、水をめぐる争いが次の大きな世界紛争の根本原因になるという。つまり、ヨウ化銀の粒子を種として雨や雪を降らせることが、いずれは開戦行為と見なされるようになるかもしれないのだ。

雨や雪ばかりではない。たとえば『ジオストーム』でも登場した嵐の制圧である。言わずもがなだが、ＷＭＯは現時点でその可能性を信じているとは言いがたい。アメリカ海洋大気庁

（NOAA）もWMOと同意見であり、ホームページでその態度をはっきりと示している。「おそらく、いつの日か、誰かがハリケーンを人工的に弱体化させる方法を思いつくかもしれない。なんとも魅力的なアイデアではある。もしそんなことができたなら、さぞかし素晴らしいことだろう」

なぜこんなに懐疑的なトーンなのかというと、これまでの取り組みに原因がある。1960年代初めから20年にわたり、アメリカ政府はヨウ化銀を使ってハリケーン内の状態を変えようとしてきた。この「ストームフューリー計画」と呼ばれた取り組みは、結局失敗に終わっている。他にもさまざまなアイデアが提案されてきた。たとえば、嵐に氷山を投入して表面の水を冷却することで嵐のエネルギーを散らす、水爆でハリケーンを吹き飛ばす、海洋上に油をまいて海面からの蒸発を抑えることでハリケーンの発達を抑制する、巨大送風機で嵐を吹き飛ばす、などなど……。しかし、このいずれも、現実の世界では実行可能ではないことがわかったのだ。

その理由は、単純にエネルギーという要因にある。これらの嵐には、核弾頭から放たれるのと同程度の膨大なエネルギーが蓄えられている。この種のエネルギーを散逸させるのは――特に風も水も含む嵐の場合には――今のところ単に不可能なのだ。「光速に近いスピードで私たちが星々へと移動できるような時代が来たならば、ハリケーンの動きを力でもって制御できるようなエネルギーが使えるようになっているだろう」とNOAAは書いている。彼らの提案はこうだ。そんな時代が来るまでの最善の解決策とは、たとえば嵐が起こりやすい地域ではより堅牢な家を建てるなど、暴風雨との共存方法を学ぶことだ。あるいは、嵐の勢力を強めたり、発生頻度を高めたりするような温室効果ガスをこれ以上増やさないように努めることもできる（すでに誰かが提案していると思うが）。

もちろん、レーザーを試すのもいいだろう。『ジオストーム』でも行われていることだし。この手法に実現の可能性を見るのは少数派だが、支持を集めつつある。たとえば、ジュネーブ大学のジャン＝ピエール・ウルフ教授はレーザーを使って雲をつくり、落雷を誘発したり、方向転換させたりすることに成功している。これまでのところは実験室内での成果ではあるが、それでもかなり驚嘆させられる。特に、雷のコントロールは素晴らしい。レーザーによって、その経路上にある大気中の原子から最外殻の電子をはぎ取ることが可能で、この電荷の変化によって、雷を別の道筋へとそらすことができるのだ。つまり、ダメージを最小限に抑えるよう、落雷をコントロールできるわけだ。WMOも強い関心を抱いており、このテーマでの研究会を相次いで主催している。

ウルフ教授は独自路線を進む異端の研究者などではない。受賞歴のある科学者であり、『ジオストーム』の主人公ジェイク・ローソンを地で行くような人物なのだ。しかし、研究はまだ初期段階にあり、彼でさえ嵐を止めることは今のところできていない。つまり、私たちは、直面しているリスクについて理解する必要がある。

異常気象の脅威はどれほど大きいのか？

地球工学のテクノロジーを1つだけ導入するとしたら、どれがいい？

絶対に、雷を止めるレーザーにするね。君は？

世界中の屋根を白く塗ることにするよ。

つまんないな。なんでそれなの？

デュラックスっていう、塗料企業の株をもってるんだよね。

『ジオストーム』では、人工衛星ネットワークに異常気象を起こす能力がある。そのために、ブラジルの一部地域は凍りつき、モスクワは熱波で焼かれ、ドバイは巨大津波で押し流される。すでに見てきたように、実際には私たちにそのような力はない。だが、気候変動にはその力があるのだろうか？

これまでずっと、人類は激しい暴風雨に見舞われてきた。そして今では、有史以来のどの時代よりも、暴風雨の頻度が増えている。だからといって、それによって、人間の活動のせいで気候の変化が生じていると証明されるわけではない。しかし、嵐をはじめとする異常気象がどのようにして発生するかについての知識に照らしてみれば、異常気象の頻度や規模の増大の原因は地球温暖化にあるのだと自信をもって言えるようになるだろう。それでは、地球が温まると、どこまでひどい状況になるのだろうか。

まず注意すべきこととは、気象現象とは極度に複雑なシステムだということだ。とんでもなくたくさんの要因が絡んだ結果が、気象として表れる。たとえば、気温の上昇が嵐に及ぼす影響を考えるとしたら、海洋の温度、大気の温度、異なる領域の温度差などにとどまらず、本当に数多くの要因を含めて考える必要がある。

では、ハリケーンはどうやって発生するのか？　まず、温かい海から水蒸気が上昇し、凝結して雲を形成するのだが、凝結の際に熱を放出する。この熱で暖められた空気が上昇気流となって、雲はより高く、より大きく発達する。このプロセスが続くと、雲の上部と下部の温度

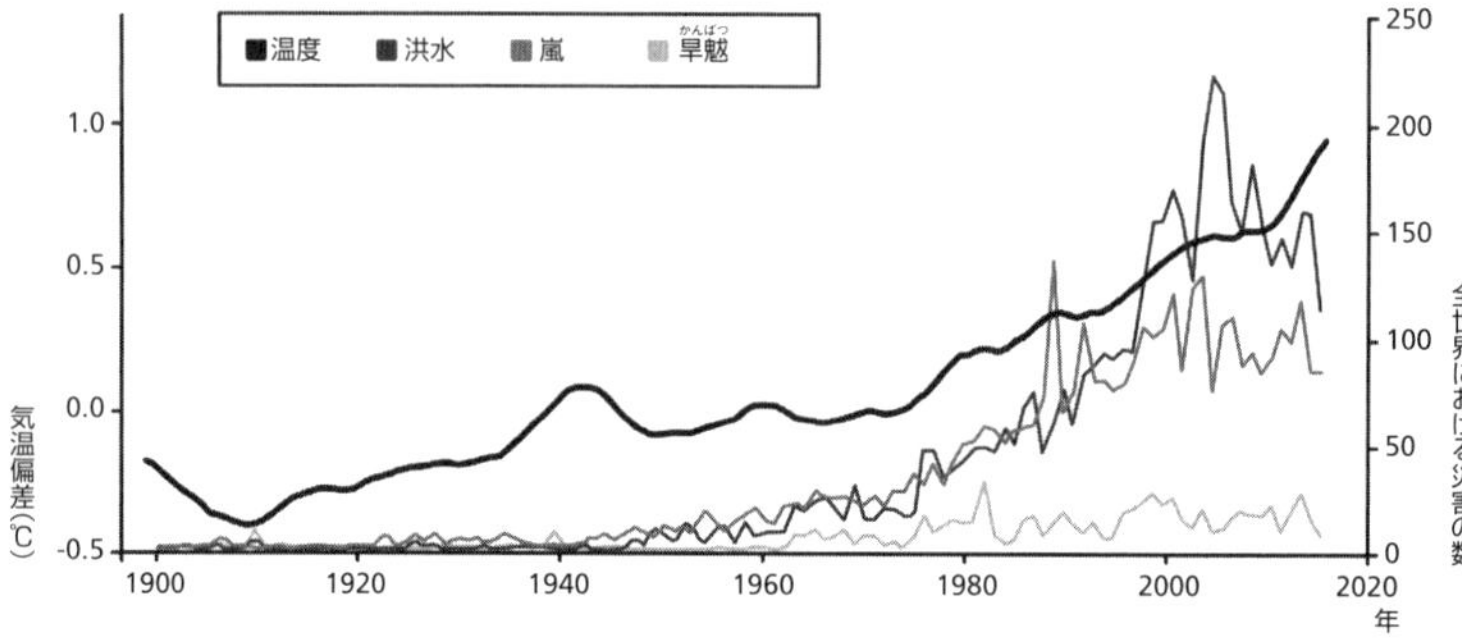

世界的な気温の上昇に伴い、異常気象の頻度が増加

差によって非常に強い風が生じる。最終的に、ハリケーンが誕生する（正式には、ハリケーンとは大西洋や東太平洋上で発達したものであって、他の場所では台風またはサイクロンと呼ばれる）。上昇気流が生じると、その下の領域は低気圧となるので、周辺から空気が急激に流れ込む。この空気は温かく湿った状態となって上昇し、このプロセスが継続する。一方、上昇した空気によって大気中に積乱雲（cumulonimbus cloud）が形成される。「cumulonimbus」とはラテン語で「盛り上がった雨雲」という意味だ。英語では、別名「thunderhead」（「雷の頭」または「雷の源」の意）と呼ばれることもある。一般に、この雲は私たちにとって危険信号だ。空気の動きによって雲は渦を巻き、回転し始め、最終的には北半球では反時計回り、南半球では時計回りに全体が回転する巨大な渦が形成される。

熱帯低気圧にはなかなか楽しい数字がたくさんついてくる。第一に、風速が毎時119キロメートルに達して初めて、ハリケーンに昇格する。そして、1980年以降、毎時200キロメートル以上の強風を伴う暴風雨の数は倍加している（そして、風速250キロメートル以上の暴風雨の数は3倍になった）。ここでさらなるおもしろ情報を紹介しよう。毎時250キロメートルの風は、毎時200キロメートルの風と比べると、風速はたったの1・25倍なのに、破壊力は2倍となる。風力エネルギーは風速の3乗に比例するからだ。そして、嵐の風速は上がりつつある。専門家の予想では、2100年までに、温暖化によって毎時370キロメートルの嵐が現れるという。その頃には、海面は3メートル上昇し、大きな破壊力をもつ高潮によって沿岸の都市が襲われる可能性がある。赤道からかなり離れた都市で暮らしていて、熱帯低気圧による死者を伴う被害に直面したことがない人々も、安閑としてはいられない。海洋の温暖化が意味するのは、暴風雨の被害範囲が、赤道から10年につき50キロメートルずつ南北へと広がるということなのだから。

高温の湿った大気が、ハリケーン発生のプロセスを駆り立てるエンジンの役割を果たしていることを考えれば、温度の上昇によって熱帯低気圧が発生しやすくなることはすぐわかるだろう。それだけではない。全体的な温度の上昇によって私たちはダブルパンチを食らう。海洋はより蒸発しやすくなるし、空気はより多くの水蒸気を保持できるようになるからだ。40年前と比べると、現在の大気が保持できる水蒸気の量は4％増えた。たいした量ではないように感じるかもしれないが、これによって嵐の威力が大きく増す。文字どおり、大量の水をあちこちにぶちまけられるようになった。

——たとえばニューオーリンズ州やインド南部のケララ州に——

コラム

こちらも参考に

これは時代の趨勢《すうせい》なのだろう。近年、「自然災害によって人類存亡の危機に陥る」ジャンルの映画が増えている。たとえば、気候変動により突如として大変動が起きてニューヨークが氷河期に入る『デイ・アフター・トゥモロー』、地球の核の回転が停止したとしたら生じるだろう大惨事を掘り下げた『ザ・コア』、はっきりしない（観る者を欲求不満に陥れる）「何やら悪いことが世界に起きている」らしい『すべての終わり』などが挙げられる。どうしようもなさで突出した存在感を醸しているのが『2012』で、古代マヤ文明だけが予言していた世界の終末が起きるというお話だ。とにかく科学的な描写から程遠く、世界の終末の原因に至っては科学の崩壊としかいいようがない。「ニュートリノが新種の核粒子に変化した」と、物理学者が――たぶん頭がおかしいのだろうが――叫ぶのだ。この描写に対する最高の反応は、おそらくコメディアンのダラ・オブリエンの見解だろう（彼の大学時代の専攻は素粒子物理学である）。彼が指摘するように、ニュートリノは比較的理解がよく進んでいる素粒子なのだが、とにかく新種の核粒子に変わりなどしないのだ。オブリエンは言う。「ニュートリノの構造は宇宙の構造の基礎なんだからさ。変わるはずがないんだ。あのセリフは、〝電子が怒っている！〟というのと大差ないんだよね」

そして、こういった変化の影響は、洪水発生の可能性が高まるだけでは終わらない。暴風雨がほんの数ヵ所、数日から数週間に集中するということは、それ以外の場所が、作物が育たなくなるような旱魃や壊滅的な山火事に見舞われるということだ。これまではそれらを鎮めてくれていた雨量が、よそに行ってしまっているのだから。

さらに、熱波にも襲われる。大気の組成変化と温度上昇が引き金となって、場所によっては異常なほどの高温に見舞われることがありうる。雲に覆われることも、雲をつくりだすような雨も地下水もなくなるように、大気の条件が整ってしまった場所だ。日本では、２０１８年の猛暑において観測史上最高の41・１℃を記録し、２万２０００人が病院に運ばれた。また、それに先立って、２００人以上が亡くなる集中豪雨に襲われてもいる［訳註：「西日本豪雨」のこと］。世界の極端な気象の要因を分析しているワールド・ウェザー・アトリビューション（World Weather Attribution：ＷＷＡ）によると、地球温暖化によって、世界各地で、産業革命前の時代と比べて熱波が発生する確率が倍増しているという。場所によっては倍増どころでは収まらない。同団体によると、気候変動のために、オーストラリアのニューサウスウェールズ州において２０１６年から２０１７年にかけての夏の時期に極度の熱波が通常の50倍も発生しやすくなったという。50年に一度という頻度で起きていた異常気象が、今では毎年の恒例になりつつある。実情はそれよりもさらにひどく、最高気温が５年ごとに２℃ずつ上昇するという事態に陥りそうなのだ。

ＷＷＡの共同設立者であるフリードリケ・オットーによると、この状況は、喫煙と肺癌の関係に少し似ているという。喫煙が肺癌の原因の1つではないかという疑いは以前からあったが、証明されたのはずっと後になってからだった。膨大な統計データを積み重ねていくうちに、少しずつ、パターンが浮かび上がってきたのだ。最終的に、そのパターンは明瞭かつ堅固なものとなり、今では喫煙が肺癌の主要因であることを認めない者などいない。もちろん、平均から大きく逸脱する事例は常にある。煙草を吸ったことがないのに肺癌で亡くなる人もいれば、75年間毎日欠かさず90本の煙草を吸い続けたのに健康で長生きして天寿をまっとうした人もいる。しかし、だからといって、喫煙が肺癌の原因であるという事実が変わるわけではない。それと同じで、ある特別に大きな嵐が起きた原因が、大気や海面の温度上昇にあるとは言えなくても、次の2つのことは言える。（a）温度上昇が主要因である可能性が高いことと、（b）地球温暖化になんらかの対処をしない限り、その程度の嵐はいずれ珍しくもなくなるということだ。つまり、嵐をコントロールする人工衛星ネットワークを導入するなどの対処をするか、そうでなければ、単純に温室効果ガスの排出量を削減しなければならない。後者の選択肢についても本章で言及しただろうか……？

第7章

ハリウッドに殺される その方法は……

不眠！

「ナンシー、今夜はちゃんと眠るのよ。
もしも、私が奴に殺されてもね」

──『エルム街の悪夢』（1984年）

『エルム街の悪夢』では、フレディ・クルーガーという、皮膚が焼け爛《ただ》れて手には鉤爪をつけた不死の怪物が、10代の若者たちの夢に現れる。彼らが選ばれたのは、かつてフレディが近隣住民によって焼き殺された通りに住んでいるためだ。彼らが眠りに落ちて夢を見ると、夢のなかでフレディに追われる。捕まると、フレディに殺されるのだ。

公開から数十年経った今でも、心底恐ろしい映画だ。この映画と同じくらいに恐ろしいのが、眠らなかった場合に私たちの身に起こることである。これまでに不眠症に苦しんだ経験があれば、睡眠不足が生み出す絶望感をご存じだろう。睡眠不足で疲労困憊《こんぱい》するのは当然のことながら、衰弱し、抑鬱状態となり、精神に異常をきたし、魂は破壊され、最終的には死に至るのだ。『インソムニア』などの映画でも、睡眠不足の影響のいくつかが描写されているが、『エルム街の悪夢』には睡眠に関わる問題が目白押しで、人類が数千年にわたって苦しんできた悲惨な経験が次々と登場する。

そんなに怖がらないで、ソファの陰から出ておいでよ。今から眠りの世界に行くからね……。

睡眠はどのように進化したのか

ホラー映画を怖がるほうかい？

そうだね。特にこの映画は怖いよ。

怖いのは、あのステーキナイフみたいな指？　それとも、フレディの顔が溶けてるところ？

むしろ、眠れなくなるってアイデアの部分かな。僕は睡眠のことを考えて一日の大半を過ごしてるからさ。

本当に、君はいつ死んでもいいような状態なんだね。

なぜ人間は眠るのか？　その理由は、まだほとんどわかっていない。しかし、私たちはもっと掘り下げることとしよう。まずは、人間には本当に睡眠が必要なのか、見てみよう。研究者たちは何十年間もこの問いに答えようとしてきた。まずは、眠らなくても生きていける動物を探し求め、次に、しばらく眠らなかった動物がどうなるかを調べたのだ。

第一の試みは見事な失敗に終わった。どうやら、動物たちで――少なくとも高等動物で――睡眠をとらないものはいないらしい。脳内にわずか３０２個のニューロンしかないカエノラブディティス・エレガンスという線虫でさえも、動かずに活動を止めている期間があり、眠っているように見える。もう少し進化の階段をのぼると、キイロショウジョウバエが睡眠の必要性を私たちに教えてくれる。この生き物は、睡眠不足になると、においを思い出すのが難しくなり、反応も鈍くなるのだ。

そもそも、ショウジョウバエが眠ったかどうか、どうやってわかるのか？　まず、数分間動かないショウジョウバエに刺激を与えてみると、反応が著しく鈍い場合がある。また、研究者たちは、ショウジョウバエが動かない時間には、脳の電気的活動が変化していることを発見した。さらに、脳内の細胞で生成されるタンパク質の種類が、この「睡眠」のフェーズでは異なっていた。これは、哺乳類の脳で起きることとよく似ている。つまり、ショウジョウバエは時折眠っていると考えてよさそうなのだ。

昼寝中のイルカを見つけるのはもっと難しい。昼寝をしないからではなくて、彼らが進化によりすごく巧妙な方法を身につけているためだ。実は、イルカは、脳の半分だけで眠ることができる。この「半球睡眠」のおかげで、イルカは周囲の状況やそこに潜む脅威に気を配り続けることができるのだ。脳の片方が十分に休息をとったら、そっちは目を覚まして、もう片方が眠りにつく。これは、他にも多くの海洋動物が発達させている進化的能力である。捕食者に目を光らせるほうが睡眠よりも優先順位は高そうなのだが、同程度の重要性があることを示す強い論拠となっている。

時には、人間がぐっすり眠るために行ってきた手法を、イルカたちが用いている様子が観察されることがある。見張り役を立てるのだ。親密な関係をつくり、互いに信頼し合っているイルカのカップルや集団は、1頭（あるいは数頭）が見張りをして、交代で睡眠をとることがある。

こういったすべてのエビデンスによって示されるのは、自然界でこれほど広範に見られる睡眠という行動は、地球上の生命の歴史において早い段階から進化してきたに違いないということだ。最有力説によると、少なくとも7億年前にまでさかのぼる。なぜそれがわかるのか？実は、イソツルヒゲゴカイ（Platynereis dumerilii）という7億年前から存在する海生の環形動物に、私たちの睡眠サイクルの原型があるらしいのだ。

このゴカイの幼生は、日中に海を泳いで上昇して日暮れ頃に海面近くに達するのだが、夜が更けると眠っているかのように海のなかを沈んでいく。では、どのような仕組みでこれを行っているのだろうか。このゴカイの幼生には原始的な目といえる細胞（光受容体）があって、そ

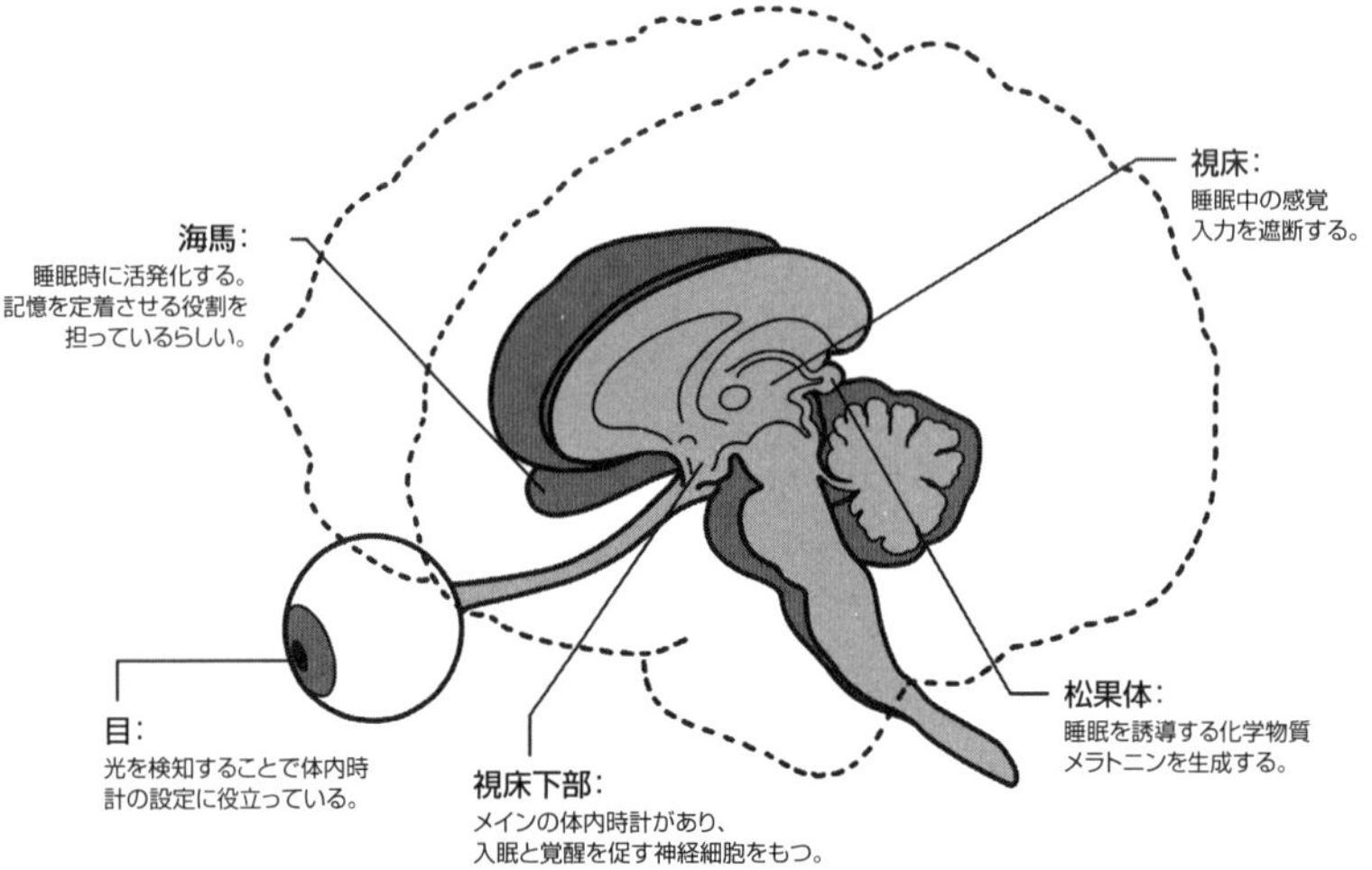
視床：
睡眠中の感覚入力を遮断する。
海馬：
睡眠時に活発化する。記憶を定着させる役割を担っているらしい。
目：
光を検知することで体内時計の設定に役立っている。
視床下部：
メインの体内時計があり、入眠と覚醒を促す神経細胞をもつ。
松果体：
睡眠を誘導する化学物質メラトニンを生成する。
脳のさまざまな部分が連携して睡眠を制御している

こで光に反応するタンパク質がつくられている。このタンパク質がメラトニンの生成にも関わっており、私たち人間と同じくメラトニンの生成量が夜間に上昇するのだ。さらに、幼生は細かい繊毛を動かして海中を上昇するのだが、メラトニンが神経細胞に働きかけて繊毛の動きを止めていることがわかった。つまり、日が暮れてメラトニンが生成されると、繊毛が動かなくなるので幼生は暗い海のなかを沈んでいく。日が昇ってメラトニンがなくなると繊毛が動くようになって海面へと向かう。海面近くに達するのは日暮れ時であり、日差しが強い時間は海中にいるので、捕食者や紫外線への過度の曝露から身を守る仕組みにもなっているわけだ。

イソツルヒゲゴカイは興味深くも奇妙な生き物である。体長およそ3～4センチの、本質的には（性別により異なるが）卵子の袋、あるいは精子の袋といっていいだろう。オスとメスを1つのボウルに入れると、互いのフェロモンによって熱狂的なダンスを始めて、それぞれが卵子と精子を放出する。しばらくすると、ボウルのなかにいるのは、育ち始めたたくさんの受精卵と、あとは――両親の死体という状態になる。進化とは厳しいものなのだ。

人間はセックスをしても普通は死なないが、どうやら私たちは進化的に少しばかりラッキーだったようだ。というのも、人間とゴカイは共通の祖先をもつ親戚らしいのだ。実は、ゴカイには、人間の脳に見られる構造と驚くほどよく似た生理的機能がある。

このゴカイの脳には、たとえば、人間の松果体に似たものが含まれている。人間の松果体では、私たちの睡眠・覚醒サイクルに欠かせない役割を果たすメラトニンが生成されている。さらに、「分子指紋法」と呼ばれる技術を用いた研究によって、ゴカイの光受容体と、人間の目の網膜のなかにあって光を感知する視細胞（桿体《かんたい》・錐体《すいたい》）の間に密接な関係があることが示されている。

つまり、ゴカイの昼夜サイクルが、最初の睡眠としての最有力説なのだ。メラトニンは、覚醒状態にある私たちをシャットダウンさせてくれる化学物質である。海にいるゴカイの進化のおかげで、哺乳類の脳は、光量レベルが落ちるとこのメラトニンを分泌するようになったのだ。

だが、こういった知見のどれをとっても、睡眠が人間にとってどのような役割を担っているかの正確な説明にはならない。確かに、どの動物も眠るということから、睡眠にはなんらかの役割があることは明らかだ。しかし、私たちが眠っている間に、いったい何が起きているのだろうか。なぜ、ナンシーはフレディに支配されないよう、ずっと起きたままではいられなかったのか？

人間は眠らなければどうなるのか

この映画は、ジョニー・デップの初出演作なんだ。彼は、友達のジャッキー・アール・ヘイリーがオーディションを受けるのに付き添いで行っただけだったらしいよ。

なんだか下の名前を3つつなげたって感じの名前だなあ。じゃあ、そのジャッキーがオーディションに受かったんだね。

いいや。ジョニー・デップが、あの申し分のない顔で、ナンシーの彼氏のグレン役を射止めたんだ。

まあそうだろうね。若い頃のジョニー・デップを見たら、どんな監督でも映画に出したくなるよ。ジャッキーのほうは腹が立ったんじゃないの？

ジャッキーはその思いをぶつけて、２０１０年のリメイク版『エルム街の悪夢』でフレディ役になりきったんじゃないかな。

フレディが完全に憑依《ひょうい》しちゃってたら怖いけどね。

先ほど紹介したように、ショウジョウバエは、睡眠不足になると精神的にも肉体的にも鈍くなる。これを意外に思う人はいないだろう［実は、ハトは睡眠不足でも普段と変わらないらしい。これは、ハトがいついかなるときでも頭が悪くてだらけきった存在であることを示しているのかもね］。時差ボケや、疲れ果てたときにどうなるのか、誰でも実体験があるのだから。だが、そんな状態が非常に危険なものとなりうることが、1983年のラットを使った実験で示されている。

アラン・レヒトシャッフェンの研究グループは、2匹のラットを、巧妙ではあるけれども残酷な装置に載せた。これは水槽の上に設置した回転台で、回転台の上の2匹は壁で隔てられている。回転台がまわっても、壁は一緒には動かない。片方のラットの脳はある機器につながれていて、そのラットが眠ると回転台がまわる仕組みだ。この哀れな動物（ラットAと呼ぼう）が眠りこむと、回転台がまわって、ラットAは壁にぶつかって水のなかに落ちてしまう。大嫌いな水風呂に落ちないようにするには、ラットAは回転と反対方向に進むしかない。つまり、ラットAはせいぜい一瞬しか眠れないのだ。

それに比べると、ラットBはずっとましな時間を過ごしている。ラットAが起きている間は回転台が動かないので、そのときに眠ることができるのだ。ラットAが眠って回転台がまわり始めたときだけ、ラットBはさわやかに目を覚まして、回転と逆方向に楽しく走ればいい。

ラットたちの1日あたりの移動距離は合計で約1・5キロメートルだった。睡眠を奪われて疲れ果てたラットAは、5日以内に死亡した。

さらに実験を続けたところ、別の実験でラットAが生き抜いた場合もあったものの、どの個体も、必ず深刻な症状を示した。毛並みはボサボサになり、皮膚には病変が生じ、歩行は不安定となり、脳信号は大幅に減退していた。死んだラットを調べると、潰瘍や内出血、肺の虚脱、睾丸の萎縮、膀胱の炎症などが見られた。だが、睡眠が可能だったラットには、そのような症状は見られなかったのだ。

コラム

睡眠は分けてとるべき？

1992年、精神生物学者のトマス・ウェアは、7名の被験者に対して、昼と夜のバランスを変える実験を行っている。被験者たちは、4週間にわたり、光を完全に制御できる宿泊施設に滞在した。そして、通常ならば日差しや人工の光のなかで過ごす時間が16時間続くところを、10時間のみに制限されて、あとは真っ暗な寝室で過ごすことになった。結果は？　被験者たちの睡眠パターンは「二相睡眠」へと変わった。つまり、2回に分けて睡眠をとるようになったのだ。

多相睡眠（分割睡眠）は——二相の場合も、もっと多い場合もあるが——動物界では珍しいことではない。かつては人間にとっても一般的な方式であり、ディケンズやチョーサーなどの作家たちは「1回目の眠り」と「2回目の眠り」について言及している。どうやら、電灯の発明前には、人々は日暮れ時に眠りについて、数時間後の真夜中に目を覚ましたようだ。それから火をおこしたり、料理をしたり、たぶんセックスをしたりと、さまざまなすべきことをこなしてから、再び眠りについていた。16世紀や17世紀の医学書では、この時間帯が子どもを授かるのに理想的だとされていた。主には、睡眠をとったことで少しばかりリフレッシュして、いい仕事ができるようになるということだろう。

近年では、この睡眠パターンは一般に推奨されていない。21世紀の医学的アドバイスとは、睡眠を一括でとることだ。そうすればあなたの体は、その絶好の機会を生かして、睡眠によって可能となるすべての生化学的な回復プロセスを実行できるのだ。

このなんともやりきれない実験からわかるのは、少なくともラットでは、睡眠をとることで、極度に危険な問題の発生を防げるということだ。これはマウスにも当てはまる。マウスを断眠させる実験からは、マウスの脳が自分自身を破壊することがわかった。これはグリア細胞の観察により明らかとなった。グリア細胞とは脳の神経細胞を支える構造の一部であり、通常は、日常的に生じる細胞の老廃物や、神経細胞間の不要な接続を除去するのに役立っている。実は、睡眠の研究者のなかには、それこそが睡眠の主な役割なのだと考える者もいる。つまり、脳内のシナプスのネットワークの一部が取り除かれて、残りの有用な部分が強化されているのだ。記憶の定着に睡眠が役立つ理由はこれで説明できそうだ。実験によると、新しいタスクを学習した動物は、睡眠をとると、そのタスクをさらにうまくできるようになるという。しかし、適切な睡眠によって調整されないと、グリア細胞は暴走を始め、完全に健康な脳組織まで無差別に破壊してしまうようだ。

眠っている間、私たちの体は成長ホルモンを分泌し、一部の脳内タンパク質の生産量を増加させる。そして、アイドリング時のエンジンのような、穏やかな低エネルギー状態へと沈み込む。血圧も下がる。実際に何が起きているにせよ、私たちにとって良いことであるのは間違いない。寝ないでいるときに起こることを考えればわかるだろう。

人生の一時期、誰もがある程度の睡眠不足に悩まされる。そしてそれが、大きな問題となりつつある。ＷＨＯは夜間に８時間の睡眠をとることを推奨しているが、先進国では３分の２に相当する人々がそれを実践できていない。結果として驚くべきことが生じている。必要な睡眠時間よりもたった16％短いだけで、つまり一晩の就寝時間としてはまずまずの長さと思われる約６時間45分の睡眠をとり続けた場合、60代初めを過ぎると医療の助けなしでは生き続けられなくなるのだ。特に男性にとっては問題で、睡眠が十分にとれていない男性は、そうでない人に比べて精子数が平均で29％少なくなる。その結果どうなるのか、第５章で見てきたことを思い出してほしい。

私たちの多くは、睡眠不足によって、知らず知らずのうちに自分や他者の命を危険にさらしていると言っても過言ではない。睡眠が５時間未満の状態で車を運転すると、事故に遭う確率が４倍以上となる。さらに削って４時間の睡眠だと、確率は11・５倍に跳ね上がる。

睡眠時間を削って仕事に精を出す人は称賛されるものだ。イギリス首相だったマーガレット・サッチャーが1日に4時間しか寝なかったことは有名で、彼女は「睡眠は軟弱者のためのもの」と言いさえした。結局、認知症を患ったのちに脳卒中で亡くなったが、享年87歳だったので十分長生きしたことは認めねばなるまい。サッチャーに関しては因果関係の証明はまず無理なのだが、睡眠不足が認知症と強く関係していることは実験によって示されている。面白いのは、その関係性とは、夢を見ること——具体的には「急速眼球運動（REM《レム》）」を伴う睡眠との関わりだということだ。レム睡眠とは私たちが夢を見ているときの睡眠状態である。このレム睡眠の不足と、認知症リスクの増加との間に、強い相関があるのだ。夢を見ることは脳にとって大切なことであるらしい。もちろん、それが悪夢だとしても。

夢とはいったいなんなのか

これまで観たなかで一番怖いホラー映画って何？

『ウォーター・ベイビーズ（The Water Babies）』（日本未公開）かなあ。

あれはホラー映画じゃないよ。子ども向けの冒険ものじゃないか。

そうなんだけど、『オーメン』で子守り役だったビリー・ホワイトローが出てるんだ。僕は11歳のときに『オーメン』を観て震え上がって以来、彼女の出演作はまったく見られなくなっちゃってさ。

君ってほんとに、ちょいちょい哀れだよなあ。

そんなに笑うなよ。正真正銘の恐怖症なんだからさ。『ウォーター・ベイビーズ』を初めて観たとき、子どもたちと一緒だったんだけど、怖くて部屋にいられなくなっちゃったんだよね［実話である。］。

「汚らしい赤と緑のセーターを着た男が夢に出てきたの」と、『エルム街の悪夢』の冒頭でナンシーがティナに話す。では、この「夢」とはなんなのだろうか。簡単に言うと、夢とは意識内の現実である。研究者が夢を見ている人の脳の活動を記録しても、起きている人の記録と区別はつかない。しかし、覚醒時ならば意識によってコントロールされるはずの筋肉を、夢を見ているときには脳がどうにかして動かないようにしている（目の筋肉は別であって、眼窩《がんか》のなかで眼球はぐるぐると激しく動く）。おそらくは、夢の世界の外側にある現実世界に働きかけないようにするための仕組みなのだろう。

私たちは夢を見なければならないらしいことを考えると、よくできた仕組みではある。世界の多くの言語には、英語の「sleep on it（一晩寝かせて考える）」と同じような表現がある。夢は意思決定において重要な役割を果たしているようだ。夢によって、私たちはその日に体験したことや葛藤などの感情を処理して、よりよい形でそれらに対処できるようになる。カリフォルニア大学で睡眠の研究をしているマシュー・ウォーカーの言葉を借りると、夢とは「夜間セラピー」なのだ。夢が感情を処理することで、強烈な感情はそぎ落とされ、淡々とした出来事の記憶がつくられるので、より容易に思い出せるようにもなる。心的外傷後ストレス障害（PTSD）発症者の場合、夢を見ることによって、心的外傷となった状態に自分を引き戻そうとするトリガーに対処しやすくなることがわかっている。

だが、これらのいずれも、完全に解明されたわけではない。夢に意味や目的はないと主張する研究者もいる。グリア細胞による脳の大掃除の単なる副産物だというのだ。しかし、別の見解によると、夢とは進化戦略であって、自らの命を救う可能性のある行動を準備しているのだそうだ。この見解を支持する陣営によれば、私たちがアクションいっぱいの夢をよく見る理由とは、命に関わるようなシナリオを生き抜くための動きを予行練習しているからなのだ。

はっきりしていることの1つが、海馬（脳の底部に潜むタツノオトシゴの形をした小さな構造体）に記憶を蓄えるために、夢が何らかの役割を果たしているということだ。マウスを用いた実験で、レム睡眠と関係のある脳の電磁放射が海馬に到達しないようにすると、そのマウスは日中に学習したタスクの解決方法を忘れてしまう。一方、ノンレム睡眠中に脳が発する信号を遮っても、記憶に影響はなかった。

また、ウォーカーが考えるところによると、夢によって私たちは賢くなるという。私たちが学習したことは、レム睡眠中に、その中でも特に目立った部分が選び出されて、つなぎ合わされて統合される。このようにして、脳によって、その経験すべてをまとめるようなものが――他の事柄にも応用しうる知恵が――つくられるのだ。

しかし、夢に関する最も面白いこととは、夢をコントロールして、夢がどう展開するかを決定する方法を学べるという点だろう。フレディ・クルーガーに立ち向かおうとするならば、身につけねばならないスキルだ。

これは明晰夢と呼ばれ、一部の人は学習しなくても実践できる［たとえば、私たちのコピーエディター

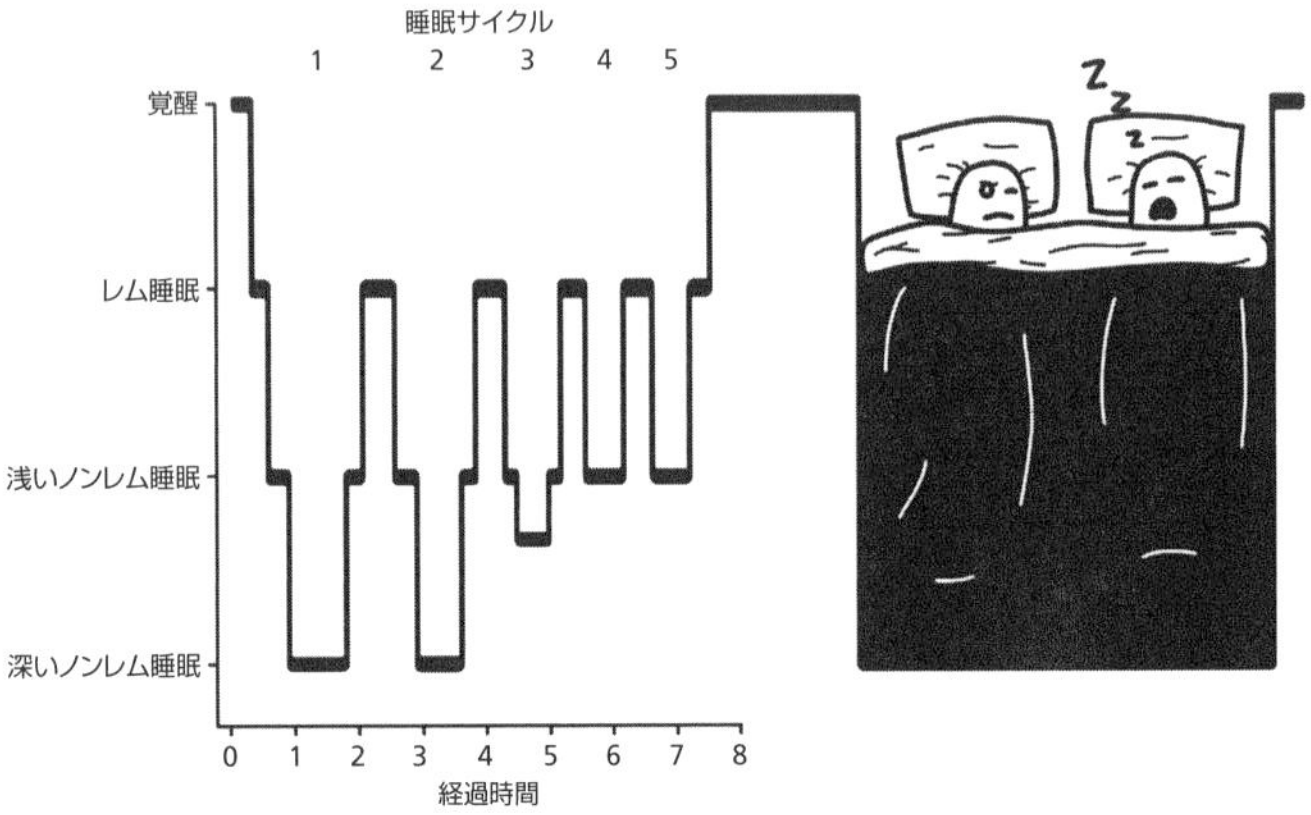

一晩の眠りにはさまざまなフェーズがある

であるジュリアがその一人だ」。睡眠サイクルにおけるレム睡眠のフェーズで、彼らは夢を見ていることを自覚する。夢の流れをコントロールできることも多い。たとえば、意識的に、自分で展開を決めながら、好きな人を登場させて浮気したりできる。あるいは、ひたすら超人的な離れ業を楽しんで、谷間を飛び越えるなど、いわば神のような活躍も可能だ。明晰夢とは楽しいものなのだ。

あなたが明晰夢を自在に見られない多数派だとしても、がっかりすることはない。実践方法は学べるのだから。この技術を身につけるには、まず昼間のうちにすべき訓練がある。クリストファー・ノーラン監督の『インセプション』に登場するこまを覚えているだろうか？　あのこまのようなもの、つまり、意識に向かって、今は夢を見ている状態だから夢をコントロールするようにと告げるためのトリガーとなるものが必要なのだ。

明晰夢の指導をしているチャーリー・モーリーは、眠る前にたとえばこんな簡単なマントラを繰り返し唱えるようにと言う。「今夜見る夢を覚える。私は夢をはっきりと思い出せる」

コラム

あなたが寝てる間に……

寝ている間に驚くようなことをすることもある。たとえば、自動車を運転したり、セックスをしたり。そして、誰かを殺すことだってありうる。

それが、ブライアン・トーマスというイギリス人の身に起きたことだ。妻を絞め殺して殺人の罪に問われた彼は、２００９年に無罪判決を言い渡された。弁護側によると、トーマスは睡眠障害を患っており、睡眠時遊行症（夢遊病）の症状を起こしている間は自身の行動をコントロールできなかったという。

トーマスがどれほどの罪の意識を抱えて生きているかを理解できる人はまずいない。その例外が、カナダ人のケネス・パークスだ。１９８７年に夢遊状態で義理の母を殺害した人物である。パークスは夢遊状態のままで、義理の両親の家まで車を運転して、その台所の包丁をとり、義母を殺し、義父に重傷を負わせたのだ。そして、パークスもまた、自己の行動に対する責任能力なしとして無罪となった。

このような状態は、深く眠っている「徐波睡眠」のフェーズで引き起こされる。睡眠者はこのフェーズでは夢を見ないので、筋肉を麻痺させて体の動きを抑制するという、夢を見ているときの機構が働かず、彼らの行動を抑えられなかった。

こういった夢遊状態は、睡眠状態が移り変わる際に、ある種の脳の不具合によって誘発されるらしい。ドアのチャイムの音や、犬が吠える声を聞いたり、ある種の睡眠薬を時折服用したりすることによって、脳が、深い睡眠と覚醒のはざまに閉じ込められてしまうのだ。なぜそんなことが言えるのか？ スイスの研究者が夢遊状態にある16歳の少年の脳スキャンに成功したときの結果からだ。これはかなりの偉業である。少年の脳波からわかったのは、彼が夢のない深い眠りのなかにあるということであり、それなのに情動状態も示されていたのだ。

いったんこのはざまの状態に陥ると、何が起きるかはわからない。夢中遊行する者**［ちなみに、ジュリアは夢中遊行もする］**は、着替えたり家を出たりといった、いつもと同じ行動をとる場合がある。車に乗ったり、会社に行ったりすることが知られている。食事をとることさえある。ある女性は夢遊状態での食事のせいで23キログラム増えたという。オーストラリアのある女性は、刷毛を握った状態で目覚めて、自分が家の玄関を塗り替えたことを知った。睡眠時性的行動症（セクソムニア）という症状もあり、睡眠中にパートナーに性行為を強要することもある。睡眠中のセックスは珍しいものではないが、本人にとってもパートナーにとってもトラウマとなりうる。

これに、自分の手を集中して記憶するという訓練を追加してもいい。日中に、時間間隔をあけながら、何度も手をじっくりと見続けるのだ。そうすれば、眠りのなかで自分の手を見る夢を見るかもしれず、そのときに実際の手とは異なる何かに――たとえば指が1本多いとかに――気づいて、自分は夢を見ているのに違いないと意識できるだろう。一度その境地に達したら、自分が夢を見ていることに気づく回数が増えていく。やがて、だんだんと、夢のなかの自分を意志に基づいて動かす方法を学べるだろう。決まった行動をとらせたり、何か面白いことをしたり、決まった言葉を話させることすらできるようになる。寝たままで、外の世界と意思疎通を行う人たちさえいる。夢を見ながら、たとえば、事前の取り決めどおりに目を動かすなどするのだ。

この技術に習熟すればするほど、あたかもビデオゲームをプレイするかのように、プロセス全体を自然に行えるようになって、楽しめるようになる。明晰夢を見る人たちによると、空を飛んだりセックスをしたりもできるのだ。19世紀のある人物など自分の意思で断崖から飛び降りさえしている。

この勇敢な人物の名はマリー＝ジャン＝レオン・ル・コック。フランス貴族のエルヴェ・ド・サン＝ドニ侯爵として知られる人物だ。明晰夢研究の先駆者である彼は、２０００夜近くにわたって夢の活動を記録した。夢のなかで、日中に訪れた場所を再び歩き回ったり、騎士道的な振る舞いをしたり、騎士道的ではない振る舞いに及んだりもしている。侯爵は非常にうまく夢をコントロールできるようになり、武器をもつ自分を意志の力で想像しては、必要なものをなんでも装備して冒険の世界へと出かけていった。ついには、自身の経験をまとめて『夢の操縦法』という本を書き上げている。

驚くべきことに、侯爵は『エルム街の悪夢』的な経験についての記録を残している。彼はいくつもの部屋が連なる迷路で怪物に追い回される。最後には、意志の力でもって振り返って怪物を凝視すると、それにより怪物の姿は薄れて消え去った。つまり、(ここからネタバレ)ナンシーがフレディに向かって、もうお前を恐れないと宣言することでフレディを無力化するという展開は、とても納得がいくものなのだ。

侯爵はすべてを楽しめたかもしれないが、明晰夢を特に見やすい人のなかには、そこからなんの楽しみも得られないグループが存在する。ナルコレプシーに苦しめられているこれらの哀れな人々は、「何がなんでも眠りに落ちるな」という映画のキャッチコピーに特に心をかき乱されるに違いない。

睡眠障害は命取りになるのか

よくあるホラー映画の展開だと、僕と君のどっちが先に死ぬと思う？

そうだなあ、僕はイケメンのヒーローっぽいタイプだからさ、あんまり長くは生き延びないだろうね。

じゃあ、科学好きのオタクは？　オタクたちは助かるのかな。

そもそもホラー映画に出てこないよ。

ホラー映画は感情がすべてだから、理性的で分析能力に優れたオタク連中は出せないってこと？

違うよ。ホラー映画ってのは、実生活で友達がいる人たちが登場するものなんだ。

ナルコレプシーは時にコミカルな描かれ方をする。いつのまにやら意識世界を抜け出して、そんなつもりもないのに眠ってしまう人ほど面白いものはないように思うかもしれないが、実際は少しも面白くなどない。ナルコレプシーとは、悪夢を生きることなのだ。

およそ2500人に1人がナルコレプシーを発症する。急に眠りに落ちるだけではなく、その症状はさまざまだ。たとえばカタプレキシー（情動脱力発作）といって、日常的な喜びや怒りといった感情が引き金となって数秒間、あるいは運が悪ければ数分間、体中の力が抜けきってしまう。そのため、眠ってもいないのに突然眠りに落ちたように見える。意識ははっきりしているので、恐怖を感じたり、そうでなければ気恥ずかしく思うだろう。ときには、オーガズムによってさえ、カタプレキシーの発作が起きることがある。また、極めて鮮明な、度を超えた夢のような幻覚が生じることもあり、そのせいで夜間の睡眠が細切れになるので、変則的な睡眠障害を発症しているともいえる。基礎代謝が低下するので、急激な体重増加が引き起こされることもある。

これらの不運な人々がなぜナルコレプシーを発症するのか、まだ明らかにはなっていないが、さまざまな要因があり、その特定の組み合わせにより生じると考えられている。まず挙げられるのが遺伝的要因だ。ＨＬＡ（ヒト白血球抗原）とは、免疫系が体内で排除すべきものを判別するのを助ける役割をもつタンパク質だが、このＨＬＡをつくる遺伝子にHLA-DQB1*0602という特別な型が含まれている人はナルコレプシーを発症しやすい。ヨーロッパ人の約25％がもっている遺伝子型だが、ナルコレプシー患者の場合、その割合は98％にのぼる。

この大変な病の要因として次に挙げられるのが、免疫系を過剰反応させて負荷をかけるようなウイルスや細菌に濃厚接触することだ。たとえば、問題のある病原体に反応して免疫系が脳を攻撃した結果、視床下部から3万個の神経細胞が一掃されることもある。これは深刻な問題だ。これらの神経細胞によってしか、オレキシン（別名ヒポクレチン）という化学物質は産生されない。体の覚醒状態を制御しているオレキシンが欠乏すると、どうしようもなくナルコレプシー症状が現れることになる。この症状を有する者に眠らないようになどと言うのはまったくの的外れだ。意志による制御は不可能なのだから。

ナルコレプシー患者にとってさらに辛いことに、睡眠麻痺（いわゆる金縛り）の症状が一般の人よりも多く現れるようになる。脳が目覚めても体はレム睡眠の麻痺状態に陥ったままという状態のことだ。これに加えて、覚醒と睡眠のはざまの状態で幻覚を見ることもある。患者たちに共通するのは、邪悪な存在を感じたり、身体的な攻撃を受けたりした感覚を訴えることだ。

たとえば、非常に重いもので胸を圧迫された、引っ張られた、首を絞められた、息が詰まった、地獄に引きずり込まれた、といった具合だ。なかには、ベッドの上に体が浮いただとか、害意ある歪んだ黒い影がのぞき込んでいた、硫黄の悪臭がしたと話す者もいる。しかし、いずれの場合も、体を動かすことはできない。助かるための行動を起こしたり、助けを呼んだり、そのときに自身が経験している強烈でリアルな恐怖を伝えたりすることはできないのだ。

このような経験談は、世界中のほぼすべての文化で共通してみられる。カナダのニューファンドランド島では「オールドハッグ」（「魔女」「鬼婆」などの意）、中国南部では「鬼壓床」（「霊に圧される」の意）などと表現される。カリブ海のセントルシアに住む人々は「コクマ」と呼んでいる。ジュリア・サントマウロとクリストファー・C・フレンチは『サイコロジスト』誌の論文で患者の次のような言葉を引用している。

目を閉じて仰向けになって寝ていると、押しつぶされそうなほどの重量を胸の上に感じた。以前も同じ経験があるので、怖くはなかった。目を少しだけ開けると、灰色の人の形をした平面状のものが私の上に載っている。私の顔に汚い灰色の髪が垂れ下がっていて、それには立体感がある。彼は私の胸をつかんで、ベッドの足元にある棺桶のような木箱に私の体を引きずり込もうとしている。私には、引きずり込まれれば死ぬことがわかっていた。顔を横に向けてベッドの横の鏡を見ると、箱のほうに引きずり込まれそうになっている自分の姿が映っている。この時点で私はものすごい恐怖を感じて、ようやく目を覚ました。その瞬間に、体はベッドの上の元いた場所に戻されて、仰向けの私は天井を見上げていた。

極端な状況下においては、こういった夜間の恐怖が本当に人を殺すだけの力をもつことがあるようだ。『エルム街の悪夢』の監督であり脚本も書いたウェス・クレイヴンがこの映画のアイデアを得たのは、ある新聞記事を読んだときのことだった。記事で取り上げられていたのは、カンボジアで大量虐殺が行われたキリング・フィールドを逃れてアメリカにやってきたある家族を襲った悲劇だった。この移民一家の末息子は、カンボジアでのトラウマとなった体験の後、追い回される恐ろしい悪夢を見るようになり、眠るのを怖がるようになった。何日も続けて寝ないままでいることもあった。そんな睡眠不足の後で、ある日ようやく眠りについたのだが、そのまま二度と目を覚ますことはなかった。真夜中に息子の叫び声を聞いて駆け寄った両親が見たのは、亡くなった息子の姿だったのだ。

同様の話は他にも起きている。１９７０年代末から１９８０年代初頭にかけて、アメリカの医師たちは「夜間突然死症候群」としてアジア人男性の何百件もの死亡例を報告している。なかには、恐怖の表情を浮かべて亡くなっていた人も多かったという。

「ブードゥー教の死の呪い」のようだと言う者もいたこの現象は、一応の説明がつくまでにしばらくかかった。明らかになったのは、それらの男性のほとんどがカンボジアやベトナムでのトラウマとなる体験の後にアメリカにやってきた移民で、夢を見ることを恐れていたことだ。家族の報告によると、目覚まし時計を30分おきにセットして、夢を見ないうちに起きるようにしていた者もいた。医師たちはついに、これらの男性たちが「ブルガダ症候群」を発症していたことを突き止めた。東南アジア出身の男性に比較的多く見られる心疾患である。ブルガダ症候群によって不整脈が生じ、それに睡眠不足が合わさることで、心停止が引き起こされて死亡したことが十分に考えられる。

ナルコレプシーも睡眠麻痺も非常に恐ろしいものであるとはいえ、何らかの健康上の問題をすでに抱えている人でなければ――幻覚も一緒になって襲ってきたとしても――死に至るとは考えづらい。しかし、ずっと目を覚ましたままでいるというストレスで死ぬことはおそらくあるだろう。回転台の上で断眠させられたラットの実験からそう言っているのではない。ある不運な人々の集団で、実際に、繰り返し起きていることだからだ。

これは恐るべき実話である。全世界の26の家系に、遺伝子異常のために眠ることができない人が現れるのだ。たいていの場合、初期症状として軽度の不眠となり、それが何カ月もかけて徐々に悪化する。発症者がどうにか睡眠をとっても、そこで見るのは鮮明で荒々しい夢だ。そして、身体的・精神的な諸症状が噴出する。体重の減少、物忘れ、精神錯乱、複視、急速かつ制御不能な眼球運動、筋肉の痙攣などを生じ、やがて、十分に理解できることだが、妄想やパニック発作が現れる。体そのものがパニックを起こすかのようで、男性は勃起不全を、女性は更年期障害を起こす。制御できない号泣や不安、抑鬱に苛まれ、最終的には認知症となる。これが「致死性家族性不眠症」のとどめであり、外界とは完全に断絶した状態に陥って、脳はみずから永久にその機能を停止する。今のところ、治療法は見つかっていない。現時点で臨床試験が行われている治療薬はなく、有効な療法もまだ見つかっていない。あなたが、この世界でも少数の家系に生まれて、致死性家族性不眠症の診断を受けたとしたら、医学は助けにならないだろう。

コラム

こちらも参考に

眠りや夢を扱った映画には事欠かないが、クリストファー・ノーランはその両方に挑戦している。ノーラン監督の『インソムニア』でアル・パチーノが演じたのはアラスカで殺人事件を調査する不眠症の刑事だった。『インセプション』ではレオナルド・ディカプリオが他人の夢に侵入し、夢を操作する。どちらも時間をかけて観るに値する映画だ。『バニラ・スカイ』もお勧めだ。この映画では、(ちょっとネタバレ)トム・クルーズが演じた男の明晰夢が、長期的な医学的解決の一部だった。『マシニスト』では、クリスチャン・ベイルが演じるやせ細った不眠症の男が偏執的な妄想に苦しめられる。いろいろな点で不安にさせられる映画だが、この役のためにベイルが28キログラム減量したことを思えば、『バイス』でディック・チェイニーを演じた際に増量した18キログラムを落とすのは彼にとって簡単なことだっただろうとは思えろ。

そんなに不安を感じさせないのが『恋愛睡眠のすすめ』である〔訳註：原題は『The Science of Sleep（睡眠の科学）』〕。10歳の少年が書いた話をもとにつくられた映画だ。睡眠を科学的に論じた映画ではないと知っても、誰も驚かないだろう。実際のところ、この映画はシュールレアリスティックなフランスのラブコメ映画だ。監督が『エターナル・サンシャイン』を撮ったミシェル・ゴンドリーであることから想像がつくだろうが、とても素敵な映画である。『あなたが寝てる間に…』は実は昏睡状態の男の話である……というのは冗談だけど。『シャークボーイ&マグマガール』については、言わぬが花といったところか。

起こりうる最悪の事柄に触れてしまったが、そのせいで悪夢を見るようになったら申し訳ないので、安眠のための科学的ヒントをいくつか紹介することにしよう。科学に基づく一番の革新的手法は明快そのもので、「科学に基づく革新的技術を寝室には置かないこと」である。携帯電話やタブレット、コンピューターなどが発するブルーライトは、人体に誤った信号を送り

つける。「目を覚ませ、昼間だぞ！」と私たちの脳に向かって叫んでいるようなものなのだ。LEDが発するブルーライトの刺激作用は、夜にはまったく必要がない。

とはいえ、睡眠追跡機器のような新技術の恩恵も受けられるようになってきた。この機器は、心拍数や体温、体の動き、呼吸をモニターして、そのデータによって私たちが睡眠サイクルのどの状態にあるのかを正確に判断してくれて、最もさわやかな目覚めが得られるタイミングで起こしてくれるのだ。そんなわけで、さまざまな企業が、アップル社でいえばiSheetのようなものを開発しようとしている。つまり、センサーが埋め込まれていて睡眠の質を改善してくれるシーツやら枕カバーやらだ。もしかすると、雇用主にその情報が送られて、良い睡眠習慣をもつ労働者は給料を上げてもらえるようになるかもしれない。睡眠習慣が良ければ、生産性が高まり、病欠も減るだろうから［これは私たちにとっては悪夢的な状況に思える。だが、よく考えてみれば、私たち（作者2人）はそもそもまっとうな仕事についていないのだった］。

基本的に、専門家のアドバイスはかなりシンプルだ。就寝時間の2時間前には照明を暗くすること。寝室を涼しい状態に保つこと（よく眠るためには深部体温を下げる必要があるので）。そして、間違っても寝る直前に『エルム街の悪夢』を見ないこと。

第8章

ハリウッドに殺される その方法は……

植物！

「植物の多くは動物の排泄物を養分にしますが、この突然変異した植物は、恐ろしいことに、動物そのものを養分にするようです」

──『人類SOS！ トリフィドの日』（1962年）

ジョン・ウィンダムが書いた『トリフィド時代』［訳註：中村融訳／東京創元社刊／2018年］では、流星群の通過によりほとんどすべての人が視力を失うという混乱のなか、人肉の味を覚えた巨大な有毒植物が群れをなして世界中をうろつきまわる。1962年にこの本を原作としてつくられた映画『人類SOS！ トリフィドの日』のポスターにはこんな文字が躍る。「ト、リ、フ、ィ、ド、に、気、を、つ、け、ろ！　奴らは成長し……学び……歩き……話し……追跡し……そして殺、す、の、だ！」植物を恐れる必要などないと考える私たちからすると、なんだか楽しそうにすら思える。植物が成長するのは確かだが、すごくゆっくりでしかない。他の、「学び、歩き、話し、追跡する」なんて、絶対にありえない！　そう私たちは思っていたのだけれど……。

植物は過小評価されてきたのか？

日曜紙『サンデー・タイムズ』によると、ジョン・ウィンダムによる原作は

「読んだ後ずっと、この本の記憶で悩まされることになる1冊」なんだって。

本当に、そのとおりなんだよ。10歳くらいの頃に読んだんだけど、何週間も悪夢に襲われたからね。

簡単に走って逃げられるのに？　ウィンダムは、トリフィドが動く様子は「松葉杖をついた人間とよく似た動き」だって書いてるけど。

そうなんだけどね。それに、トリフィドは、アスファルトや敷石が敷きつめられた舗道みたいな固い道路表面を嫌うんだよ。だから理屈では、道路を隔てた場所に住んでさえいれば安全なんだ。それでも、僕は母親に頼み込んで、屋内の鉢植えは全部撤去してもらったけどね。

紀元前4世紀、アリストテレスは、その後広く影響を及ぼした先駆的な「自然の階段」において、植物は生物のなかで最下層にあると考えていた。植物という生命体を動物よりも下位にあるとする偏見に満ちたこの考え方は、少なくとも2000年間続いた。しかし、現在、状況は変わりつつある。

この変化が映画『人類SOS!』によるものだと言い張るのは無理がある。確かにレトロな感じがするという意味でなら「古典」と言える映画だが、傑作とまではいかない。製作者にもそのことはわかっていた。撮影を終えた段階で、使える映像は57分しかなかったのだ。映画として通用する長さまで膨らませるために、灯台のエピソード全部が臆面もなく追加されている。さらに、出演者の演技力も低かったのだが、植物の地位が向上したのは確かだろう。

生物をランク付けする際の従来の方法はというと、まずは知能が基準とされ、それを表すものとして次の2つに焦点があてられてきた。1つ目は神経細胞と神経系、2つ目が刺激に反応する際の統制・制御された動きである。私たちはこれらだけが「知能を表す行動」の源だと考えがちだ。しかし、皮肉なことに、知能についての私たちの考えすべてが、おそらくは間違っているのだ。

まず脳を取り上げよう。人間の脳に対する見方は偏っている。その証拠に、私たちは植物には知性を認めようとしないのに、生物ですらないコンピューターには知性があると思いたがるのだ。人間は自分のことしか考えず、どうしようもないことかもしれないが、知性に対して非常に人間中心的な見方をしてしまう。情報処理を行うコンピューターを見ると、中央ユニットで処理が行われていて、おおまかには人間の脳を模したものなので当然私たちと似た仕組みなのだが、それゆえに私たちはコンピューターに知性があるように感じるのだ。では、コンピューターは植物よりも賢いということになるのだろうか？　そんなことはない。

私たちが長きにわたり、植物の認知や知能（あるいは意識）について問いを立てなかったのは、そのような問いに意味があると思わなかったからだ。だが、この「私たち」にチャールズ・ダーウィンは入っていない。自由な発想において群を抜いた伝説的存在であるダーウィンは、ものの見方が一味違っていた。植物の根が一種の脳として機能するという仮説さえ立てていたのだ。これに着目したインドの生物物理学者ジャガディッシュ・チャンドラ・ボースは、１９００年代の初めに、ダーウィンの考えの一部を裏付けるような実験を行った。そして彼が確信したのは、植物にもある種の神経系があり、それによって環境を活発に観察・探索しているということだった。しかし、「植物とは、〝静的で刺激に対して無反応な、他の生物のための単なる食料源〟などではない」という考えは根づかなかった。そして１９７０年代に出版された『植物の神秘生活』［著者はピーター・トムプキンズとクリストファー・バード］という本により、植物の評判はさらに悪化する。大変な人気を博した本だったが、その内容はナンセンスでもあった。内容はヒッピー風味で、植物にはテレパシーや感情があって、バッハの音楽を好むといった具合だ。結局、この本のほぼすべての記述が誤りであることが示されて、植物の認知を扱う科学は長期的な打撃を受けることとなった。しかし、今、そんな状況がついに変化しつつある。勇気ある研究者たちが、植物への偏見に対して果敢に立ち向かっているのだ。

この新時代の兆しが現れたのは2005年のことだ。科学者たちの小さなグループが、「植物神経生物学会」を新たに立ち上げた。当然のことながら、他の生物学者たちは、植物の生体内には神経細胞がないことを主な理由に掲げて、躍起になって批判した。たとえばイェール大学の細胞分子生理学教授であるクリフォード・スレイマンなど、これが意味するのは「科学コミュニティーと精神病院との最終対決」だと反発した。しかし、新学会のグループはひるむことなく、神経細胞を必要としない、知能の新たな形についての研究に取り掛かった。

私たちは、知能や、知能の相対的な高低、知能によって生命体は何ができるのかといったことについて平気で議論をする割には、知能の正体について共通の見解をもっていない。そこで、生命体が知能を有する条件を、環境についての情報を収集・保存・利用するというタスクを首尾よくこなすことにより自身の生存を確かなものとすること、とするのはどうだろうか。この場合、植物は条件を満たすことになる。

植物神経生物学の研究者たちが示唆しているのは、植物の行動とは、周辺の環境から収集したデータを使って協調的対応をした結果生じているのであって、単なる生化学的な反射作用でもなければ、植物に遺伝的にプログラムされたものでもないということだ。この分野に大きく貢献してきた分子生物学者のアンソニー・トレウェイヴァスは、植物には「頭を使わない技巧」があると訴える――もちろん、いい意味で頭を使わないのだ。脳など必要ないではないか。

具体的なイメージが湧かないという人は、アリのコロニーを考えてみるといい。それぞれのアリは、極めて単純な規則に従って動く単純な構成単位でしかない。ところが、コロニー全体を見ると、これらの単純な構成単位と規則によって、かなり複雑で知能を感じさせるような振る舞いが生じている。これは「分散知能」として知られるものであり、全体が、基本要素を足し合わせた以上の存在になっているのだ。非常に単純なアルゴリズム（単に視野のなかの最も近い鳥に従うといったもの）によって鳥の群れに複雑な群行動が生じるのも、これに似ている。植物神経生物学会の創設者の1人であるステファノ・マンクーゾは、植物にも同様のことが起きているのではないかと考えている（ちなみに学会名は、より議論を呼ばなさそうな「植物の信号と行動学会」へと変更されている）。

彼が特に下敷きにしているのが、ダーウィンが唱えた、根がある種の脳として機能するという仮説である。マンクーゾのチームが明らかにしたのは、根の先端近くにある「移行領域」と呼ばれる部分の機能だ。長年にわたりこの部分の役割はわかっていなかったのだが、ここには活発な電気的活動があり、酸素消費量が高く、小胞という小さな袋に入れられてオーキシンというホルモンが運ばれてくる。このような特徴をもつ部位は動物にもある。もうわかったと思うが、神経細胞だ。

つまり、根の先端のひとつひとつはかなり原始的な構造をしているものの、より大きなネットワークを構築することによって、根を足し合わせた以上の分散知能を生じている可能性があるのだ。脳とそれほどの違いはない。結局のところ、私たちの脳にだって、特別に「知的な中枢部」のようなものは存在しないのだから。脳とは大量の神経細胞の集まりにすぎず、人間の場合には860億個が協調して働いている。どの神経細胞も「知的」なわけではないが、総体としての脳には知能がある（のだと思いたい）。

コラム

移動中

見渡せばそこらを植物が歩き回っているとはさすがに言えないが、エクアドルには「歩くヤシの木」と呼ばれる木がある。実際に歩くわけではないが、次のような仕組みで移動するのではないかと言われている。より豊かな土壌を求めて根を伸ばし、養分がより多い方向を見つけると、幹がそちらに向けて傾くのだ。それによって引き抜かれた古い根は宙に浮いて用なしとなる。肥沃な場所を求めて数メートル移動するのに数年かかることもある。通りで誰かを追いまわすわけではない。

回転草（タンブルウィード）はもう少し動き回るし、危険な存在でもある。厳密には、枯れた状態で動いているのだが。回転草とは根元から折れた枯れ草の塊のことで、風に吹かれて転がり、移動先で種子をまき散らす。この回転草が危険な存在となるのは極端な暑さや旱魃のときくらいだが、簡単に火がつくので山火事を広げてしまうのだ。やはりこれも、トリフィドではない。

さらに、高次生物の動きのすべてが、意識を伴わねばならないわけではない。忘れてしまいがちだが、私たちの神経系の一部は、脳による意識的制御なしで機能する必要があるのだ。その部分を制御するのが自律神経系であって、たとえば呼吸や消化といったさまざまなプロセスを「はるか上方」からの介入をほとんど受けずに管理している。消化や呼吸、運動の際の心拍数上昇などをいちいち考えてやらなければならないとしたらどれだけ大変か、想像できるだろう。

最後によく考えなければならないのは、脳をもつのは、植物にとって明らかに不利に働くということだ。基本的に植物は動かないので、攻撃に対して非常に弱い。実際、植物の進化的戦略には、食べられることも含まれている。植物は体の90%がなくなっても生き延びられるのだ。映画でも、トリフィドはショットガンで撃たれてあちこち大穴が空くけれど、死にはしない。だが、もし植物に脳があるとしたらどうだろうか。その脳が食べられたり吹き飛ばされたりすると生き延びられないだろう［脳が吹き飛ばされても余裕で再生するプラナリアに、大きな拍手を（第9章参照）］。

つまり、植物にとって、脳をもつのは不利なのだ。今のモジュール式のデザインは、同じ場所からほぼ動かないという彼らのライフスタイルに完全にマッチしているのである。

要するに、植物について考える際には、自分が偏った見方をしていないかを疑ってかからねばならない。動物が優れているわけではなく、単に違いがあるというだけだ。植物と動物はおよそ15億年前に系統樹のうえで分岐した。共通の祖先は、植物でも動物でもない単細胞生物だった。植物と動物は共通の遺伝情報が多くあり、植物と細菌よりも、あるいは動物と細菌よりも、植物と動物のほうがはるかに近い関係にある。実際に、人間の細胞は植物の細胞と驚くほどよく似ている。学校で大きな違いとして習ったと思うが、植物の細胞にある細胞壁や光合成のための葉緑体などは、実は表層的な違いでしかない。最大の違いは、動物は神経系と脳を進化させたけれども、植物は見たところそうではないという点だ。だからといって、植物に知能がないということにはならない。

そして、植物を恐れる必要がないということにもならない。

人間は植物を恐れるべきか？

科学者たちは、地球上のあらゆる生物に共通の祖先がいると確信していて、それをLUCAと呼んでいるんだ。

名前がルカってことは、イタリア人なの？

違うよ。「Last Universal Common Ancestor（最終共通祖先）」の頭文字をとってLUCAなんだ。およそ35億年前の生物だよ。しかし、びっくりだよね。どんなに違って見えても、僕たちはすべての生命と関係があるっていうんだから。菌類とか、アメーバとか粘菌とかともね。

粘菌かあ。餌を食べることだけが目的の、脈動する塊だよね。確かに、君が粘菌と関係があるのは信じられるよ。

「後ろにいろよ」と灯台の近くまで来たトリフィドを迎え撃つときにトムがカレンに言う。「植物に食われるなんて、くだらんからな」。これほど真実味のある言葉はないだろう。これまで見てきたように、私たちは植物から――それがトリフィドであっても――普通は逃げられるのだから。しかし、この映画を観たことがあってもなくても、多くの人が植物に対して適切な恐怖心をもっていることと思う。短パン姿で刺《とげ》だらけのイラクサのなかを歩き回ったり、毒のあるベラドンナの花をわざわざなめたりする人はいないはずだ。

植物が活用する化学的資源は非常に広範で、防御用の毒素もたくさんある。通常は昆虫や小型の草食動物を追い払うために用いられるが、なかには大型の動物、たとえば人間にとって致命的な毒もある。南北アメリカで見つかった〈マンチニール〉などは、「世界で最も危険な木」という称号にふさわしい存在だ。地元の人はこの木の幹に赤色のペンキで×印を描いたり帯状に塗ったりして、人が近づかないよう警告する。樹液に含まれているのはホルボールという質《たち》の悪い刺激物質で、人が触れるとひどい皮膚炎を起こす。1滴だけでも水ぶくれが生じるのだ。この木を燃やすと、その煙で目が一時的に見えなくなったり、呼吸できなくなったりすることもある。死にはしないのかと思うかもしれないが、油断は禁物、秘密兵器はまだある。小さくて丸いその果実だ。食べればこの世からおさらばだ。

トウゴマ（ヒマ）にも注意しよう。姿がいいので観賞用に栽培されることが多く、種子からとれる油（ひまし油）は医薬品などに広く利用されている。しかし、この種子を軽々しく扱ってはならない。種にはリシンという、自然界で生じる最も致死性の高い毒の一種が含まれているのだ。リシンが体内に入ると、日常の生体機能に必須のタンパク質の生成が阻害されるため、最後には体の機能が停止する。注射であれ口からの摂取であれ、リシンが少しでも体内に入れば、ゆっくりと死ぬことになる。これが、ブルガリアからイギリスに亡命していたゲオルギー・マルコフに起きたことだ。1978年のある朝、ロンドンのウォータールー橋を渡っていたマルコフは、母国から送り込まれた工作員によって仕込み傘で暗殺された。傘の先端から空気銃のようにリシンが入った弾が発射され、マルコフの足にめり込んだのだ。彼はその夜に発熱し、4日後に死亡した。

また、有毒植物であるトリカブトにはいろいろな種類があり、英語では「ウルフス・ベイン（オオカミ殺し）」「モンクス・フード（修道士の頭巾）」「デビルズ・ヘルメット（悪魔の兜）」などの名でも呼ばれている。トリカブト毒は昔から狩人が使っており、大型の動物、たとえば熊やクジラまでもがこの毒で倒された。先端にこの毒をつけた銛《もり》が1本あれば、クジラ1頭を麻痺させるのに十分なのだ。人間がこの毒に接触した場合、比較的少量であっても生き延びる可能性は低い。山菜採りが好きな人は注意したほうがいい。野生のパセリに似ているが、トリカブトの液汁をたった5ミリリットル、つまり小さじ1杯摂取するだけで、成人が死亡する［訳註：日本では食用のニリンソウと間違えられることが多い］。念のため言っておくが、国際化学物質安全性計画（ＩＰＣＳ）の報告書によると「解毒剤は存在しない」とのこと。

ここで指摘しておきたいのが、植物の毒は必ずしも悪いものではないということだ。両親から「野菜を残さず食べなさい、体には野菜の毒素が必要だから」などと言われたことはないと思うが、実はこの表現は正しい。まさにビタミンがそうなのだ。なぜ私たちが毒素を必要としているかというと、人体の正常で健康的な生理化学を破壊するもの、つまり細菌やウイルスなどとの戦いに不可欠な武器として、私たちは植物のもつ防御機構を取り入れてきたからだ。

結局のところ、大切なのは適量を摂取することだ。東南アジアで発見された〈マチン(Strychnos nux-vomica)〉という植物の種は、少量ならば食べても死なないかもしれないし、実際に治療薬として用いられることもある（その効能は科学的には立証されていないが）。だが、マチンの毒を分離・濃縮して得られるストリキニーネは、恐ろしい中毒症状によって人を死に至らしめる。害獣の駆除、特に殺鼠剤として使われることが多い。

ここまで見てきたのは、植物の消極的な防御機構についてである。だが、映画『人類SOS！』では植物が攻撃に転じる。そんなことが実際に起こるのだろうか？　もちろん起こる。

一般に、植物が生き残るために必要とする栄養素はそれほど多くない。通常は、窒素とリン、そのほか少しばかりの元素を、根っこが土壌から吸い上げればいい。しかし、そういった栄養素をとれない環境で生きてきた植物は、他の栄養源に頼ることになる。

寄生植物のネナシカズラを例にとろう。この不気味なつる植物は、なんと、犠牲となる植物のにおいを嗅ぎ分ける。ネナシカズラは実質的に葉緑素をもっていない。では、どうやってエネルギーを得るかというと、被害者の維管束系（動物でいうと血管系）に「噛み」ついて、その管から甘い樹液を吸い出すのだ。ネナシカズラを撮影した早送り動画を見ると、つるの動きが何かを探しまわる薄気味悪い蛇のように感じられるのだが、実際に探しているのだ。ネナシカズラの能力を調べていた研究者が、宿主となりそうな植物を陰に隠れた離れた場所に置いておいたところ、ネナシカズラはその植物を見つけた。それだけではない。選り好みをしているようで、健康で水気の多い植物を好むのだ。どうやら、植物が自然に発するさまざまな化学物質を「嗅ぎ」取って、その方向に成長することで、宿主となる植物の場所を探し当てて条件のよいものを選び出しているらしい。つまり、狩りをしているわけだ。

花よりも肉を好む植物もある。肉食の植物は約７５０種あり、何度も進化を重ねてきた彼らは、多様な狩猟戦略を身につけている。たとえばタヌキモという水草は、捕虫嚢《ほちゅうのう》という空の袋をもっている。線虫やミジンコ、果てはオタマジャクシといった小さな動物がふらふらと通りかかって捕虫嚢についている毛のような構造体に触れると、それが引き金となって袋が開く。すると水が袋に流れ込んで、不注意な動物を巧妙に吸い込む。これはものすごいスピードで行われるので、動物は逃げる時間もない。ほんのミリ秒の単位で、不運な獲物は袋に閉じ込められてしまう。そして、タヌキモは消化酵素を分泌する。獲物が分解されると、タヌキモは水と未消化の残り物を袋から絞り出して、次の美味な食事が通りかかるのを待つのだ。

他にも、水差しの形をした袋状の葉のなかに虫を捕える食虫植物がいる。ボルネオ島の熱帯林で発見された、ウツボカズラの一種である〈ネペンテス・ラジャ〉は、バケツのような袋をもっている。大きいものだと袋は高さ40センチほどとなり、2・5リットルもの液体を溜められる。食料を探してこの袋にふらふらと入ってきた昆虫は、もう這い出せない。袋の内部はワックスで覆われてすべりやすくなっているうえに、袋の入り口に沿って尖った刺が下向きに並んでいるからだ。獲物が液体のなかに落ちると、植物は消化酵素を分泌して、昆虫にとってのゲームオーバーとなる。昆虫よりも大きな動物が餌食となることもある。この植物は、トカゲや小さなコウモリ、げっ歯類でさえも消化してしまうのだ。

肉食の植物で最もよく知られているのが、ハエトリグサだろう。二枚貝のような2枚の葉が顎のようにパクリと獲物を噛む様子は、まるで捕食動物のようで、私たちはこの動きに魅せられつつも不気味さを感じてしまう。この植物が、エネルギーを節約しつつ獲物を捕まえるために、簡単ながらも数を数えているのだと聞けば、その不気味さはさらに増すだろう。

ハエトリグサは葉から甘い香りを出して虫を誘う。虫は葉の上にとまると、感覚毛の1本に触れる。それによって電気信号が葉を流れる。しかし、1度の刺激だけでは葉は閉じない。ハエトリグサは誤判定のために貴重なエネルギーを使いたくないのだ。獲物がすでに逃げたとしたら、葉を閉じるためにエネルギーを浪費する意味などない。そこで、ハエトリグサは2度目の刺激を待つのだ。

最初の刺激から約20秒以内に次の刺激を受けると、２枚の葉がすぐさま閉じる。２度目の電気信号によって、ある種の穴が開いて水分が移動し、その圧力変化によって葉が閉じるという仕組みだ。つまり、圧力センサーつき電気的スイッチによって作動する水圧メカニズムを備えているわけだ。これは植物が、恐ろしい形ではあるけれど、リアルタイムで情報を処理して対処していることを示す、明白な実例である。

虫を捕まえたハエトリグサが消化酵素を分泌し始めると聞いても、驚く人はもういないだろう。しかし、ハエトリグサは感覚毛への刺激を数えるのをまだやめていない。回数が多いほど、大きい虫であることを意味するので、それに応じて消化酵素の分泌量を増やす。これは洗練された効率的メカニズムなのだ。

さて、洗練という話題が出たところで、植物の会話について取り上げることとしようか。

植物はコミュニケーションできるのか？

最近見つけたんだけどさ、ウィンダムの『トリフィド時代』の続編が２００１年に出版されてたんだよね。ワイト島の一部の住人がトリフィドの毒に対する免疫を獲得して、イギリス本島に戻るんだ。

ウィンダムの本ではトリフィドの脅威の解決には至ってないもんなあ。主役がワイト島に渡って、さてこれからどうしようかってところだもんね。

僕はワイト島に行ったことがあるんだけどさ。トリフィドに立ち向かうほうを選びたくなるくらい退屈な場所だったよ。

君はワイト島のロビン・ヒル・カントリー・パークにあるソリ滑りのアトラクションには行かなかったとみえるね。あれは世界最高レベルだよ。

植物は奇妙な形ではあるがよく発達した社会生活を送っている。土中にある、根を中心とする生態系は、コミュニケーションと協力関係とであふれているのだ。菌類や細菌類は根と共生関係にある。根が水や養分を吸収するのを助け、見返りとして自分たちは養分を植物側から安定的に受け取るのだ。誰もが得をしている。それだけではない。ある学術論文のなかで、「ワールド・ワイド・ウェブ（World Wide Web）」ならぬ「ウッド・ワイド・ウェブ（Wood Wide Web）」だと洒落た呼び名をつけられているが、木の個体群のあいだを――異なる樹種のことさえあるが――菌糸がつなぐことによって、１つのネットワークができあがっているのだ。

これは支援的かつ協力的なシステムである。水と養分は、食糧が余っている木から、不足している木へと運ばれる。たとえば、若木が十分に成長して日光にあたることができるようになるまで、大きな木が若木を援助するのだ。１年を通して見て初めて、相互に利益のあることがわかるようなやりとりが、異なる樹種間で行われていることさえある。常緑樹は冬には落葉樹に糖を与え、夏には「お返し」をもらうのだ。長く生きている木は、非常に多くの植物とつながっており、あたかも接続が極度に集中したハブのようだ。目には見えないこの協力関係によって、森全体がよりよく機能しているらしい。

また、植物は、この地下ネットワークを使ってメッセージを送り合うことができる。何列も並んで植えた植物に対して、そのなかの一列分だけを水不足の状態にすると、そこから５列離れた植物でも、根のネットワークでつながっている植物には連絡が伝わるのだ。そうすると、

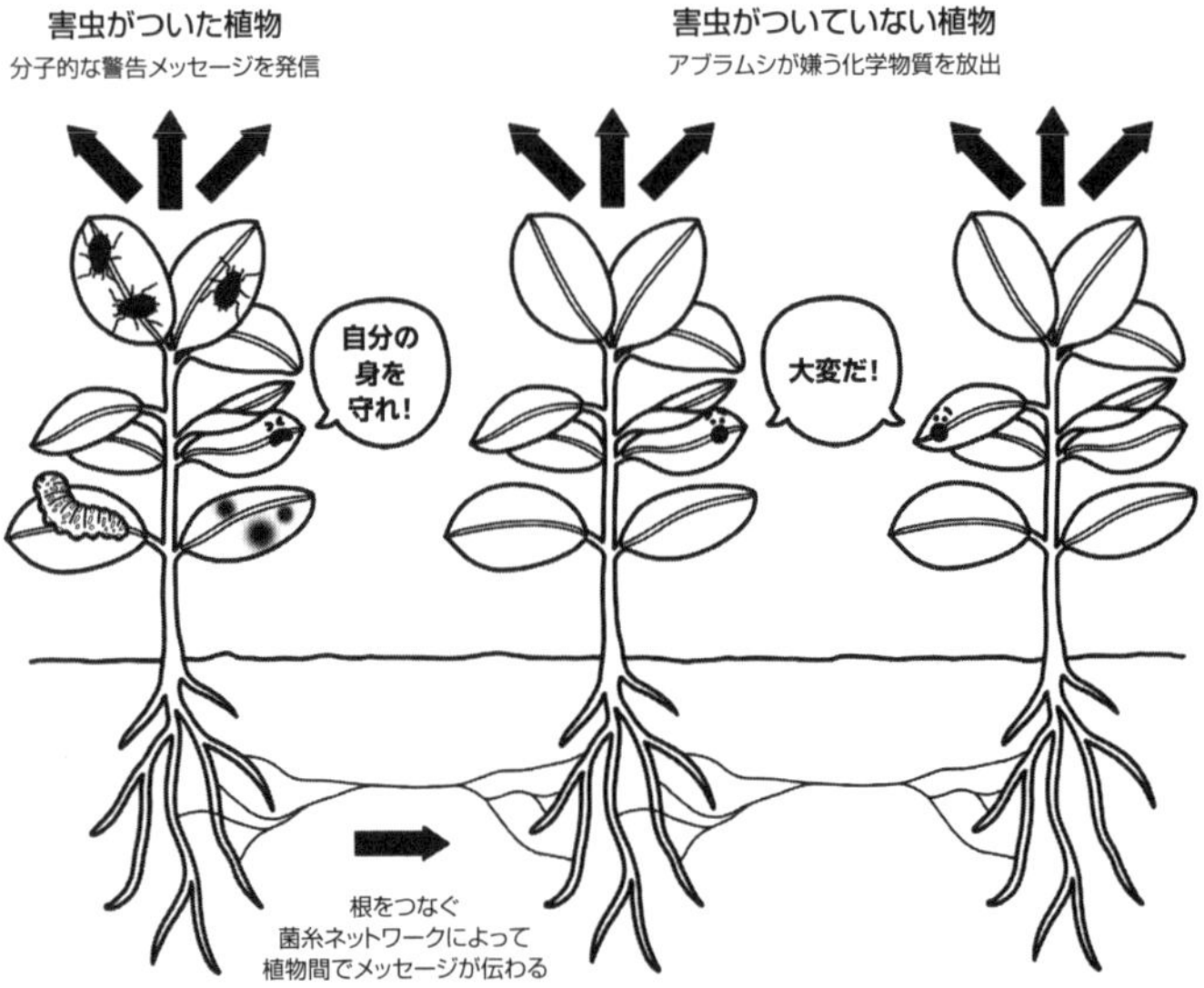
害虫がついた植物
分子的な警告メッセージを発信
害虫がついていない植物
アブラムシが嫌う化学物質を放出
自分の身を守れ！
大変だ！
根をつなぐ菌糸ネットワークによって植物間でメッセージが伝わる

害虫に襲われた植物は他の植物に害虫襲来の警告を発する

離れた場所にいるそれらの植物は、葉の気孔を閉じて水分を逃がさないようにして水不足に備える。一方で、水不足にした一列の近くにいる植物であっても、根のネットワークでつながっていなければ、そのような反応を見せない。連絡をもらえなかったわけだ。

しかし、このネットワークも、愛だけで成り立っているわけではない。場合によっては、同種の仲間と協力して他の種を犠牲にすることもある。タデ科の植物には、昆虫や動物から攻撃を受けたときの対応を、周辺の植物が身内かどうかで変えるものがいる。同種の植物ばかりが固まって生えている場合には、防御に集中して、葉を毒素であふれさせる。しかし多種の草に囲まれている場合には、防御対策をせず、成長することに集中する。事実上、周りの草に防御を任せているわけだ。なかなか巧妙な戦略であり、この植物が侵略種として大成功を収めていることの説明がつくかもしれない。

この手口は少しばかりこそこそしているが、もっと大っぴらに攻撃を仕掛ける植物もいる。現在、北米の湿地帯を占領しているヨシは、根から分泌する酸によって競合植物に毒を盛る。始末に負えないように思うかもしれないが、実は多くの植物がやっているアレロパシーの極端な形である。アレロパシーとは、植物が生産する物質が他の個体や他の生物に及ぼす作用のことだが、その一例が、競合する植物の生育を阻害することなのだ。多くの場合、他の植物に距離をとるよう促す程度の効果しかないのだが、ヨシの酸は毒性が強く、近くに生えている他種の植物の根の構造タンパク質を溶かして、ひそやかに枯らしてしまう。

植物も親類を認識することができるのだが、その方法については、またもや完全にはわかっていない。進化論的観点からすると、親類を助けることには明らかな利点がある（突き詰めれば、あらゆる生き物は自身の遺伝子を後世に伝えることを願っているのだ）。こういった「親族限定」の行動もまた、動物界の至るところで見られるものだ。心理学者は人間でさえもその傾向があることを示している。人間も、赤の他人よりは血縁者を助ける確率が高いのだ。この数十年間で、科学者たちは植物も同じことをしていると考えるようになってきた。ある植物は、親類の植物に譲るために、自分の根の成長を抑えたり花の数を減らしたりする。近くの親類に影が差さないよう、葉の位置を変える植物もある。

　この現象についての理解が実際に進み始めたのは、カナダの生物学者スーザン・ダドリーが2007年に行った見事な実験からである。使われたのは北アメリカのオニハマダイコンの小さな繁みで、砂浜や砂丘などで生育することが多い植物だ。ダドリーはこの植物を、同じ親をもつ個体同士か、まったくの寄せ集めの個体同士という組み合わせにして、それぞれ鉢に植えた。その結果、「赤の他人」と育った個体は、養分と水を奪い合うために根を広く張り巡らしていた。一方、親族と育った個体は、おそらくは親族も繁栄できるように、自分の根の成長を抑えていたのだ。その後の研究により示唆されているのは、親族であることを示すメッセージが、根から土壌に分泌される浸出液（可溶性化合物が混ざり合ったもの）に含まれているという可能性だ。だが、親族についての情報が浸出液にどう入っているのかは、まだわかっていない。

　こういった情報交換は、地下だけで行われているわけではない。植物は、揮発性の化学物質という豊富な語彙を空中に放出して、連絡を取り合っている。ヤマヨモギを使った実験によると、季節の早い時期に植物の葉をあたかも虫が食べたかのように切り取ると、葉を切り取られた個体やその周辺の個体では残りのシーズンにおける虫害が大幅に減ることがわかった。どうやら、攻撃を受けた植物が発する化学物質を近くの植物がさらなる攻撃への警告として受け取っているらしい。植物が親族である場合にこの効果がより強く表れるようなので、ここでもまた親族の認識がなんらかの形で働いていると考えられる。

コラム

レイヨウとアカシアの攻防

1983年、植物学上の驚くべき発見があった。アフリカのサバンナにあるアカシアの木が身を守るために団結していることがわかったのだ。通常、アカシアの木はタンニンという化合物を少量しか生成しない。このタンニンによって葉は渋みを帯びてまずくなる。アカシアの葉が、たとえばレイヨウの一種であるクーズーによって食べられると、アカシアは自己防衛のためにさらに多くのタンニンを生成する。それだけでなく、アカシアはエチレンという化学物質を大気中に放出する。近くの木がこの化学物質を感知すると、自己防衛の手段として自分たちもタンニンの生産量を増加させる。たとえば旱魃といった極限状況が生じると、水不足に陥ったアカシアがクーズーに食べられて全滅しかねない状況となる。その対策としてアカシアがタンニンの量を増やしすぎると、それを食べたクーズーの肝臓の機能を停止させるほどとなる。南アフリカの狩猟用牧場で、柵に入れられたクーズーがアカシアを食べるしかなくなり、乾期に数百頭のクーズーが死亡した例もあるのだ。

コミュニケーションに使われるのは化学物質だけではない。植物が音を使ってコミュニケーションをとっている証拠がいくつかあるようだ。たとえば、トウモロコシの若い根を水の中で育てると小さな音を立てる。この音を録音してトウモロコシに聞かせると、根の成長の仕方が変化する。つまり、根が会話しているように思われるのだ。

そんなことが可能なのだろうか。まずは、人間が音を聞く仕組みを考えてみよう。あなたの耳の奥深くには有毛細胞があり、この細胞にある繊毛は、音波という空気の振動によって曲げられる。すると、有毛細胞がこの刺激を電気信号へと変換し、それを脳が音として解釈するのだ。実は植物にも似たようなシステムがある。細胞膜には音波を受けると変形するタンパク質が存在する。この変形によってイオンが細胞膜を通過し、それによって細胞の内外で電位差が生じて、電流が発生するのだ。

植物には、これらの電気信号を音として認識する脳はないが、検知センサーはあって、それを使って適切に反応している。たとえば、マツヨイグサ属の花を使った最近の研究では、花にミツバチのブーンという羽音を聞かせると、花がつくる蜜の糖度が20％も増すことがわかった。花は甘みたっぷりのごちそうをつくってハチを誘っているのだ。花が羽音を検知する仕組みはわかっていないが、一説によると、羽音によって花が振動する際に花弁がその振動を感受・増幅して、ある意味で耳のように機能しているのだという。

少しばかり居心地が悪くなる話としては、イモムシが葉っぱを食べる咀嚼音を植物に聞かせると、植物は防衛行動をとって、葉に毒素をあふれさせたり、消化しづらくなるように葉の質感を変えたりする。また、トウモロコシやある種の豆類の場合、イモムシが近づく音がすると葉から揮発性の化学物質を放出して寄生バチを召喚する。においを追ってやってきたハチはイモムシを攻撃。植物は効果的な方法で、騎兵隊を呼んでいるのだ。

ここまで、植物がコミュニケーションをとり、敵と味方を見分け、攻撃も行うことを見てきた。だが、最も不思議な話はここからである。学ぶ能力があるのは人間だけではない。植物も学習するのだ。

学んで実践する賢い植物

少なくとも、ビーガンの人たちは考えさせられちゃうだろうね。

ビーガンだけじゃないよ。僕らはみんな、葉っぱのある同胞たちにもっと敬意を払うべきなんだ。

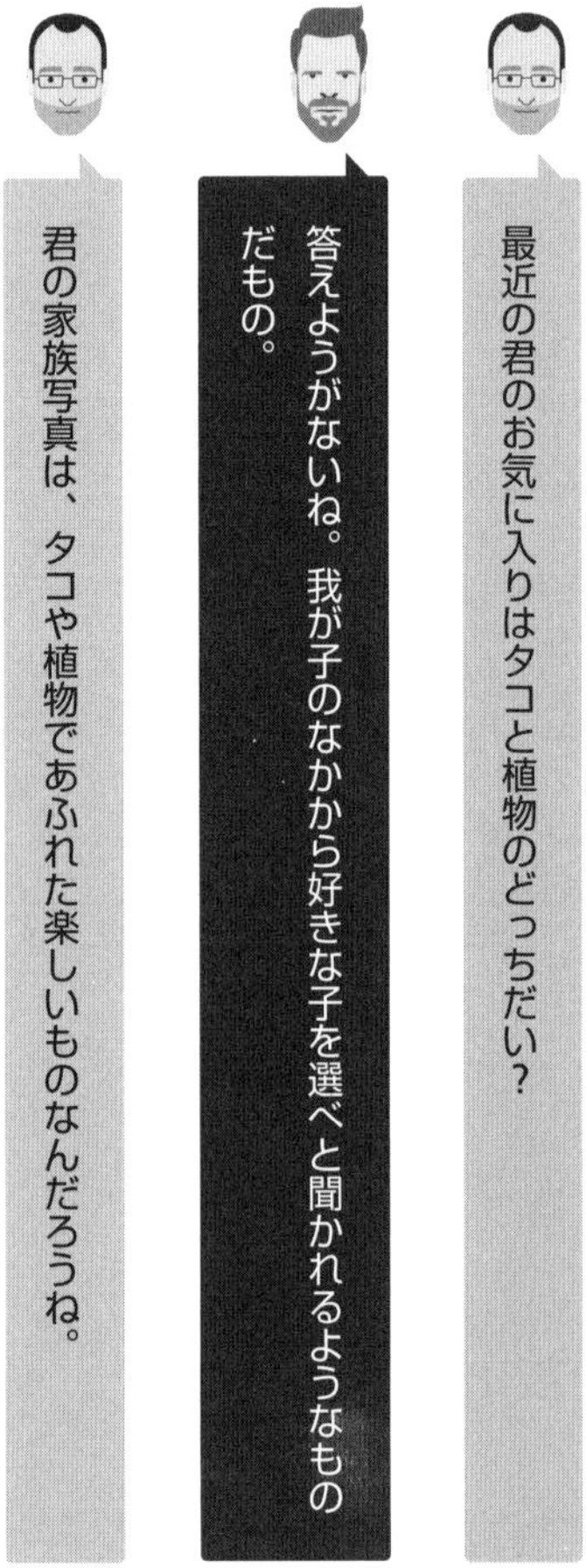
最近の君のお気に入りはタコと植物のどっちだい？
答えようがないね。我が子のなかから好きな子を選べと聞かれるようなものだもの。
君の家族写真は、タコや植物であふれた楽しいものなんだろうね。

『人類SOS！』の植物からは特に知的という印象は受けない。スペインで家屋を取り囲む植物の描写など、ゾンビの大軍を思わせる。たとえば『エイリアン』よりは、もっと『ゾンビ』っぽいのだ。しかし、進化生物学者のモニカ・ガリアーノならば、学習ができるほど知能のある植物だっているのだと言うだろう。

ガリアーノは長きにわたり、植物の能力の解明にひたすら取り組んできた。彼女の考えによると、植物の最も素晴らしい能力とは、周辺環境での経験に基づいて行動を変容させること――つまり学習することだという。ではどうすれば植物に学習させられるのだろうか。

最初のステップは、最も単純な形の学習、馴化《じゅんか》（慣れ）である。私たちは常に馴化している。つまり、環境内にあって、私たちの必要や安全とは無関係な存在を無視するようになるのだ。自分に影響のないものに注意を払うのは貴重な資源の無駄遣いとなるからだ。

ガリアーノは馴化の試験として、オジギソウを落下させることにした。植物が進化の歴史において経験してきた動きではなく新しい経験なので、それに対するオジギソウの反応を見るのが、学習能力の試験として適切だろうと考えたのだ。

オジギソウは、葉に触れられるなどなんらかの形で刺激が加わると葉を閉じることで知られる。これは、昆虫を追い払うために進化した特性らしい。ガリアーノは地面からわずか15センチの高さから鉢を落とすことにした。彼女の予想どおり、初めのうち、オジギソウは毎回葉を閉じていた。しかし、4、5、6回と続けるうちに、オジギソウは反応するのをやめてしまった。落としても、葉は開いたままとなったのだ。

オジギソウが葉の開閉に疲れ果てたので、開いたままになったわけではない。物理的な接触、つまり昆虫の攻撃の可能性があるような刺激を与えると、葉を閉じるのだ。しかし、落とされるというこの新たな経験に対しては、特に危険なものではないので葉を閉じるのはエネルギーの無駄にしかならないと判断したようだった。これは動物で見られる馴化とまさに同じものだ。植物が経験から学習したのだ。

さらに奇妙なことがわかった。１週間後にガリアーノがこのオジギソウを再び落下させたところ、オジギソウは覚えていて、反応しなかった。つまり、何かを学習しただけでなく、過去に学習した情報を蓄えているということだ。1カ月経っても、オジギソウは覚えていて、突然落とされてもわざわざ葉を閉じようとはしなかった。これはある種の長期記憶があることの明確な証拠である。しかも、小動物の馴化にまったくひけをとらない。たとえばミツバチが馴化したことを覚えているのは48時間程度なのだから。

感銘を受けたって？　当然のことだろう。だが、話はまだ続く。ガリアーノは次に、植物に連合学習の能力があるかどうかを調べることにした。連合学習を非常に有名なものとしたのは、空腹の犬を使ったパブロフの実験だ。ベルを鳴らしてから犬に餌を与えるようにすると、やがて犬はベルの音を聞いただけで反射的によだれを垂らすようになる。犬は、ベルと餌とを関連づけて覚えた、すなわち連合学習したのだ。

連合学習の実験のためにガリアーノが選んだのはエンドウマメだ。学習のために用意した装置は「Y迷路」。世界一難しい迷路というには程遠い　。エンドウの選択肢は2つしかないのだから。右の管に伸びるか、左の管に伸びるか、ただそれだけだ。

この実験では、光と風という2つの成長刺激を利用している。ガリアーノはまず、光を左から当てて、風も同じ方向から入るように扇風機を設置した。この条件で、エンドウが左側に成長するのは当然だろう。光は植物の栄養源なのだから。

だが、彼女は条件を変えた。今度は、光は当てない。そして風を右側から当てる。するとエ

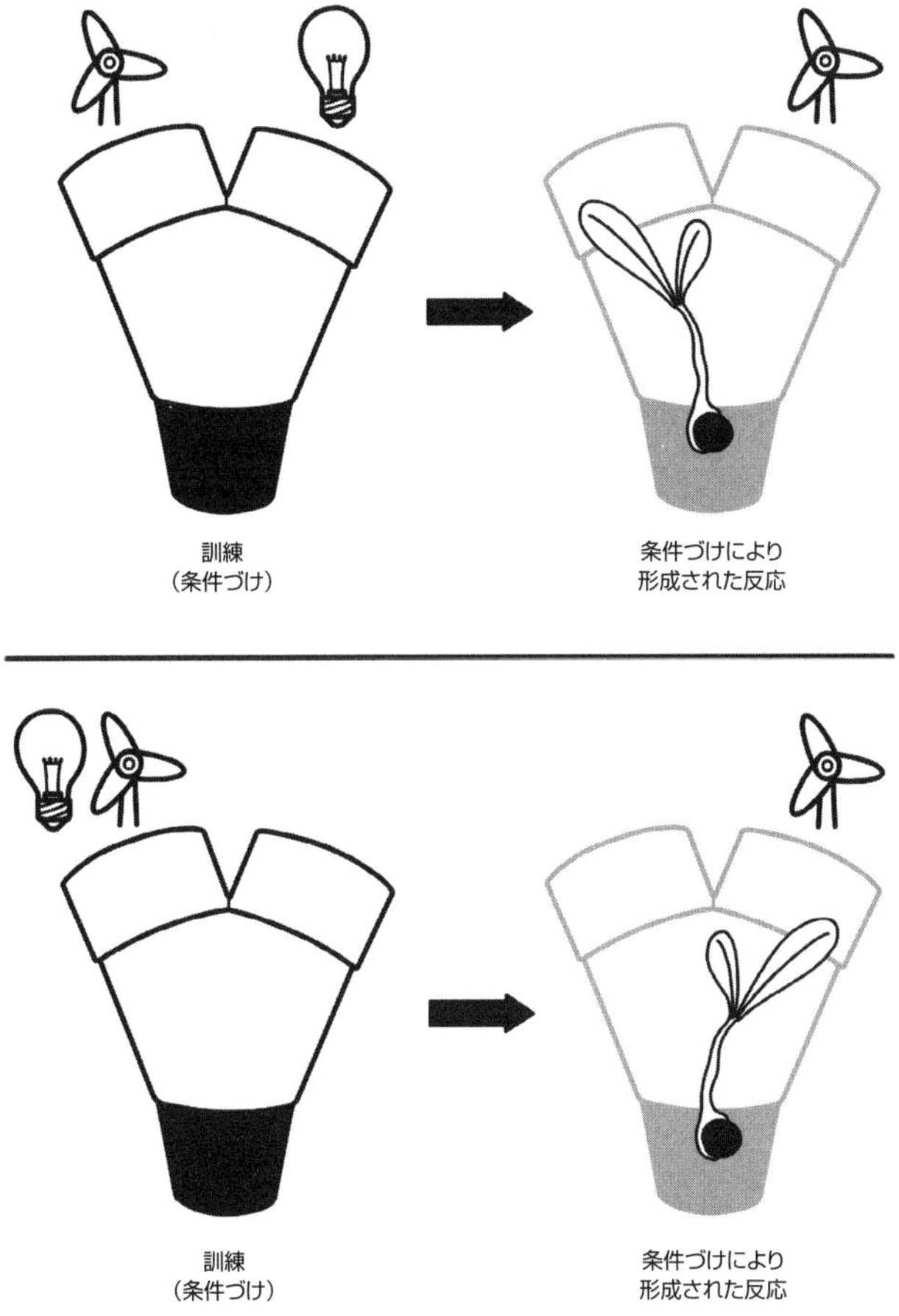

上の図：風と光が別の窓から届くことを学んだ植物は、
光を当てなくとも、風が入ってこないほうに成長する。

下の図：風と光が同じ窓から届くことを学んだ植物は、
光を当てなくとも、風が入ってくるほうに成長する。

ンドウの62％が右側へと伸びたのだ。風と光との関係を学んだものと思われる。

これは、植物の学習能力に対して懐疑的な生物学者をも説得できる驚くべき結果であった。ガリアーノがオジギソウを落下させる実験についての論文を発表しようとしたときには、10種類の論文誌から断られた。しかし、このエンドウについての新たな研究は、世界で最も権威ある科学雑誌の1つである『ネイチャー』誌に一発で掲載されたのだ。

ちなみに、エンドウにあるのは連合学習の能力だけではないこともわかっている。エンドウは賭け事を合理的に行える勝負師でもあるのだ。どうやってそれがわかるのか？　エンドウの根を2つに分けて、隣り合う別々の植木鉢の土に植える（1本のエンドウが2つの植木鉢に根を張るイメージだ）。そして、エンドウがどちらの植木鉢を選んでしっかりと根を張るのかを観察する。植木鉢の土の養分濃度はコントロール可能で、一方の鉢では濃度を一定に保ち、もう一方は濃度を変化させる（平均値は同じ）。実験の結果、十分な量の養分が得られる場合には、エンドウは養分濃度が一定の鉢を選んで根を張ることがわかった。これはリスク回避行動であって、うまく安全策をとっているのだ。ところが、養分濃度を下げた場合、エンドウは濃度を時間変化させた鉢を好むことがわかった。リスキーな戦略ではあるが、生き延びられるだけの養分を得られる可能性に賭けて、養分濃度が変化するほうを選んだというわけだ。

植物が、その独自の在り方において、知能があり知覚をもっていることはすでに証明されたように思う。しかしさらに欲張って、植物は簡単な算数までできることをお伝えしよう。そのとおり。そのあたりに生えている植物が、計算をしているのだ。

日中、植物は太陽光からエネルギーを得ているが、日が暮れるとそのエネルギー源は使用できなくなる。細胞の基本的活動のためには夜もエネルギーが必要なので、これは大問題だ。だが、そろそろこんなことを聞いても驚かなくなっているだろうが、植物は十分に賢いので、日中に生産したエネルギーの一部をデンプンという形で蓄える。そして夜になると、このデンプンを一定の割合で分解して、エネルギーに変えるのだ。

何が面白いかというと、植物は蓄えたほぼすべてのデンプンを夜明けまでに使い切って、一から始められる態勢を整えるという点だ。つまり、植物は正しく予算を組んでいるのである。蓄えたデンプンの量と、夜明けまでの時間を把握していないと、きっちり使い果たすためにどのくらいの割合で使うかを決められないはずだ。研究者はこの仕組みを調べるために、光量を調節できる実験室で植物を育てることにした。そして植物にとっての夜の長さを変えた。その結果どうなったか？　植物はすぐに再計算して、デンプンを消費する割合を調節して、夜が明けると想定される時間に合わせてデンプンを使い切ってみせた。

これを可能とするためには、まず、植物に時間というものがわかっていなければならない。植物も動物と同様、概日時計（体内時計）をもっているわけだ。次に、植物は割り算を含む計算ができなくてはならない。デンプンの量を、夜明けまでの想定時間で割る必要があるのだから。

植物にどうやってこんな計算ができているのか？　まだ解明されていない。一説によると、2種類のタンパク質の分子が関与しているという。1つ目のタンパク質はデンプンの量と関係しており、2つ目のタンパク質は夜明けまでの時間と関係している。1つ目のタンパク質分子はデンプンの分解速度を速め、2つ目の分子は分解速度を抑制する。つまり、両者は相反する働きをしている。植物はこの2種類の分子の相対量に応じてデンプンを消費する割合をコントロールしているというのだ。かなり巧妙な方法である。

コラム

こちらも参考に

傑作B級映画『リトルショップ・オブ・ホラーズ』の1986年のリメイク版で、リック・モラニス演じる主人公は日蝕の最中に中国人の花屋で奇妙な植物を購入する。そして、「オードリーII《ツー》」と名付けられたこの植物が人間の血肉を欲しがるということが明らかになる。初めのうちモラニスは自分の血でこの植物を育てていたものの、スティーヴ・マーティン演じる歯医者の死体を与えてしまうのだった……。なかなか楽しい映画である。M・ナイト・シャマラン監督の『ハプニング』は少しばかり陰鬱になる。この映画では、人間の存在と人間による環境汚染によって地球が脅威にさらされ、植物が反撃を開始するのだ。その方法は大気中に神経毒を放出するというもの。この毒が人間の脳に入り込むと、人間は自殺へと駆り立てられる。映画の登場人物が言うように、赤潮による健康被害が地上で起きているようなものなのだ。赤潮を原因とする健康被害は、ここ数年、太平洋沿岸地域で実際に確認されている。異常繁殖した藻類が放出した神経毒を、人間が大量に摂取すると、脳機能に悪影響を及ぼし、吐き気、記憶障害、痙攣を生じ、果ては死に至ることもある。環境汚染が進むと、植物が新たな揮発性の化学物質を放出し始めるという筋書きは十分に考えられるものだ。これらの新しい化学物質は人類に予期せぬ影響を及ぼすかもしれない……。せめて、そのタイミングが流星群と重ならないことを祈ろう。

私たちが植物の能力を恐れねばならない最大の理由とは、植物は世界を支配し、私たちをコントロールしているという事実にあるだろう。植物は重量でいうと地球全体の生物量の82％を占めている。これは進化上の勝利者である植物によって動物が支えられていることを意味するのであって、決してその逆ではない。言いづらいことだが、寄生しているのは植物ではない。私たちなのだ。

植物が存在しなければ、人類は完全に行き詰まる。あの力強い小麦の快進撃を見てみよう。あらゆる生き物にとって世界征服こそが最高の成果であると考えるならば、小麦が辿ったのは完璧なサクセスストーリーだ。1万年前には、小麦は中東にしかなく、他の多くの野草に混ざって領土と資源を奪い合っていた。野草の集団のなかで完全に埋もれた存在だったのだ。だが、小麦は人類を唆《そそのか》して農業を発明させて、ついには全世界にその領土を拡大したのだ。

角度を変えて考えてみよう。真の勝利者は誰なのか。小麦を栽培する人間なのか（その結果、腰痛やら他の病気を発症してしまっている）、それとも小麦そのものなのか？　農業革命の前には、人間は遊牧民のような狩猟採集生活を送っていた。変化に富んだ旬のものを食べ、豊かな自然の恵みを享受していた。しかし、農耕を始めてからは、人間は一つ所に縛られるようになった。草取りをし、土を耕し、種をまき、苗に水を運ぶ。人間は小麦に完全に依存していたので、小麦のあらゆる要求に丁寧に応えてお仕えするしかなかった。つまり、人類は、植物という支配者の奴隷となったのだ。身の程を知るがよい、卑しい人間どもよ。

第9章

ハリウッドに殺される その方法は……

老化!

「お迎えが来たら、行くしかない」

──『ベンジャミン・バトン 数奇な人生』(2008年)

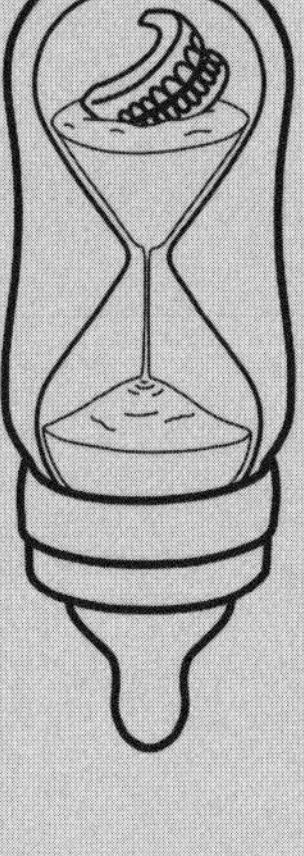

デヴィッド・フィンチャー監督の『ベンジャミン・バトン　数奇な人生』は、F・スコット・フィッツジェラルドの短編小説に基づく映画だ。ブラッド・ピットが演じるのは映画タイトルでもあるベンジャミン・バトン、年を経るにつれて若返る男である。そんな暮らしも楽しそうだと思うかもしれないが、そんなことはない。ベンジャミンの人間関係は複雑な問題を孕み、ほとんど否応なしに悲劇的なものとならざるをえない。それでも、人間は長い間、体内時計を遅らせ、止め、最終的には巻き戻すことに強い関心を寄せてきた。そして、ベンジャミン・バトンの人生が展開するのを（むしろ収斂《しゅうれん》するのを？）見ると、どうしてもある種の嫉妬を覚えてしまう。では、私たちは時間の裏をかいて、老化の被害を逆行させることはできるのだろうか？

老化とは実際にはなんなのか

『ベンジャミン・バトン』は2008年のクリスマスの日に公開されて、北米の興行収入第2位になったんだよ。

あの映画を抑えて1位になったのはなんだったの？

『マーリー　世界一おバカな犬が教えてくれたこと』っていう犬をめぐるラブコメだ。主役はジェニファー・アニストン。ブラッド・ピットの元奥さんだね。

ブラッドにとっては手痛い打撃だっただろうね。でも批評家の受けは『ベンジャミン・バトン』のほうがよかったんじゃない？

そのとおり、アカデミー賞に13部門でノミネートされて、3部門で受賞したからね。ちなみに、『マーリー……』のほうは、2009年のティーン・チョイス・アワードっていうののベスト・キス賞にノミネートされてるよ。

おやまあ、たいしたもんだね。

『ベンジャミン・バトン　数奇な人生』に科学的な描写がほとんど見られないことは認めねばなるまい。残念なことに、ベンジャミンの人生が逆行している理由を、医療関係者が誰も調べないのだ。唯一説明を試みるのが、彼が人生をかけて愛したデイジーだ。彼女は、ムッシュ・ガトーというフランス人の盲目の時計職人が関与しているのだと考えている。第一次世界大戦による多くの若者の悲劇的な死を受けて、ムッシュ・ガトー（英語にするとミスター・ケーキ）は針が逆に進む時計をつくった。その時計はベンジャミンが生まれる直前にニューオーリンズの鉄道駅に設置され、ベンジャミンが赤ん坊となって亡くなる直前に他の時計と交換された。

　とうてい説明になっているとは言えない。だが、「終わり」について誰もが考えさせられるのは確かだろう。殺人ロボットやウイルスのパンデミック、核戦争、小惑星、植物などの攻撃によって私たちが早死にさせられるのを回避できたとしても、結局はどうでもいいことだ。私たちを確実に死に至らしめるものが必ず1つはあるのだから。それは「老化」だが、むしろ「老化の終わり」というべきかもしれない。先ほどの「早死に」という言葉でさえも、結局は死が避けられないものなのだと暗に示している。誰もが、いずれ死が訪れることを承知しているのであって、できるだけ長く生にしがみついていられればと望んでいるだけなのだ。

　私たちが終焉に向かっていることのしるしは、見ればそれとわかるものだ。他の人にそのしるしを見て、そしてだんだんと（憂鬱なほどに）それを自分のなかにも見つけるようになる。生まれたばかりのベンジャミン・バトンを見て誰もが恐怖を覚えるのはそのためだ。あのような状態から人生を始めるとしたら、どんな希望がもてるというのだろう？　その答えは、私たちが老いるときに何が実際に起きているのかにかかっている。そしてそれは、まだ誰も解明していないことでもある。

いろんなことを考察するのが大好きなアリストテレスはこう考えた。老化とは生命の「本性的な暖［熱］」が徐々に冷やされることであり、その熱が最終的に失われるのだと。発想の理由はわかるだろう。老化とは時間の経過に伴うゆるやかな機能低下であって、最終的には、究極の機能不全である死に至るのだから。しかし、老化にはおかしなところがある。少し考えたところでは、進化によって老化は取り除かれそうなものなのにと思われる点だ。

長きにわたって、老いと死があることの最有力説として言われてきたのは「スペースを空けるため」ということだった。死とは後に続く世代のためのものであって、死によって資源が使われずに十分に残ることで次世代が繁殖に成功し、その結果として種全体にとっての利益となるという考えだ。だが、これは関連する次の２つの理由から、実は説明として成り立っていない。まず、自然選択による進化は個体のレベルでしか作用しない。種全体に利益をもたらすからといって選ばれるわけではないので、次世代のために「スペースを空ける」というのは理由にならない。２番目の問題点とは、他のすべての条件が同じであれば、長命の生物のほうが短命の生物よりも多くの子孫をもつということだ。多くの子孫をもつことこそ、あらゆる生物にとっての究極の目標であり、実際に進化によって促進されることなのだ。長命の生物のほうが

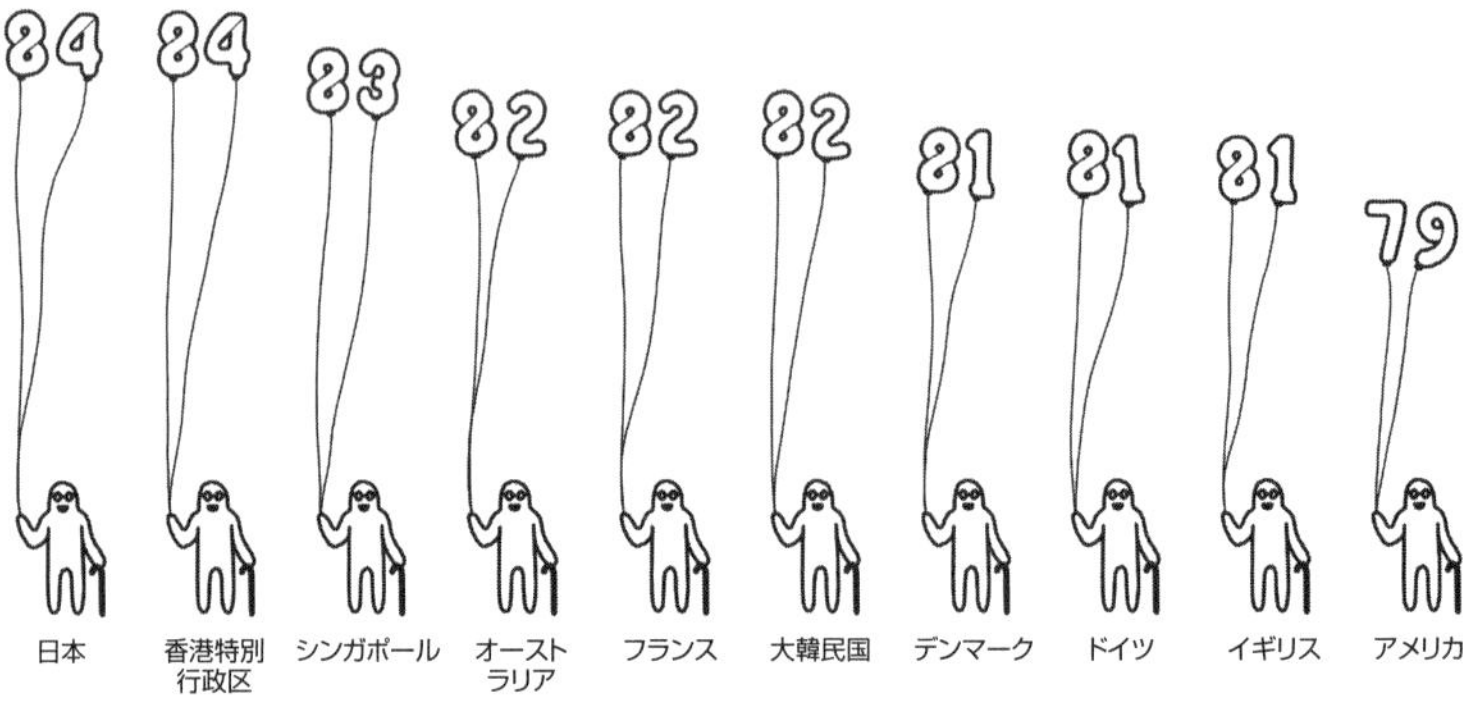

1900年以降、人間の平均寿命は2倍以上に延びた（出典：世界銀行）

繁殖に成功するならば、遺伝的傾向として長命である生命体によって生態的地位が占められるはずだ。死ははるかかなたへと後退しそうなものではないか？

この問題を複雑にしているのは、「自然」死というのは、生物の世界ではさほど重要な要素ではないということだ。自然界では、ほとんどの生き物は老化によって死ぬわけではない。捕食されたり、食料の奪い合いに負けたり、事故に遭ったり、病気になったり、出産時に死亡したりと、外部の要因によって死ぬ。これらのすべてが意味するのは、私たちが思うほどには、老いそのものによって死神の大鎌が振り下ろされるわけではないということだ。つまり、ほとんどの個体は、老いに対処しなくてはならなくなるずっと前に死んでしまっている。老化による死は、進化による種の形成には関与しないのだ。

まだ腑に落ちない？　それならば、生殖の期間を終えた後、つまり老齢になった後に表れる効果に対して、自然選択は実際的に作用しえないことについて詳しく説明することにしよう。つがいになる可能性のある相手の母親や父親が高齢になったときの様子を見たからといって、つがいになるのをやめるような動物はいない。これは、加齢による良い影響についても悪い影響についてもあてはまる。つがいとして選ぶ理由となったまさにその特性によって、後に良い影響や悪い影響が引き起こされるかもしれないが、選ぶ時点ではそんなことはまだわからず考慮に入れることもできない。人生の後半に不利な影響を及ぼす可能性のある遺伝子の突然変異として、たとえば、著者マイケルの後退する生え際への遺伝的寄与というものを考えてみよう。マイケルの我慢強い伴侶が、夫の健康的でセクシーな美しい髪の毛が長持ちしそうにないことに気づく頃には、この遺伝子変異はすでに子ども世代に受け継がれている可能性が高い。このような場合、自然選択には個体群からこの特性を取り除く手段がない。また、個体が高齢に達しないためにこういった変異が発現しない可能性もある。このような突然変異は、ただひっそりとゲノムのなかに隠れたままになるのだ。次世代に受け継がれるのが生え際の後退よりも悪いものであれば（それより悪いものがなんと、あるのだ）、その遺伝系統は永久に損なわれることになる。

この考え方は、老化を進化論的に説明する2つの有力理論の根幹をなしている。この2つの理論は非常によく似ていて、実際には両方が連動して機能している可能性が高い。最初の理論は「突然変異蓄積説」である。前述したように、高齢にならないと発現しない有害な突然変異は遺伝子プールから取り除かれないため、時間が経つにつれてそういった種類の突然変異が蓄積された結果、私たちが老化現象と呼ぶものが引き起こされるという考え方だ。

次の理論は「拮抗的多面発現説」である。多面発現的な遺伝子、あるいは多面発現的な突然変異は、2つ以上の形質に影響が表れる。この理論によると、突然変異は1つでも、若年期と老年期の両方に影響を及ぼすものがある。若年期に有益に働く（たとえば狩猟がうまくなるなど）場合には、繁殖の成功率があがる。そうすれば自然選択によってこの突然変異が選ばれて残るだろう。だが、この同じ突然変異が、老年期にマイナスの影響を与えるかもしれない（たとえば抜け毛など）。しかし、このときには選択圧は働かなくなっている。つまりこの場合も、老化に関係する望ましくない負の影響が蓄積されるわけだ。

老化細胞（分裂を停止した細胞）が秘めている重要性については後ほど詳しく見ていくが、現時点では、この老化細胞が、遅い時期に発現する負の影響が自然選択からもれることを示す興味深い好例となってくれる。若年期にはこれらの細胞が腫瘍を抑制して体を癌から守る働きを示すことがある。これは好ましい効果なので、進化によって選択されることとなる。しかし、後年になると、この同じ細胞が逆の効果を示す場合がある。老化細胞が炎症に寄与し、発癌作用をもつのだ。オビ＝ワン・ケノービのセリフを使わせてもらうと、「本来倒すと誓った相手に自分がなってしまった」のである。

結局のところ、私たちが老化と呼んでいるものは実際にはなんなのだろうか？　どうやら、体がゆっくりと自己修復能力を失っていく偶然の現象らしい。定期的なメンテナンスを怠った機械のように、私たちの体も不具合を起こし始めるのだ。軽度の炎症が広がる。ミトコンドリア（私たちの細胞内の小さなエネルギー工場）がうまく働かなくなる。細胞によっては無制限に増殖し始める（これが癌だ）。分裂をやめてゾンビ化する細胞もいる（前述の老化細胞）。染色体はすりきれてほどける。臓器や組織が生体由来のゴミで目詰まりを起こす。完全なる悪夢だ。だが、繰り返すが、これらは偶然に起きているらしいのだ。老化について研究するトム・カークウッドはかつてこう言った。「老化が避けられないものでも必要なものでもないことが、今ではわかっている」。他にもわかっていることがある。偶然に起きる事故のようなものだというのなら、十分に気をつけていれば避けられるはずだ。そうだろう？

老化は避けられるのか

F・スコット・フィッツジェラルドが、時間が経つにつれ若返ることにはっ

きり理由をつけなかったのって、ちょっとぬるいんじゃないかな。

どういう意味だい？

たとえば、J・G・バラードの「ミスターFはミスターF」という短編だと、ある男が若返って、幼児になって、男の妻の体内の胎児となって、妻の妊娠で話が終わるんだ。でも、一番のお気に入りは、アーサー・コナン・ドイルの短編「這う男」だね。お年を召したおじいちゃんが、性的な意味で若い頃みたいに元気になりたいと思って、猿の睾丸の粉末だかなんだかを自分に注射するんだよね。

効き目はあったのかな。

あるというか、ないというか。性的には元気溌剌になるんだけど、ついでに猿に変わっちゃうんだ。

ハーヴェイ・ワインスタインの元ネタってこと？

失礼すぎるだろ、僕らの親愛なる友人である猿に対して。

老化と死が、進化によってつくりあげられたものではなく、生物学的な偶然の出来事だと考えるならば、それを取り消すことが可能かもしれないという希望がもてる。いかにも現代的な、狂気じみた発想だと思うのなら、確かにそのとおり。なにしろ、老化とは、実は現代的な問題なのだから。

人間は、その歴史のほぼすべてにわたって、自分たちを殺そうとする外的要因の解決に取り組んできた。上下水道を普及させ、予防接種や投薬治療を行い、安定した食料供給を維持し、手術を行うなど、他にもいくらでもある。私たちはそういったことを非常にうまくやってのけたので、過去１００年間で先進国における寿命は2倍以上に延びた。近年では、私たちは過去に達していた年齢よりもはるか先まで生きている。年寄りというのは新しい存在なのだ！

そんなわけで、最近になるまで、私たちは老化そのものにわざわざ取り組もうとはしなかったし、老化が避けられないものだと受け入れてもいた。しかし、その状況は変わり始めている。汚れた飲み水による生物学的な影響を問題だと認識して解決したのとまったく同じように、老化による生物学的な影響を解決すべき問題として認識するようになったのだ。

そんな私たちに確かな希望を与えてくれるのが、自然界に見られる進化である。〈チチュウカイベニクラゲ（Turritopsis dohrnii）を見てみよう。このクラゲが属するヒドロ虫綱は小型の海洋生物の一群であり、有名なカツオノエボシもこれに含まれる。ベニクラゲはその生活環において2つの異なる形態をとる。ポリプという幼体と、クラゲの成体（一般的なクラゲとほとんど同じような姿）だ。ここまでのところはごく普通の話で、こういった2段階をもつ生物はチョウやカエルなどたくさんいる。驚かされるのはここからだ。体への損傷や、環境からのストレスによって、成体であるクラゲが幼体のポリプに戻るのだ。やがてポリプは再び成体クラゲへと成長する。これが何度も、どうやら無限に繰り返されるらしい。リセットの回数に制限はなさそうなので、ある意味、不死の存在なわけだ。「ベンジャミン・バトン・クラゲ」との異名をもつようになったのも納得だ。この若返りのメカニズムはまだ解明されていないが、若返りの過程では細胞分化転換——ある種の細胞が別種の細胞へと変化すること——が起きている。他の生物種でこの機構を利用できるようになるかどうかは、わかっていない。今のところは。

私たちの身近な生物で死を免れているのは、この不死のクラゲだけではない。プラナリアは扁形動物の一種であり、複雑な生命体である。左右相称の体構造をもち、脳や体内器官を備え

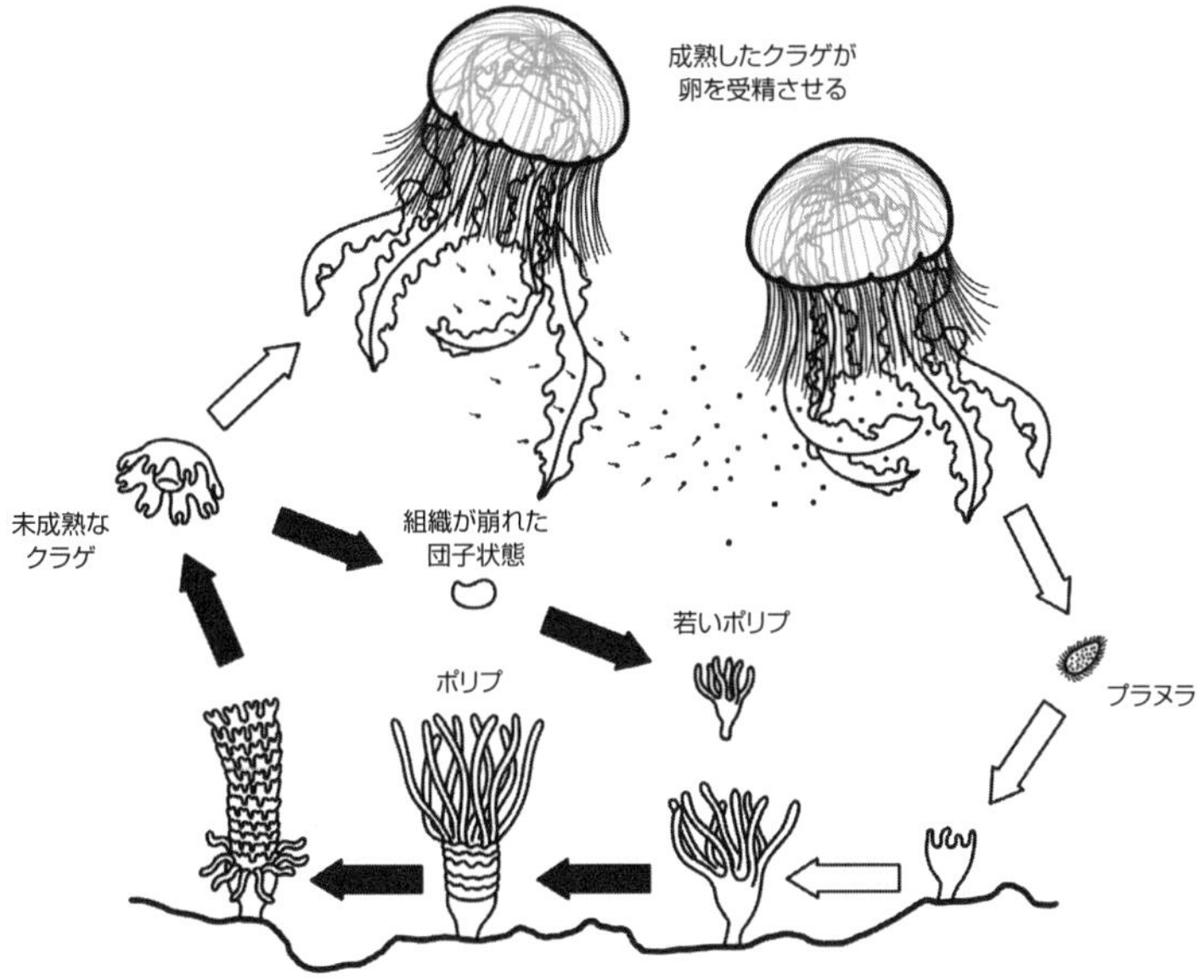

不死のクラゲは、正常に繁殖することもあるし、
老化を逆転させて未成熟な状態に戻ることもある

ている。彼らもまた、動物界における優れた再生動物なのだ。体の一部があれば、残りの部分が（脳でもなんでも）再生される。さまざまな点で仰天させられる能力であって、たとえば頭部を切断されても、体の残りの部分から新品の脳が再生する。しかもその脳に、切断前の記憶が引き継がれているらしい。だが、ここで特に重要なのは、誰も年老いたプラナリアを見たことがないということだ。プラナリアは、どうやらその限りない寿命において、ひたすら全身を修復して、再生し続けているようなのだ。

実在する不死の生物から離れよ

う。マウスやミミズ、ハエなどについては、食事（カロリー制限）や遺伝子改変（成長因子のシグナル伝達に関わる遺伝子の抑制）などのさまざまな技術によって、その寿命を大幅に延ばすことに成功している。人間に対して同じことができないとしたら、人間が自然界の他の生き物たちとはまったく違う異常な存在ということになってしまうが、そんなことはまずあるまい。

だが、人間の寿命を奇跡的なまでに延ばすためには、計画的な取り組みが必要である。この200年間、人間の平均寿命は着実に延びているものの、その伸び率は鈍化しており、いずれストップしそうだ。史上最も長生きした人物は122歳に達したとされている。悪くない。フランスと日本、アメリカ、イギリスには、「スーパーセンテナリアン」（110歳以上の人物のことを指すなかなかいい用語）が多くいる。これらの国では、各年に死亡した最高齢者の年齢も延びていたのだが、1990年代以降、115歳前後で横ばいになった。一方、平均寿命は引き続き延びている。この事実が示唆しているのは、常に存在する外れ値に相当する人々を除けば、人間の寿命は115歳前後が「自然な限界」であることだ。これは、人間の最大寿命は約120年であるとの結論が導かれる「ヘイフリック限界」とよく一致している。1960年代初めにレオナルド・ヘイフリックの研究結果が報告される以前には、正常な人間の細胞は永遠に分裂し続けることが可能だと考えられてきた。しかし、ヘイフリックは、シャーレでの細胞分裂を観察して、有糸分裂（染色体の複製を伴う細胞分裂）を最大40〜60回行った細胞は、ある種の死を迎えることを示したのだ。

私たちの死は、もちろん、突然に訪れるわけではない。ヘイフリックの細胞と違って、人間は突如として機能停止に陥るわけではないのだ。何が起きるかというと、私たちは人生の最後の約5分の1を、積み重なっていく生化学的な不具合という高波と闘って過ごすことになる。高齢期の疾病率の高まりは、誰にとっても厄介な問題だ。一人ひとりが、年を重ねるほどに増えていく加齢がらみの疾病に対処せねばならず、社会にもかなりの負担がかかっている（社会保障制度が整っている地域に限らない）。アメリカでは全医療費の80％が高齢期の慢性疾患に関わるものだ。老化を遅らせたり、止めたり、逆行させたりする方法を考え出さなければ、深刻な経済的苦境から抜け出せなくなるかもしれない。高齢者や体が不自由な人々の長期介護の問題は、放置しても決してなくなりはしない難題だ。２０１５年から２０３０年の間に、世界の60歳以上の人口は9億人から15億人にまで跳ね上がると予想されている。２０５０年には20億人を超えるとの予測もあるのだ。

しかし、この流れに対処できると考える研究者も多い。２つの、異なるけれども関連のある野望が登場している。１つ目は、とにかく寿命を延ばすこと。つまり人々にもっと長生きさせるのだ。これだけだと、個人にとっても社会にとってもあまり望ましいことではない。２つ目が「健康寿命」を延ばすこと、つまり老化の弊害に煩わされない健康な生活の割合を増やすことだ。近年、研究者たちはより多くの力を後者へと注ぎ始めている。理由は明らかだろう。病気にならず受診の必要もない老後というのは大変に魅力的なものだ。さらに、大きな利益を生む可能性もある。そこで、健康寿命の延長が可能であると仮定したうえで、現在行われているさまざまな研究について簡単に見ていこう。

老化と闘う方法

ベンジャミンの子ども時代の容姿は、ハッチンソン・ギルフォード早老症候群のステージが進行した患者を参考にしたそうだよ。

子供が老人のように見える、恐ろしい病気だよね？

そうだよ。ブラッド・ピットはあのメーキャップのために毎日5時間も椅子に座ってなきゃならなかったんだって。

ベンジャミンは友達になった高齢の女性から、人間は愛する人たちを失うものなのだと教えられる。「失ってはじめて、大切さがわかるのよ」と彼女は言う。だが、これは疑問の残る考え方だ。誰かの大切さを知るためにその人を失う必要はないし、老化をそういうものなのだと受け入れる必要もない。

前に見たように、時計の針が時を刻むにつれて、私たちの体内には老化細胞が蓄積される。使い古され、分裂もせず、修復も不可能となった、ただそこにあるだけの細胞だ。若いうちは、老化細胞は体内から一掃されるが、老年期にはそうはいかない。むしろ老化細胞は有害な存在となる。周囲の組織を破壊し、軽度の炎症の一因となるタンパク質を分泌する。つまりは厄介者なのだ。若いマウスに高齢のマウスの老化細胞を移植すると、通常よりも老化が早まることがわかっている。そこで現在開発が進められているのが、老化細胞除去薬（セノリティクス）という、使えなくなった古い細胞を探し出して破壊する一群の薬である。今のところ、これらの薬は有望そうである。人間を対象にした最初の臨床試験が２０１９年初めに行われたが、研究者によるとその結果は「予備段階ではあるが十分期待できる」とのことだ。

お次は断食だ。断食はずいぶん昔からアンチエイジングの手法として用いられてきたが、現在では科学的裏付けに基づいた改良が進んでいる。動物実験では、断続的な断食とカロリー制限によって寿命と健康寿命が延びることが示された。おそらく、苛酷な時期には栄養レベルが低下し、それが契機となって、細胞が一種の省エネルギーモードへと切り替わるためだろう。ここでの省エネルギーとは、生化学的プロセスを最小限に抑えるということであり、同時に老化に関わるプロセスも最小限に抑えられるのだ。この方向性でも薬剤の開発が進められている。ラパマイシンと、その類似化合物であるラパログという薬剤群には、代謝に関わる生物学的プロセスを阻害する働きがある。つまり、この薬剤を使用すれば、自身が断食中だと体に思い込ませることで、体からアンチエイジング的な効果を引き出せるかもしれないのだ。このラパマイシンを使った実験では、マウスの寿命を14%延ばすことに成功しており、類似薬剤を使った初期臨床試験では、高齢者の免疫系の機能が改善されている。

次に紹介するのは、これまでにテストされたことのある抗加齢技術のなかで、おそらく最も薄気味悪くて、確実に最もバンパイアっぽいものだ。それは、若者の血液の注入である。1970年代に結合双生児の研究をしていた科学者たちは、なんとも恐ろしい「並体結合」という手法を開発した。並体結合の実験では、2匹の動物（たいていはマウスであって、当然人間ではない）を縫合することで循環系を共有させる、つまり血液を共有させるのだ。この実験の結果は予想外のものだった。老齢のマウスに結合された若いマウスは通常より早く老化したのだが、重要なのは、老齢のマウスが若返ったということだ。肺、骨、心臓、脳、そのほかの臓器が、驚くほど老化に逆行した。

人間を対象とした最初の試験が行われ――明らかに対象者は非常に少数であったが――その結果は期待がもてるものだった。18～30歳の若者から提供された血漿（血液から赤血球や白血球を取り除いたもの）を、軽度から中程度のアルツハイマー病患者に1カ月にわたって毎週注入したのだ。比較のための対照群にはプラセボとして生理食塩水が投与された。認知機能に有意な効果は認められなかったものの、「日常生活技能」の顕著な改善が見られ、重篤な副作用も生じなかった。

こういった輸血や血漿注入は大きな議論を呼んでいるが、それは、どのように作用しているのかが現在のところ明らかになっていないからだ。だが、いくつもの企業が血漿中の「有効成分」を特定しようとしている。有力候補の1つが、ＧＤＦ11というタンパク質で、加齢とともに減少する。逆に、血液中にあって加齢とともに増加するタンパク質もあり、その抑制方法を模索する研究チームもある。主張されている若返りの効果は、血液中のさまざまな要因が複雑に絡み合った結果である可能性が高いので、専門家の多くは慎重に研究を進めるべきだと警鐘を鳴らしている。だが、心配なことに、アメリカでは認知症の治療法としての血漿注入に食品医薬品局（ＦＤＡ）の認可が不要のため、複数の企業が若者の血液を金に換えられるこのチャンスに飛びついているのだ。引退生活をフロリダ州で送っている金持ちの老人を対象としたあるシンポジウムでは、臨床試験に参加するために28万5000ドルの費用が必要だと説明された。カリフォルニア州には、若者の血漿注入を格安価格の8000ドルで提供する新興企業もある。

あなたがフロリダ州在住のお金持ちの老人ではないのなら、腸内マイクロバイオームに働きかけてみてはいかがだろう。マウスや人間を対象とした研究によると、年齢を重ねるにしたがって腸内細菌の多様性が失われるようだ。では、年取った腸で適度に細菌を増やすにはどうすればいいのか？　潔癖症の人には不向きな方法ならある。輸血どころか、糞便を移植するのだ。読み間違いではない。ターコイズキリフィッシュという小型魚を使ったこんな研究がある。高齢の魚に抗生物質を与えて自然の腸内細菌叢《さいきんそう》を一掃し、若い魚の糞で汚した水の中を泳ぎ回らせる。自然と、高齢の魚は若い魚の糞を少しばかり摂取するので、糞の中の細菌が腸内に棲みつくのだ。

ここまでは、なんとも気持ち悪い話だ。だが、ここから面白くなる。この高齢の魚の様子を観察したところ、はるかに若い魚と同程度の活動レベルを示した。それだけではない。自前の腸内細菌叢をもち続けている対照群と比較すると、寿命が37％も延びたのだ。つまり、腸内細菌叢を一新した魚は健康で長生きしたことになる。これを聞いて、あなたが興奮のあまり元気なティーンエイジャーに糞便をおねだりする前に、これだけは強く言っておくべきだろう。この実験は、人間はもちろんのこと、哺乳類でも、安全性を含めて十分な研究は進んでいない。

コラム

買い手はご用心を

明るい見通しや有望な成果がいろいろと聞こえてくるものの、合法的で実証された抗加齢療法が受けられるようになる時期については、ほとんどの科学者は極めて慎重な姿勢を見せている。理由のひとつは、かつて製薬業界がかなり痛い目に遭ったことがあるからだ。２００８年、グラクソ・スミスクライン社はサートリス社というバイオテクノロジー企業を7億２０００万ドルという莫大な金額で買収した。それだけの価値が認められたのは、サートリス社が開発していたのが初の抗加齢薬だったからだ。赤ワインに少量含まれているレスベラトロールというこの薬には、業界を一変させる力があると広く信じられていた。サートリス社創業者たちは、この分子を、手に入れられる限りで「最も奇跡的な存在」だと表現したほどだ。しかし、思わぬ落とし穴があった。レスベラトロールによって酵母菌（！）の寿命を延ばすという目覚ましい成果を収めていたものの、人間では同様の効果が得られなかったのだ。２０１３年、グラクソ社はサートリス社を解散した。

この教訓話には興味深い後日譚がある。このレスベラトロールが、抗加齢療法のヒーローとなるべく返り咲いているのだ。老化細胞除去薬とは老化細胞を破壊する薬だが、老化細胞の活性化を促し分裂を再開させる「老化細胞変性薬」ともいうべき薬もある。そして、想像がついただろうが、最も有望な老化細胞変性薬のベースになっているのが、このレスベラトロールなのだ。

幹細胞の話がそろそろ出るのではと期待している人もいるだろう。今ではほとんどどんな病気の治療にも何らかの形で幹細胞が使われるようになり、老化も例外ではないようだ。たとえば、数は少ないが、間葉系幹細胞（ＭＳＣ）療法の治験が進んでいる。体が弱った高齢者に若者の骨髄から採取したＭＳＣを一度注入するだけだ。研究者によると運動機能と生活の質の両面で見られる身体的な改善は「並外れたもの」だという。

最後に、若返りのためのエピジェネティックな手法についても触れておこう。エピジェネティックな介入によって、遺伝子はオン・オフや活性化・抑制化の切り替えが行われる。エピジェネティック変異の蓄積が老化の鍵を握っていると考えられており、研究者たちはマウス（引っ張りだこだ）の遺伝子を調整することで、成体細胞を胚のような状態に戻すことに成功している。その方法は、いわゆる山中因子と呼ばれる4つの遺伝子を短期間だけ活性化させるというものだ。このエピジェネティックな調整を受けた中年マウスには、損傷した筋肉と膵臓の若返りが見られた。

ここでは何か途方もないことが起きている。エピジェネティックな調整によって、老化が抑制されるだけでなく、ベンジャミン・バトン流に老化を逆行させる可能性が示されたのだ。考えてもみてほしい。若い頃の身体の動きを取り戻せるのだ。あなたのおばあちゃんがサッカーをし始めるかもしれない。まあ、おばあちゃんは間に合わないかもしれない。おそらくマイケルも無理だろう。だが、未来の老化研究が計画どおりに進めば、リックは希望がもてそうだ。

老化の未来

老化というのは不変のものではないんだ。僕は君より10歳年上だけど、僕のほうがゆっくりと老化しているからね。

ああ、やれやれ、物理学の話をするつもりなんだろ？

そのとおり。君のほうが背が高いから、君の頭は僕の頭より地球の重力の影響が少ない。アインシュタインの相対性理論によると、君の生物学的時計の

ほうが少し早く進むことになる。

たいしたもんだな、アインシュタイン。

あのアインシュタインだぞ？　真の天才に向かって、そんな上から目線はないだろ。

「永遠なんてないんだなって。なんだか悲しいけどね」とベンジャミンはデイジーに言う。彼がそう考えたのも無理はない。幼い頃の（体は年寄りの）彼が暮らしていたのは老人施設、いわば神に召される前の待合室だったのだから。避けられない死が身近にある場所では、長い人生の終盤にある人々に必要なのは、治療ではなく介護だという考えを受け入れるようになる。だが、その考えは受け入れるべきものなのだろうか。これに激しく異を唱える人物がいる。老化から逃げられないなどとは決して認めない、オーブリー・デグレイ博士だ。

デグレイは、現在生きている人のなかから、1000歳を超える人が現れるだろうと考えている〔当然ながら、誕生日ケーキ用ロウソク業界は、このニュースに大喜びしている〕。いかにも彼が言いそうだと思う人もいるだろう。デグレイはカリフォルニア州でSENSという研究機関を運営しているのだから。SENSとは「Strategies for Engineered Negligible Senescence（加齢をとるに足りないものにするための工学的戦略）」の頭文字をつなげたものであり、この機関「老化を再考する」という魅力的なキャッチフレーズを掲げている。

デグレイは何十年も前から、人間は老化のさまざまな要素を完全に恣意的に言葉のうえで区別してきたのだと主張している。私たちはある要素には「病気」とラベル付けして、その解決に向けて熱心に取り組んでいるが、ある要素には「単なる老化」とラベル付けして、はっきりした理由もないままにほったらかしにしているというのだ。デグレイの目的とは、このような状況を変えることだ。

もちろん、既に生まれている人のなかから1000年生きる者が現れるというデグレイの主張はかなり疑わしい。しかし、彼の主張はヘイフリック限界のような科学的知見に基づいていない。それに、よくある人間の寿命予想には医療の将来的な発展は考慮されていない。確かに、医療レベルが現状のままであり続けるのなら、人間の寿命に限界があるのはほぼ確実だ。だが、人間が医療を発展させ続けるに違いないことは、あなたも同意するだろう。

これまで見てきたように、人間の場合、老化のプロセスは2つの要素に分けられる。1つは、自然な代謝プロセスによる細胞の損傷の発生であり、もう1つは、後年にこの損傷の蓄積があるレベルに達して、病変や加齢に伴う病気といった問題が生じることだ。

老化に対処するため、人々がとってきた一般的なアプローチが2種類ある。第一に、代謝と損傷の関係をなんとかして断ち切って、これらのプロセスが最終的に病気を引き起こさないようにすること。第二に、体内の細胞を強化して、不具合に陥ることなくより多くの損傷に対処できるようにすること。だが、残念ながら、いずれのアプローチも限定的なうえに困難がある。私たちの代謝機能は極度に複雑であり、その理解の入り口に立ったばかりなのだ。

幸いなことに、デグレイはこれらの問題で足止めをくらってはいない。彼が提唱しているのは第三の道だからだ。人工的な機械を当初の想定よりも長く稼働させることにたとえて、彼は第三の道へと進むことが可能だと訴える。細胞の損傷の一部を定期的に修復して、病変というレベルにまで達するのを防ぐのだ。そのほうが、原因（人間の代謝）や結果（疾病）に対処するよりもずっと簡単なはずだ。

デグレイは修復すべき7種類の損傷を特定している。大きく分けて、細胞そのものの問題（癌や、細胞の全体的な損失、老化した「ゾンビ」細胞など）と、細胞内部の問題（ゴミとなった生体材料の蓄積やミトコンドリアの機能不全など）がある。

このような「やればできる」式アプローチでの老化への取り組みは、シリコンバレーでの受けがいい。実際、デグレイのSENSは、PayPal創業者の1人であるピーター・ティールから資金を得ている（ティールはかつて、死は「恐ろしい、恐ろしいもの」であり自分は死と闘う、とい

う びっくりするほどありきたりな発言をしている）。他にも、同じ路線を進むシリコンバレーの企業としては、グーグルによって設立され、老化への取り組みをその使命とするカリコや、アマゾン創設者のジェフ・ベゾスの高級財布から潤沢な資金を得ているユニティー・バイオテクノロジーがある。また、マーク・ザッカーバーグは、いつもながらの大胆さで、人類のあらゆる疾病を治療するためとして数十億ドルを投じている。

コラム

何もしないで長生きを

健康な状態でもう少し長生きしたいけれども、若者の血液を注射したり、糞便を移植したり、断食したりといった面倒なことは嫌だという人には、齧歯類からの朗報をお聞かせしよう。ペットとして人気の高いジャンガリアンハムスターは冬になると不思議な変身を遂げる。厳密には冬眠というわけではないのだが、定期的に休眠状態となり、数時間にわたって代謝機能が落ちるのだ。この時期には、グレーの毛並みは白くなり、体重が減り、性器が縮む。あらら。

実験室で調べたところ、気温が低い場所にいるハムスターのほうが、温かい場所にいるハムスターよりも、頻繁にこの休眠状態になることがわかった。そして驚くべきことに、この休眠中に、ハムスターのテロメアが長くなっていたのだ。

テロメアとは、染色体の先端にあるDNAの繰り返し配列であり、時間が経つにつれて少しずつ短くなる。具体的には、細胞分裂のたびにテロメアは短くなる。よく言われるたとえだが、テロメアとは靴紐の先端の留め具のような役割をしていて、染色体がほどけるのを防いでいる。そして、テロメアの長さと寿命には相関があるらしいのだ。人間をはじめとする動物では、人生の早い段階でテロメアが短くなると寿命が短くなり、加齢に伴う疾病の発症が早まるという傾向が見られる。しかし、生活習慣を健康的なものに変えることで、テロメアを再生できることがわかっている。特に運動はテロメア保護に役立っているらしい。

だが、ハムスターの実験からすると、この考え方を改めるべきかもしれない。一般的なアドバイスとして、この章を読み終わったらジョギングをしましょうねと勧めるところだったが、それほど確信がもてなくなってしまった。ハムスターのケージを置く場所が寒いほど、休眠状態の間にテロメアは長くなる。ハムスターの染色体が完全な状態を保つためにも、おそらくはハムスターの寿命のためにも、素晴らしい朗報である。そこで、私たちも、エアコンで最大限に冷やした部屋でゆっくりとまどろむのもいいかもしれない。

抗加齢薬の開発に取り組む企業が多数あるのは良いことだ。誰かが効き目のある正真正銘の抗加齢療法の確立に成功してそれを市場に出してくれる可能性が高まるのだから。薬剤の開発はその困難さがよく知られている。開発された薬剤がマウスと人間の間のハードルを越えられなければ（約90％は越えられないので、科学記事の大仰なタイトルに惑わされず内容をよく確認すること だ）、実際に製品化されるというハードルもまず越えられない。薬剤や治療法で、製品化にまで辿りつけるものはほとんどないのだ。

コラム

こちらも参考に

年配者が元気に振る舞う映画は受けがいい。よって、『コクーン』を嫌う人はいないだろう。高齢者たちが親切な異星人に助けてもらい、その不思議な力によって弱った体が若返るのだ。『マリーゴールド・ホテルで会いましょう』もいい。問題を抱えた滞在者たちが、リタイアしたからといって人生の終わりではないことを発見していく。だがそんな華やかな老後ばかりではない。『黄昏』では老いと認知症のもつ破壊的な力が掘り下げられ、ヘンリー・フォンダにオスカー像をもたらした。ジュリアン・ムーアがアカデミー賞を受賞したのも、同様のテーマをもつ『アリスのままで』であって、認知症の残酷な影響力が描かれている。『ネブラスカ　ふたつの心をつなぐ旅』で主演のブルース・ダーンが演じたのは、自分を老人ホームに入れようとする家族と闘う、年老いて、混乱して、かわいげがあるけれども偏屈な男である。もしあなたが、老いることの苦悩をほろ苦く描いた作品を観たいのならば、ピクサーの『カールじいさんの空飛ぶ家』がお勧め。

なにはともあれ、老化と闘うことや、ことによっては若返ることを、科学によって真剣に追求するという段階に人類はついに達したのであり、それだけで私たちは十分に救われるのかもしれない。何を馬鹿なことをと思う人は、考えてもみてほしい。オーブリー・デグレイが1000歳まで生きられると話すとき、「60歳の人が1回だけ治療を受けると、なんとびっくりそれから940年間生きられました」というシナリオを考えているわけではない。デグレイが確信しているのは、自身が「寿命脱出速度」と呼ぶポイントに到達することなのだ。

これは魅力的な考え方である。今から10年後に、60歳の人が20歳分若返る治療を受けられるようになると想像してみよう。この人が生物学的に再び60歳になるのは、実年齢が80歳のときだ。その段階でも加齢の問題は完全には解決されていないだろうが、20年のうちに技術がさらに進歩している可能性は、おそらくではあるが十分にある。つまり、生物学的に60歳で実年齢80歳の人物は、さらに改良された若返り治療を受けられるということだ。これまでの技術進歩を考えると、もしかすると、前回と同額の支払いで今度は30歳分若返ることができるかもしれない。そうすると、20年ごとにメンテナンスを受けるとして、次の実年齢１００歳のタイミングでは、生物学的には50歳の身体になっているだろう。その頃には、やはりさらに技術は進歩しているだろうから（なんといっても22世紀も間近なのだ）、今度の治療では40歳分若返ることができるかもしれない。なんとティーンエイジャーになるわけだ。ここから先は、老年期へと足を滑らさないように、ちょっとした抗加齢処置をたまに受けるだけでよくなるだろう。『ベンジャミン・バトン』的なシナリオではないかもしれないが、いずれにせよ、非常に魅力的なビジョンではないか。抗加齢治療の研究者たちがこの前提部分を成功させれば、世界の在り様は一変するだろう。あなたはそれに背を向けて、「あのやさしい夜のなかへおとなしく入」る、つまりなんの抵抗もせずに死を受け入れるだろうか？　そんなことはないはずだ。僕らと同じようにね。

第10章

ハリウッドに殺される
その方法は……

世界最終核戦争!

「皆殺し装置は自動的に起動するよう設計されています」

──『博士の異常な愛情』(1964年)

核の脅威や核戦争後の荒廃した世界を描いた映画は数多いが、今に至るまで最高の作品といえば、スタンリー・キューブリック監督によるブラック・コメディーの名作、『博士の異常な愛情　または私は如何にして心配するのを止めて水爆を愛するようになったか』に違いない。50年以上前の冷戦時代に製作された、1964年を舞台にしたこの作品では、精神に異常をきたしたアメリカの准将が「共産主義の奴ら」に対する全面核攻撃の開始を決定する。なぜそんな決定をしたのかといえば、(准将の頭のなかでは)敵がフッ素によってアメリカ人の「貴い体液」を汚染しつつあるからだという。そして終盤では、登場人物の1人がロシアの軍事拠点に向かうアメリカ軍の水爆にまたがって、カウボーイさながらの雄叫びをあげるのだ。もちろん風刺的表現なわけだが、驚くなかれ、この映画全体でリアリティのない描写はその場面くらいのものなのだ。

原子爆弾とは何か

『博士の異常な愛情』で映画デビューしたハリウッドスターがいるんだけど、誰だかわかるかい？　ヒントをあげるね。ザムンダ国王さ！

悪いけど、もっとヒントがほしいね。

名セリフがあるよ。「アイ・アム・ユア・ファーザー」（低音）。

わかったぞ、ダース・ベイダーの声を演じた、ジェームズ・アール・ジョーンズだな！

そのとおり。『博士の異常な愛情』では、爆撃機の乗員の1人、ゾッグ少尉の役を演じたんだ。

核爆弾が最初に開発されたとき、このテクノロジーには世界情勢を一挙に変えるほどの力はないと考える人たちもいた。広島や長崎の惨状は、戦時中にドイツのドレスデンが受けた被害と同程度かそれ以下にすぎないというのが彼らの主張だった。だが、ドレスデンはある程度の期間中に何百回もの出撃による絨毯爆撃を受けたのであって、日本の2つの都市がそれぞれ1個の爆弾によって壊滅させられたのとは話が違う。アルベルト・アインシュタインの表現を借りると、人類は突然に「比類のない破滅的状況に向けて押し流され」始めたのだ。1946年に、アメリカのある軍事戦略家がこう言っている。「これまでの米軍の存在目的は戦争に勝つことだった。しかし今後は戦争を回避することが主目的とならねばならない」。さまざまな意味合いにおいて、『博士の異常な愛情』とは、そんな努力に対してスタンリー・キューブリックが見せた意見表明である。恐ろしく笑える映画だが、映画の土台にあるのは真摯な取り組みだ。キューブリックは、脚本を完成させるまでに核兵器に関する書籍を50冊以上読んでいるのだ。

まず明確にしておくべきは、原子爆弾（1945年にアメリカが日本に投下した爆弾）と水素爆弾の違いだろう。原子爆弾、または原爆とは、核分裂によるエネルギーの放出を利用したものだ。原子力発電所と同じ原理が用いられている。ウランやプルトニウムといった重い放射性元素は、より小さい元素へと分裂させることができて、分裂のたびにエネルギーが放出される。分裂後の原子の総質量は分裂前に比べてわずかに軽くなっており、この「なくなった」分の質量がエネルギーに変換されるわけだが、このエネルギーがとてつもなく巨大なのだ。アインシュタインが考え付いて今や世界一有名になった方程式、$E=mc^2$を知る人も多いだろう。質量とエネルギーの等価性を表した式である。

原子爆弾ではこういった重い原子を寄せ集めておくことが肝心だ。原子が分裂するとき、高エネルギーの中性子が数個放出される。それを近くの複数の原子が吸収して分裂する。それによってさらに多くの中性子が放出されるので、またさらに多くの原子が分裂する。こうして生じる連鎖反応［同じ意味である『チェーン・リアクション』というタイトルの映画があるのだが、かなり過小評価されている。次作で取り上げたらどうかって？　先行予約をよろしく頼むよ……］の暴走によって、巨大なエネルギーをもつ爆発が生じるのだ。これまでに戦争で使われた原子爆弾は2発だけで、広島と長崎に投下された。それぞれの爆発の威力は、TNT火薬にして14キロトンと18キロトンに相当するものだった。

一方、水素爆弾、または熱核爆弾が利用しているのは核融合であり、はるかに強力である。

核融合は、我らが太陽が熱と光を生み出すのと同じプロセスなので、私たちの存在は核融合によって成り立っているとも言えるだろう。しかし、核融合によって与えられたものが、いつの日か同じ核融合によって奪われるかもしれない。そうさせないためには、世界中の水素爆弾を決して爆発させてはならないのだ。

核融合では、2つ以上の小さい原子が融合する。典型例は、重水素や三重水素といった、水素の同位体の融合だ。核融合反応を起こすには、大量のエネルギーの供給が必要となる。そのため、実は水素爆弾は、2つの爆弾を合わせた仕組みをしている。一次爆発装置内では核分裂反応を起こさせる。それを利用して、二次爆発装置内でさらに大きな核融合反応を起こす。最初の核分裂反応が果たすのは起爆の役割であり、核融合反応を起こすために必要となるエネルギーを供給しているわけだ。当然のことながら、この種のエネルギー移動のメカニズムは最重要の機密事項だ。爆弾の設計によっては、核融合によって生成された中性子が高速で動き回り、核分裂をしている部分の重い原子に衝突することでさらなる分裂を引き起こす。つまり、核分裂と核融合が反応を促進し合う仕組みをとっている。

水爆が開発されたのは第二次世界大戦後のことだ。人類初の水爆実験は1952年にアメリカによって行われ、TNT火薬で9000キロトンに相当する量のエネルギーが放出された。実際に確認する気にはとうていなれないが、水爆の威力は、最大規模の原爆の1000倍にも達しうると考えられている。恐ろしいのは爆風だけではない。被爆によりもたらされるものは、間違いなく、もっと悲惨だ。

コラム

サイズが肝心

冷戦の時代、ロシア人とアメリカ人はより強大な水素爆弾を開発して国力を誇示しようと躍起になっていた。史上最大の核爆弾の実験は、1961年にソビエト連邦によって行われた。「ツァーリ・ボンバ（核爆弾の皇帝）」との異名をもつこの爆弾は、重量にして27トン。搭載用に特別に改修された爆撃機にもその巨体は納まりきらず、機体の底面に縛りつけられることとなった。そして、ソ連最北端にあるバレンツ海の群島に向けて、巨大パラシュートつきで投下された。爆発により放出されたエネルギーはTNT換算で約5万2000キロ相当、広島を壊滅させた原爆の4000倍近くである。爆心地点――地表において最も爆発に近かった場所だが――から55キロメートルの村はすべての建物が破壊されてまっ平らになった。

この爆弾についてさらに驚くべきことがある。予定ではもっと大きいはずだったのだ。設計者の1人が、ロシア人科学者のアンドレイ・サハロフ。彼は層状構造の爆弾を発明し、「スロイカ」（層状のケーキ）と呼んだ。各層はウランで仕切られており、起爆時にはこのウランも核分裂を起こすはずだった。推定出力はTNTに換算して9万1000キロ相当。サハロフはこの水爆実験で飛散する放射性物質によってソ連全土に壊滅的被害が及ぶのを恐れ、設計を変更し、ウランの層を鉛の層に置き換えた。このツァーリ・ボンバが一因となって、2年後の1963年に部分的核実験禁止条約が締結され、大気圏内での核兵器実験が禁止されるに至ったと考える者は多い。その後、ツァーリ・ボンバに匹敵する威力をもつ兵器はつくられておらず、核実験は地下でのみ行われるようになった。

14キロトンの原爆を都市上空で爆発させるとどうなるのか？　まず、火球の温度は数千万度にも達する。爆発のエネルギーは熱の形で放出されるだけではない。爆風が生じ、強烈な空気の圧力が衝撃波となってとてつもない速さで広がる。放射線も地表に到達する。爆心地から数百メートル以内のすべてが熱線で焼かれ、爆風で飛ばされるため、まるで蒸発したかに見える。形成された火球は上昇し、それと同時に冷却され、また膨張もするため、あの特徴的なキノコ雲ができあがる。汚染された破片や粉塵が致死的な放射性降下物となって、このキノコ雲から、爆心地周辺の広大な範囲へと降り注ぐ。即時的かつ局所的な影響は甚大だ。人口密度にもよるが、数万人から数十万人が死亡する。だが長期的な影響によって、死者ははるかに増えるだろう。

1980年代、カール・セーガンをはじめとする科学者たちは、核戦争によって地球が「核の冬」に突入する可能性に初めて目を向けるようになった。メキシコに激突して非鳥類型の恐竜を一掃したような巨大隕石の落下（第2章参照）と、核戦争（たとえそれが「小規模」であっても）との間に、類似性があるはずだと気づいたのだ。ここで核戦争として想定されているのは、たとえば、報復措置が繰り返されることで、14キロトン級の爆発が100都市で起こるといったことだ。

ＮＡＳＡは精度のよい気候モデルを使用して、爆弾の応酬の影響を検証し、次のような可能性を示した。まず、都市の火災により約500万トンの煤《すす》（黒色の炭素粒子）が巻き上げられて、高層大気内で浮遊する。その結果、太陽光が遮断されて、10年間にわたり大気の温度や地表面の温度が低下する。地球規模で温度が大幅に低下するため、ミニ氷河期のような状態になる。それだけではない。降水量（主に降雨量）は減り、地球を保護するオゾン層も減少するため、太陽からの危険な紫外線がこれまでよりも多く地球表面に達するだろう。

こういった影響はまさに世界全体に及ぶ。核戦争となったら、巻き込まれないでいるのは不可能だ。たとえ核紛争が局所的なものにとどまったとしても、地球規模で環境に影響が及ぶ可能性がある。その結果、農作物の収穫量が減少し、何百万もの人々が餓死することになるだろう。さらには、長期的な被曝量増加によって、癌や不妊症をはじめとするさまざまな病気の発症率が増加する。核戦争は絶対に避けねばならないのだ……。

これまで人類はどのようにして世界最終核戦争を回避してきたのか

核爆弾が落とされようとしていると聞いたらどうする？

友達を集めて、ボードゲームの「リスク」で最終決戦をやるかなあ。

この世の終わりってときに、世界征服ゲームをやりたいのかい？　悪趣味だなあ。

僕はあれがすごく得意でね、負け知らずなんだ。

だから何？

悲惨な状況で世界が滅亡して死ぬとしても、勝って、気分よく旅立ちたいからね。

映画では、ソ連が秘密にしていた「皆殺し装置」の存在を知ったストレンジラブ博士が困惑する場面がある。彼がこう言うのはもっともだ。「隠していたら、皆殺し装置の存在意義がないではないか！」この存在意義とは何のことかというと、博士はゲーム理論に基づいて話しているのである。

１９６８年の核拡散防止条約締結時に核兵器を保有していたのはアメリカ、ソ連、フランス、イギリス、中国の5カ国だけだった。そして、ここ20年ほどで、インド、パキスタン、北朝鮮、そして非公式にはイスラエルも核保有国となった。１９８０年代をピークに核弾頭の総数は減少しているとはいえ、いまだに数万個が世界中に散らばっている。こんな状況で、私たちはどうやってこれほどの長期にわたって核戦争を回避できているのだろうか。

確かに危機的状況は何度かあったものの、いずれも最終的には核抑止力や「相互確証破壊（ＭＡＤ）」というなんとも明るい考え方により、核の使用には至らなかった。

相互確証破壊の考え方が最初に示されたのは１９５０年代のことだが、当時はまだ核爆弾による粉塵の致死的影響や、引き起こされる気候変動までは考慮されていなかった。それでも、2国以上の核保有国が互いに総力を挙げての報復合戦を続ければ、先制攻撃をしようがされようが同じ結果になることに人々は気づいたのだ。すべてを徹底的に破壊し尽くすのが、そういった兵器の力なのだから。ストレンジラブ博士が言うとおりで、「核抑止力とは、敵に我々を襲うことを恐れさせる技術」なのだ。

とても危ないゲームのように感じないだろうか？　研究者たちは、ゲーム理論という数学の一分野を使って、この考え方をモデル化した。このモデルを使えば、合理的な意思決定者の協力と対立について検討することができるようになる（もちろん、比喩的な意味での赤いボタンに手をかけている全員が合理的な意志決定を行うかといえば疑問だらけではあるが）。ゲーム理論は、ポーカーのような、偶然と技術が関係するゲームを解析する方法として始まったが、1940年代以降は戦争やその可能性にも応用されるようになった。ゲーム理論を用いれば、他のプレーヤーの出方によってあなたの判断が良策だったかどうかが変わり、逆にあなたの出方によって他のプレーヤーの判断が良策だったかどうかも変わるような状況について、分析できるのだ。参加者は誰で、誰が何を知っていて、何が目的で、何ができて、何が起こりうるかということを設定しておく。そうすれば、枝葉末節がはぎとられて、その状況の論理的な骨子が明確になる。ただし、終盤に至る流れはわからないかもしれないし、望ましい結果が得られるとも限らない。

「囚人のジレンマ」として知られる簡単な例を紹介しよう。犯罪者2人が逮捕されたとする（リックとマイケルと呼ぼう）。取り調べはそれぞれの独房で別々に行われるのだが、双方ともに黙秘を貫けば、2人ともが軽い刑（たとえば懲役1年）になるとする。しかし、もう1人のことを信頼できるだろうか？　リックが自白して、マイケルが黙秘した場合には、リックは釈放されるがマイケルの刑期は最も長くなる（懲役10年）のだ。マイケルが自白した場合に備えて、リックは自白しようかなと考える。逆もまた然り。リックが取り調べの圧力に負けてしまえば、マイケルは自白したほうがましになるからだ。2人ともが自白すると刑期は相手に出し抜かれるよりは短くなるのだ（懲役5年）。

結果が両者にとって最善のものとなる（2人の刑期の合計が最小となる）のは、双方が口を割らないことだ。それには信頼関係が必要なのだが、そんなものはない。簡単な答えはないのだ。核戦争（実際はどんな戦争でも同じだが）の選択肢とは、攻撃するか、攻撃しないかである。もし一度きりだと決まっているのなら、ゲーム理論からわかるのは、最も信頼性が高く合理的な戦略とは攻撃することであり、囚人のジレンマの場合には自白して共犯者を裏切ることだ。しかし、最初の攻撃で敵の脅威を無力化できない限り、攻撃は一度だけでは終わらない（これについては後述する）。どうしても長期戦になる。報復が繰り返されるためだ。

囚人のジレンマの場合では、これは取り調べが何回も行われ、しかも前回の取り調べによって利害関係が変わるということに相当する。マイケルに裏切られれば、リックは報復する可能

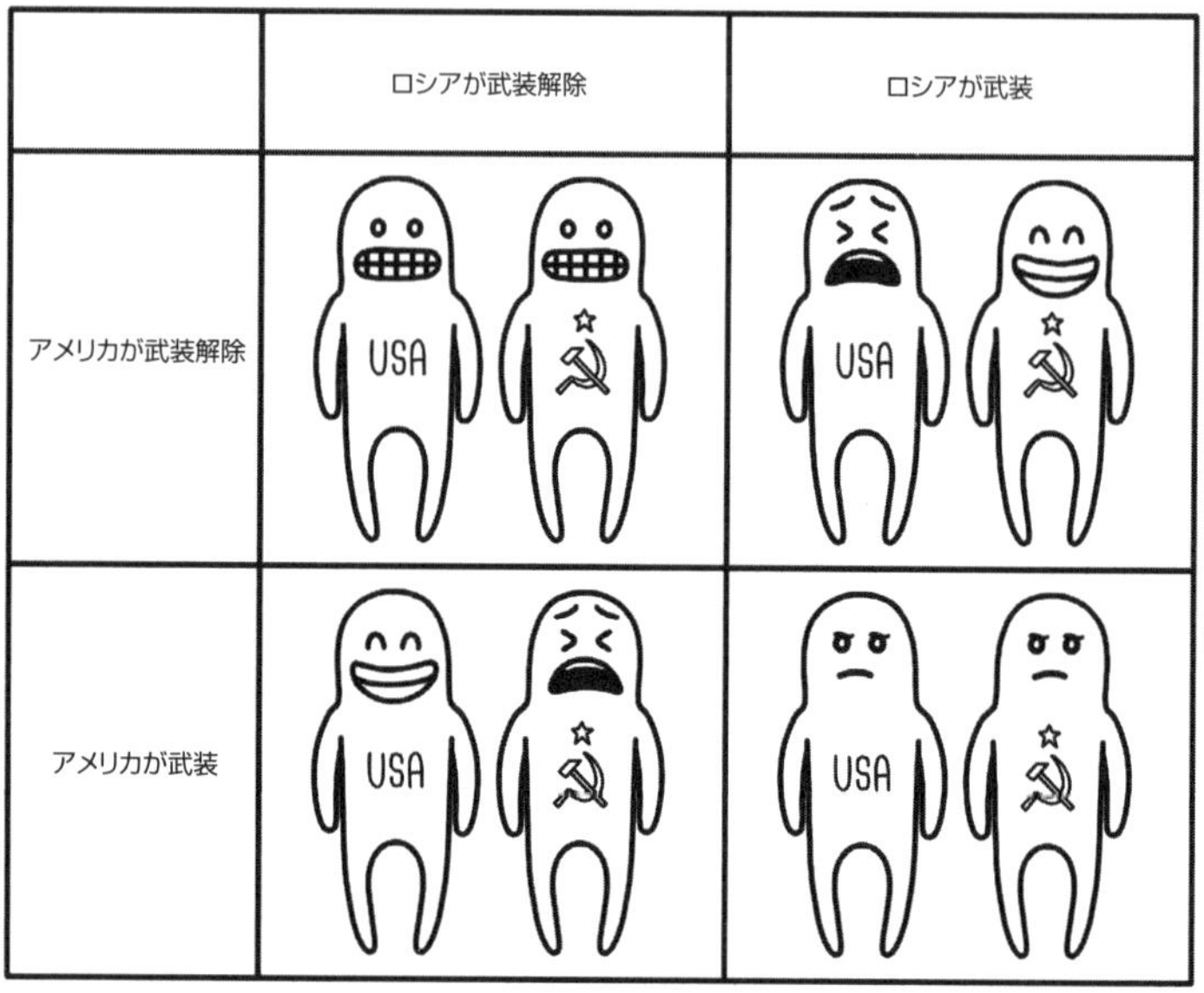

ゲーム理論では、武装にせよ武装解除にせよ、双方が同じ状態になっている場合には、どちらの側もそれほど幸せではないとされる。だが、均衡が崩れた状態はもっと悲惨だ。

性がある。報復の可能性に脅かされるとすれば、目先の利益だけを求めて判断することができなくなる。長期的に見て意味のある決断をしなければならないのだ。こうして、戦略は協調のほうへとシフトすることになる。これは最適な核戦略でもあるのだ。

報復という脅威の有効性を保つというのが、１９７０〜１９８０年代に、ロシアとアメリカが核兵器保有数をいたずらに増やし続けたことを正当化する理由の１つである。ゲーム理論からも予測されていたことだ。核武装か核廃絶かの選択肢が双方にある場合、双方が核を廃絶するのが実際には最善の結果だとわかってはいても（核戦争の可能性がなくなるうえ多額の予算を削減できる）、相手方が核武装を続けているのに自分だけ核を廃絶したせいで自国を壊滅の危機にさらすなどというリスクを負うわけがないのだ。結局、双方が、軍備を維持し続けることになる……。

この話には1つの前提がある。敵対者の報復を確信していないといけないのだ。だからこそ、ストレンジラブ博士は、ロシア側が「皆殺し装置」を隠していたことに、あれほど困惑したわけだ。この装置は自動報復システムで、ロシアへの攻撃を検知すると、人間の判断を待たずに即座に反撃として全世界を壊滅させる恐るべき爆弾を発射する。こんな恐ろしい結果を招くと思えば、誰であっても、ロシア攻撃を開始するボタンを押すのを躊躇《ちゅうちょ》するだろう。だが、そんな抑止力が生じるのは、そのシステムがあるとわかっていればこそなのだ。

事実は小説より奇なりともいうべき展開で、1970年代にロシアはこれとそっくり同じようなシステムをつくり始めた。「死者の手（英名デッド・ハンド）」と呼ばれたこのシステムは、ロシアの高官からの指示が十分に早く来なければ、報復攻撃として核爆弾を自動で発射する［必要なセンサーは装備されていたものの、このシステムが完全自動化されることはなかったと考えられている］。しかも、ロシア人たちは何年にもわたってこの計画を隠していた。つまり、そのシステムが抑止力になるとは考えなかったのだ。どうやら、核抑止のルールを理解していなかった者もいたようだ。

だが、この危険なゲーム全体の均衡を崩すことは可能である。核抑止力について理解したうえで、それを無力化する計画を立てられるかもしれない。「対兵力攻撃」といって、兵器や施設のみを叩いて敵の核攻撃能力をゼロにするのだ。そうすれば、もう抑止力はなくなるので、報復を気にせずに攻撃できるようになる。

このシナリオを回避するために、ロシアもアメリカも核兵器をあちこちにばらまいて、陸、空、海、どこからでも発射できるように準備している。たとえば、核兵器を配備した潜水艦が海中をひそやかに動き回っている。これらの追跡は困難であるため、核攻撃能力を完全にゼロにするのは容易ではない。だからといって開発を断念しているわけではない。さまざまな国が潜水艦の航跡である乱流を発見して追跡する方法を開発しようとしているとの噂もある。それでも、抑止力という考え方が崩れることはない。敵によって陸上の核兵器が破壊されれば、いつでも潜水艦や飛行機を使って報復できるのだから。

こういった全体像についての大きな問題とは、なんらかの対策がなされれば、さらにそれへの対策が講じられるといった具合に、軍拡競争が助長されることだ。敵は常に、こちらが保有している抑止力としての核を破壊あるいは無力化する方法を模索しているので、自分も同じようにしなければならない。結局のところ、一方のテクノロジーが、相手の兵器を確実に検知して排除できる段階に達してはじめて先制攻撃が可能となり、勝利への道が開かれる。つまり、これまでのところの主な勝ち組とは、攻撃防御テクノロジーを研究・開発・製造・販売している企業なのだ。理想からは程遠い状況である。だが、前向きに考えれば、少なくとも私たちみんながまだ地球上に存在している。ここまでのところは、まずまずなのだろう。それとも……？

現在、私たちはどのくらい安全なのか？

トーマス・シェリングという人物が、実際に核戦争に適用できるゲーム理論についての本を書いてるんだ。『紛争の戦略』ってタイトルでね。

その人、『博士の異常な愛情』製作前に、キューブリックの相談に乗ったらしいよね。

それだけじゃないよ。ノーベル賞受賞者でもあるんだ。

ノーベル平和賞かい？

いや、経済学賞だよ。

まあそうだろうね。

「終末時計」について聞いたことはあるだろうか？　米科学誌『ブレティン・オブ・ジ・アトミック・サイエンティスツ（原子力科学者会報）』が誕生させた憂鬱な名称のこの時計が示すのは、人類が滅亡にどれほど近づいているかである。終末時計の針が真夜中の午前0時に近づくほど、地球滅亡の脅威が差し迫っているという意味になる。

終末時計が初めて登場したのは1947年のことで、午前0時までの残り時間は7分とされた。1952年にアメリカが最初の水爆実験を行い、そのたった1年後にソビエト連邦が水爆実験に成功したことで、1953年には残り時間が2分にまで減ることとなった。冷戦が終結し、ソビエト連邦が崩壊した1991年には比較的平和になったとして残り時間が17分まで増えた。しかし最近になって再び終末に近づきつつある。北朝鮮が核開発を進める現状を受けて時計の針はさらに進められ、2018年1月には残り時間が2分半から2分へと縮まり、過去最短記録と並んだのだ。翌年もその数字は変わらず、今も危険な状況が続いている［訳註：2020年には残り100秒と発表されて史上最短となった］。

こういった終末時計の針の位置がどのように決められているのか、少し曖昧ではある。だが、

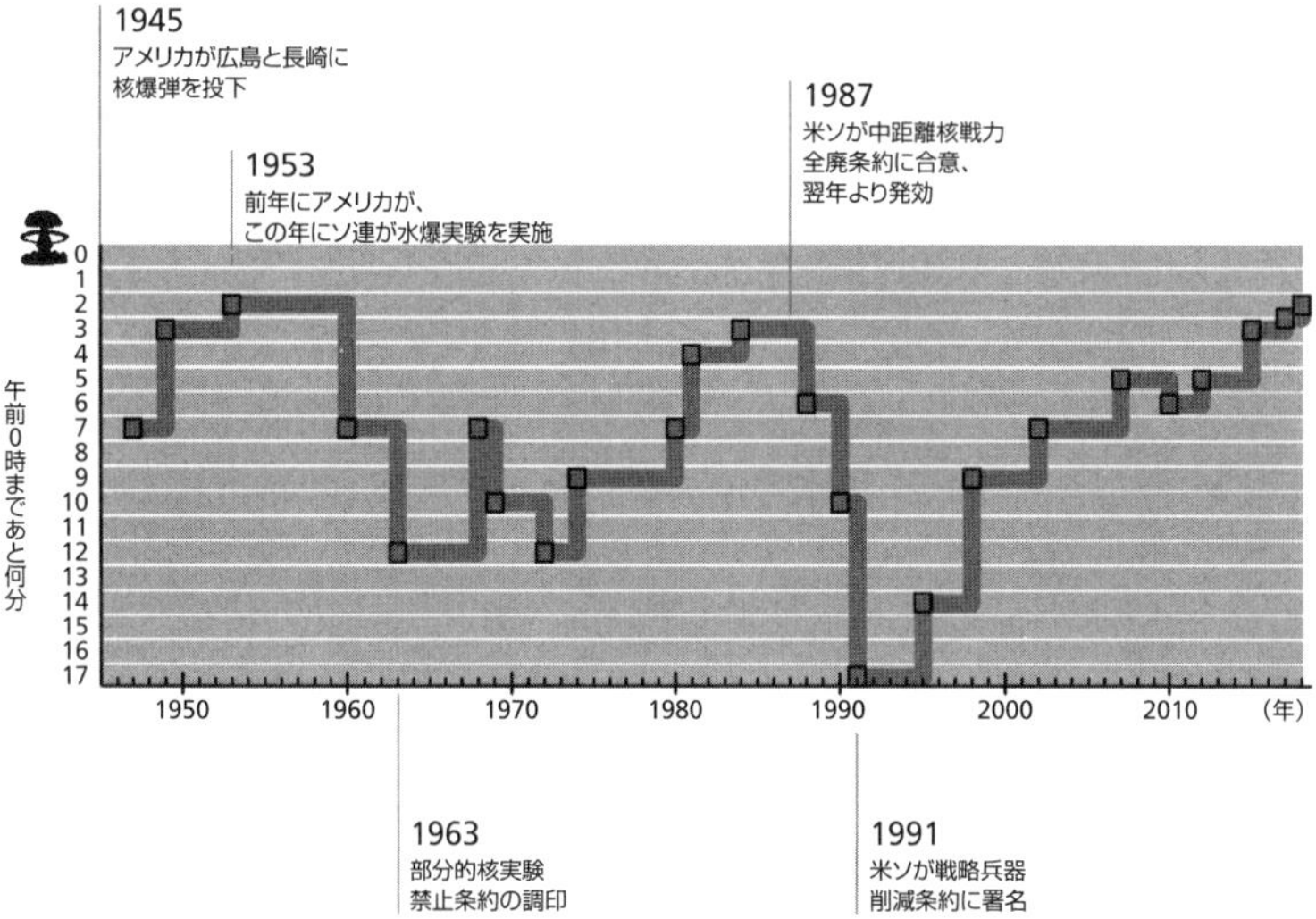

終末時計は真夜中の午前0時、つまり人類滅亡までの残り時間を示すものだ。
現在、かつてないほど午前0時に近づいている。

同誌が広範な要因を反映させていることはわかっており、核戦争の脅威はその１つにすぎない。壊滅的な気候変動の可能性も要因の１つである。世界的な核秩序は「長年にわたって悪化し続けている」と考えられており、２０１８年に特に懸念される状況となったが、その理由については後ほど説明することにしよう。

アメリカの核戦力の指揮統制には必ず葛藤があり、それは「常に」と「決して」のせめぎ合いとして知られている。まず、核兵器を抑止力として機能させるためには、戦時下で即座にそれらを使用できるだけの能力を「常に」保持することが必須である。その一方で、平時に核兵器を何かの間違いで発射するようなことは「決して」あってはならない。これらの要件は明らかに相反するものであり、矛盾が生じる。第一の要件を満たすために考えられる管理上・技術上の措置の多くによって、第二の要件を満たすのは難しくなるし、その逆もまた同じなのだ。

核攻撃開始を決定する場合には、はっきりと異なる2つのシナリオがある。第一のシナリオは、敵の動きを監視していた軍部が緊急の脅威があると判断した場合だ。敵が核兵器の発射準備をしている、あるいはすでに発射したことが疑われる状況などがこれにあたる。この場合には、核攻撃開始に向けて大統領の判断を仰ぎ、大統領はその報告に基づいて判断を下す。大統領が許可を与えれば核攻撃が行われる。

理想としては、そのような決断を下す前に大統領が国家安全保障担当補佐官と協議することだが、実際には協議が必須なわけではない。判断プロセスは非常に簡便化されている。冷戦時代に整備された仕組みなので、発射命令が極度に迅速に伝わるようになっているのだ。核を搭載した大陸間弾道ミサイルがシベリアから飛んできているときに、のんびりしている暇はない。

核兵器発射にまでエスカレートする第二のシナリオは、より憂慮すべきものである。このシナリオは、核によって「世界が見たことのない炎と怒り」を解き放つ時が来たと大統領が自発的に決定するというものだ［訳註：括弧内は2017年8月の米トランプ大統領の発言］。大統領は軍部に命令を出す。幸いにも、軍部は違法な命令を拒否する訓練を受けている。大統領が上級顧問たちとの事前協議を飛ばしてこのようなことを試みれば、警報のベルが鳴り響くことだろう（比喩的にも文字どおりの意味においても）。国家安全保障チームに警告の連絡が入り、大統領はこの決定を押し通したければ彼らを説得しなくてはならない。少なくとも、これで少しは時間を稼げるはずだ。

だが、恐れるべきはお粗末な意思決定ではない。最近では新たな懸念も生まれている。現在では敵が指揮統制システムをハッキングして、内部から混乱を生じさせることが可能なのだ。これはインターネットに接続していなくても起こりうる。

こういったハッキングの最初にしておそらく最も有名な例が、デジタル兵器「スタックスネット（Stuxnet）」だろう。現実の世界に物理的損害を及ぼして、ウイルス業界に新天地を切り開いた。このウイルスによって、イランの核計画の重要な構成要素であるウラン濃縮用遠心分離機の多くが故障した［**もちろん、イランがそんなに多くのウラン濃縮用遠心分離機をもっているのはおかしな話なんだけどね！**］。ウイルスによる攻撃を防ぐために、すべての装置は「エアギャップ」という手法でインターネットから隔絶された状態にされていた（核の指揮統制システムと同様である）。しかし、攻撃者たちは（確定はしていないがアメリカとイスラエルの非公式での連携作戦である可能性が高い）、ウイルスを仕込んだＵＳＢメモリーを遠心分離機の制御装置に差し込むことができれば、そのような対策を出し抜けると考えた。そこでまず、イランの核施設で作業することがわかっている請負業者5社のコンピューターを感染させた。ウイルスはこれらのコンピューターの中で休眠状態となって、ＵＳＢメモリーが現れるのを待つ。差し込まれるとすぐさまそちらに乗り移り、USBメモリーが標的の機器に挿入されてはじめて攻撃を開始する。任務完了。何が起きたのかをイラン側が解明するまでにかなりの時間を要した。

何らかのサイバー攻撃の存在が疑われる他の例としては、イギリスによる核ミサイル「トライデント」の試験失敗が挙げられる。少々恐ろしいことに、2016年の、誤ってアメリカに向けて飛んだのだが、ミスが判明するとすぐさま自爆した。原因について政府は公式見解を示していないが、そこにはある種のサイバー攻撃との類似点が見てとれる。トライデントのシステムもまた、インターネットからは完全に隔絶された状態だった。しかし、ミサイルを発射した潜水艦は修理されたばかりであり、この修理作業には複数の下請け業者が関わっていた。スタックスネット型の攻撃を仕掛けたい者にとっては、絶好のチャンスがあったわけだ。

ところで、この種のことは、簡単にはなくならない。アメリカの指揮統制システムの大部分は旧式であり――わずかだがフロッピーディスクが使われているほどだ――全面的にアップグレードされつつある。しかし、この複雑な交換によって予期せぬ侵入口ができてしまい、ハッカーの標的になるのではと危惧する人もいる。とにかく、ハッカーというのは能力の高い連中なのだから［映画『サイバーネット』を観た人ならわかるだろう］。

トランプによって事態は改善したのか、悪化したのか？

相互確証破壊ってさ、僕のなりたかった仕事に影響を与えたんだよね。

ゲーム理論の専門家になろうと思ったのかい？

違うよ。僕は戦闘機のパイロットになりたかったんだ。戦闘中に死ぬリスクがないっていう条件つきでね。相互確証破壊があるから、戦争はもう起こらないって思ってたんだ。

その考えは当たらなかったってことだよね。まあ、少なくとも、僕はゲーム理論の仕事をしているわけだけど。

どういうこと？　君はクイズ番組の司会者じゃないか。

そのとおり。出場者全員に、勝負《ゲーム》の背後にある理論を説明する役目だってこと。

『博士の異常な愛情』の冒頭では、こんな注意書きが映し出される。「この映画に描かれているような事故は絶対に起こりえないことを合衆国空軍は保証する」。しかし、これは正しくはないかもしれない。

元軍事アナリストのダニエル・エルズバーグは、スティーヴン・スピルバーグの映画『ペンタゴン・ペーパーズ／最高機密文書』で描かれたように、ベトナム戦争に関わる機密文書を持ち出した人物としてよく知られている。その彼が、ある将軍に核攻撃を開始する力があったことを詳しく語っている。アメリカにおける核の指揮統制は大統領のみの掌中にあると多くの人は考えていたが、まったくそうではなかったのだ。実際に、１９６０年代には、空軍参謀総長であったルメイ大将が戦略空軍の責任者であり（『博士の異常な愛情』については「こんなことが起こりえるはずがない」と発言した）、空軍の核兵器配備についての最終的な権限をもっていた。しかも、ロシアを一掃する計画もあった（一度にできるだけ多くの共産主義者を倒そうと考えたとすれば中国も含まれるだろう）。これは、人口2万5000人以上のすべてのロシアの都市に核兵器を発射するというものだった。つまりは、完全なる殲滅作戦である。

そして今、恐るべき男が登場した。執筆時点で終末時計の針がこれほどまでに午前0時に近づいているのは、オレンジ色の顔をしたあの男のせいなのだ。ドナルド・トランプ大統領が核のボタンに手をかける人物としてふさわしいかどうか、有識者たちは大きな懸念を表明している。たとえば、さまざまな大学で要職を歴任し、現在ハーバード大学の上級研究員でもある公衆衛生専門家のフレデリック・バークルは、トランプ（と金正恩とウラジーミル・プーチン）には反社会的人格障害の兆候が見られると示唆している。その意味するところは、彼らは平和にはほとんど興味がないのに、紛争が続くことには大いに関心があるということだ。専門家のなかには、トランプが完全に独断で動いて、衝動的に核戦争を始める可能性が確実にあると感じている者もいる。では、このような懸念の妥当性について検証してみよう。

狂気は『博士の異常な愛情』の大きな特徴である。だが現実世界では、狂気は必ずしも悪い方向に機能するわけではないようだ。実際に、私たちが論じるべき、核兵器が関係する相互確証破壊（MAD）のシナリオにおいては、非常にプラスの効果をもたらしうる。そう、2017年の、トランプが錯乱したかのような予測不能な北朝鮮との交渉には、多くの人が震え上がったものだ。だが行動理論の専門家のなかには、このアプローチは直観には反するものの、状況に対処するための非常に賢明な方法だと考える者もいる。

これは実際にマッドマン・セオリー（狂人理論）と呼ばれる戦略で、アメリカは以前にも使っている。リチャード・ニクソンが1960年代に対ロシアで使用したのだ。アメリカ側はわざとロシアの情報筋に次のような情報を流した。誰もニクソン大統領を抑えることはできないし、ニクソンは理屈が通じず、衝動に駆られやすいのだと。なぜこれが優れた交渉術なのか？　ゲーム理論からわかるのは、可能性のある結果をよく検討する必要があるということだ。実際のところ、検討すべき結果は2つしかない。衝突か、交渉による歩み寄りのどちらかだ。

コラム

核を生き延びるための手引き（切り抜いてお手元に）

1　大国からできるだけ離れた、太平洋の真ん中あたりの孤島に引っ越す。

2　ちょっと現実的ではなかったかな。スイスの友人の家に泊めてもらおう。すべての家には核シェルターが設置されているか、核シェルターへの避難が可能な状況が確保されることが、法律で定められている。

3　もし爆心地の近くにいるのなら――そもそもそんな場所にいるべきではなくて、離島かスイスの核シェルターにいるべきなのだが――見てみたい気持ちはわかるが爆発を直視してはいけない。目が見えなくなるからね。

4　できるだけ早く避難所を見つけて、そこに留まること。戸外にいるよりも建物の中心部にいたほうがいい。

5　服を全部脱いで、捨ててしまうこと。放射性物質がくっついているだろうから。

6　可能であれば、時間をかけてシャワーを浴びること。あまり強くこすらないように。皮膚が破れてしまうからね。

7　やっぱり、とにかく孤島に引っ越したほうがいい。

現在、アメリカにとっての最善の結果とは交渉による歩み寄りであって、核開発の縮小あるいは棚上げに向けて北朝鮮の同意を引き出したいと考えている。しかし、交渉を有利に進めるには、北朝鮮に対して先制核攻撃を行うという脅しをアメリカが実行しかねないと思わせる必要がある。結局のところ、アメリカにとって先制核攻撃は明らかに国益に適うものではない。そんなことをすれば全面的な核戦争へとエスカレートして、北朝鮮の標的となるだろう韓国などの同盟国まで含めると、数百万とまではいかないまでも、数万、数十万という犠牲者が出る可能性がある。理性的に考えれば、このような決定がなされないのは明らかである。つまり、理性的ではないように見せかけるのが、脅威を現実のものと思わせる唯一の方法なのだ。

興味深いことに、北朝鮮も同じ戦略を用いているものと思われる。北朝鮮の立場についても同じ議論が成り立つからだ。実際のところ、北朝鮮には脅しになるほどの核兵器さえない。北朝鮮の軍備が圧倒的に劣っていることを思えば、脅しをかけてくるその姿勢はさらに無謀なものと感じられる。

だが、交渉の姿勢の裏側に隠されている事実がどんなものであろうとも、両首脳にとって、ちょっとした旨味のある副次効果がある。トランプ大統領の攻撃的な姿勢は共和党支持基盤からの受けがいいし、現実に行動に移さなくても議会などに足を引っ張られているせいだといつでも言い抜けできるのだ。そして金正恩にとっては、アメリカが軍事行動を起こさないこと自体が大いなる勝利だと主張できる。世界の超大国と張り合ったうえで、相手を譲歩させた形になるのだから。

しかし、アメリカと北朝鮮の関係は安定してはいない。本書の執筆時点では、２国間の関係は落ち着いていて、トランプと金正恩は比較的に友好な関係を築いているようだ。だが、そんな状況は瞬時にして変わりうる［私たちの暮らしも安心できない状況が続いている。本書の印刷時点では、再び関係が悪化しつつある。あなたがこれを読んでいる時点では、どうなっているだろうか？］。どっちみち北朝鮮は兵器開発を継続するし、他にも懸念すべき動きは多々ある。

第一に、２０１８年にアメリカはイラン核合意（包括的共同行動計画）から離脱した。この合意はイランの核開発プログラムを大きく制限するものであり、核不拡散の観点から大きな成功を収めてきたにもかかわらず、である。第二に、アメリカは２０１９年２月までに中距離核戦力全廃条約を破棄することを計画していると報じられた［訳註：実際に2月に破棄された］。つまり、長年にわたり禁止されてきた中距離核ミサイルが再び登場するかもしれない。第三に、すべての核保有国が近代化計画を進めており、注意深く観察すれば、世界的な核軍拡競争へと回帰しているように見える。そして最後になるが、アメリカとロシアの軍事政策と手法を見ると、以前は、防衛計画において核の役割を最小化する取り組みがあったのが、今では核兵器を実際に配備することに焦点が当てられているのだ。

何よりも、私たちは、核兵器そのものの絶え間ない技術革新の時代を迎えつつある。オバマ大統領はアメリカの核弾頭の数を減らして世界に範を示そうとしたが、狙いどおりにはいかなかった。アメリカの取り組みに応えてロシアと中国が行ったのは、兵器の近代化だったのだから。

コラム

こちらも参考に

ハリウッドでは、ほぼあらゆる角度から核の脅威が取り上げられてきた。たとえばジョン・ウー監督の『ブロークン・アロー』は、核兵器が紛失したときや誤って爆発させたときに使われる軍の符丁がそのままタイトルとなっている。やはり米軍の符丁で、「エンプティ・クイヴァー（Empty Quiver）」［訳註：「からの矢筒」の意］という映画の内容にぴったりの用語があり、タイトルとしてもなかなかいいと思うのだが、なぜかジョン・ウーはこれを選ばなかった。不吉な予言性で際立つのが『チャイナ・シンドローム』だ。この映画のテーマは原子力発電所事故の隠蔽だが、１９７９年の映画公開のわずか12日後にペンシルベニア州でスリーマイル島原子力発電所事故が発生し、原子炉の一部が炉心溶融（メルトダウン）を起こすという惨事に至っている。トム・クランシー原作の『レッド・オクトーバーを追え！』は、アメリカ軍のソナーでも探知できない推進システム「キャタピラー・ドライブ」を搭載したソ連の原子力潜水艦の亡命を描いた作品だ。ショーン・コネリーのロシア語訛りが印象に残るこの映画にも、ジェームズ・アール・ジョーンズが登場する。どうやら核をテーマとした作品がお好みのようだ。また、1983年公開の名作『ウォー・ゲーム』では、マシュー・ブロデリック演じる若きハッカーが米政府のスーパーコンピューターに侵入して核戦争のシミュレーションを実行するが、これがシミュレーションなどではないと判明する。この映画に触発されて当時のレーガン大統領がサイバーセキュリティーに関する初の大統領指令を出したという噂が、ずっと昔からある。

もはや数の勝負ではないのだ。今の軍拡競争とは、新規性であり、戦術的・技術的な革新性である。ロシアが開発している水中ドローンは、敵の港に侵入して「汚い爆弾」を爆発させ、病気を誘発するレベルの放射能で都市を汚染する。説明してきたように、こういった戦力があるのなら他国に知らせるほうがいいので、ロシア側は意図的にこういった計画をリークしていると考えられる。アメリカの先制攻撃に対してこのような報復措置もあると示すことで、抑止力を有効に保っているのだ。

一方で北朝鮮は、アメリカ本土を攻撃可能な大陸間弾道ミサイル（ICBM）の開発を進めている。このような状況における定石に従って、トランプ大統領と軍事顧問たちは自国の兵器に多額の資金を投じている。敵対する可能性のある国が兵器を改良している状況を受けて、自分たちの脅しが有効に機能するよう腐心しているのだ。トランプの言葉を借りれば、彼らがつくろうとしているのは「どんな武力侵略をも抑止できるほどの、強力で破壊力をもつ核兵器」である。

特に気にかかる変化が、アメリカによる、核攻撃の開始許可についての政策変更だ。数十年にわたって、引き金となるのは、敵国からの核攻撃が目前に迫っているか実際に行われた場合であった。しかし今ではサイバー攻撃についても言及されている。重要なインフラ（たとえば携帯電話網や電力網など）への深刻な攻撃に対して核攻撃で報復する可能性があると発言されるようになったのだ。反対派は、完全に不釣り合いな対応だと指摘する。確かに少しばかり過剰反応だと思えるが、ハッタリで言っているのかどうかを実際に確認したがる者はいないだろう。

こういった状況を踏まえて、『ブレティン・オブ・ジ・アトミック・サイエンティスツ』誌は、この数十年間見られなかったような規制のない核環境へと世界が再び突き進んでいるとの判断を下した。現状は「ニュー・アブノーマル（新たな異常状態）」であって、「アメリカがより安全かつ健全な世界に向けて前進するための国際的合意の形成・支持においてリーダーシップをとっていた時代から、致命的かつ危険な逸脱をしている」という。さらに、人類が「事実とフィクションとの区別がつかなくなりつつある時期」にあるというその指摘には、『博士の異常な愛情』の結末が思い出されて背筋が寒くなる。

あと2分で、世界は真夜中を迎える。

第11章

ハリウッドに殺される　その方法は……

死！

「哲学にも宗教にもなしえなかった。いよいよ、科学の出番だ」

――『フラットライナーズ』（1990年）

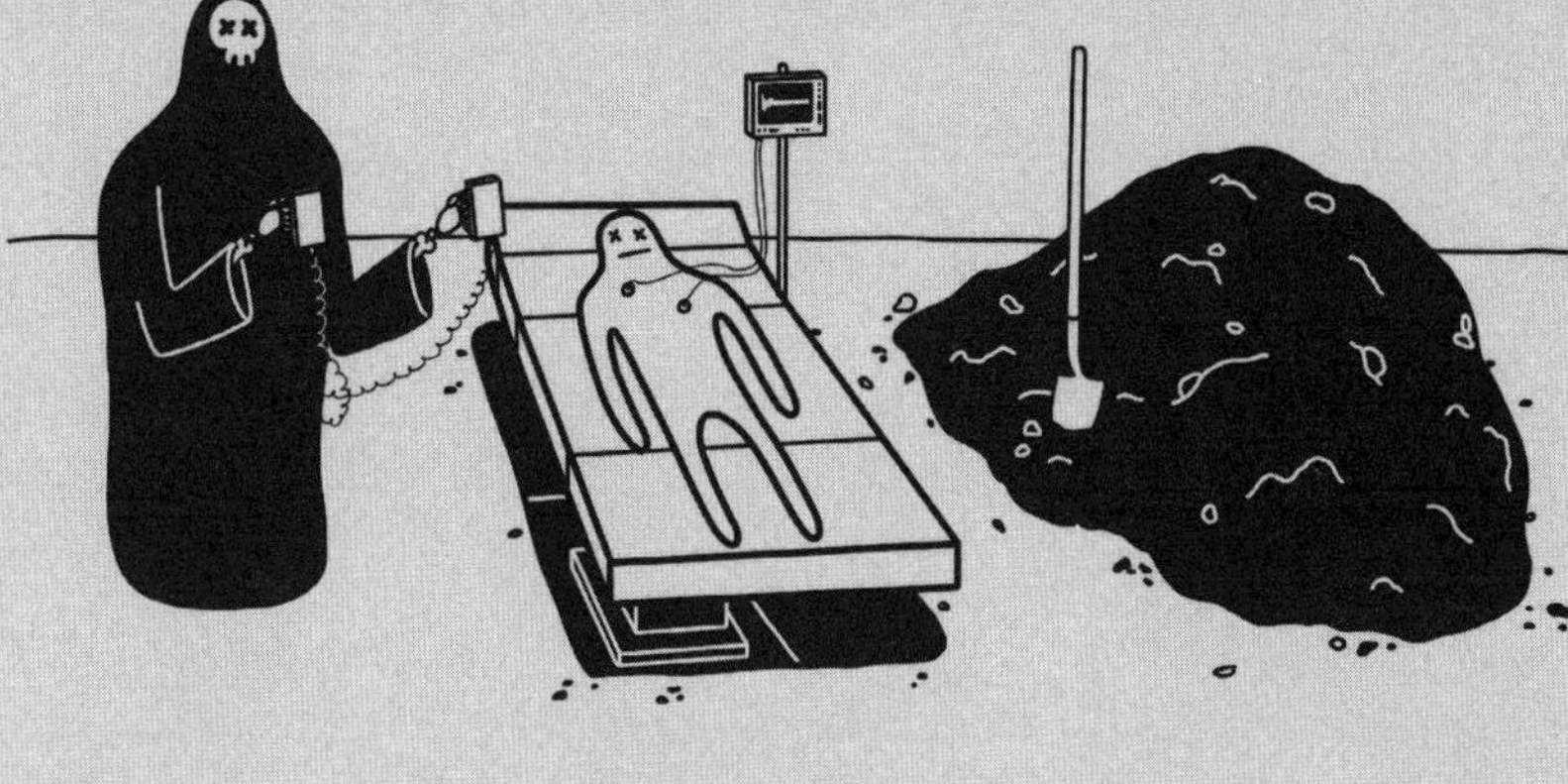

これまで見てきたように、死の原因をテーマとした映画は数多い。だが、死そのものを扱った映画はどうだろうか？　これまたたくさんある。誰もが死や死後に何が起きるかに魅せられているので、映画製作者からすれば、死というプロセスや死後のことを掘り下げた話をつくれば成功間違いなしなのだ。たとえば『ゴースト』を見てみよう――と思ったが、やっぱりやめて、と。ジョエル・シューマカー監督による1990年の名作『フラットライナーズ』にしよう。この映画では、キーファー・サザーランド、ジュリア・ロバーツ、ケヴィン・ベーコン、ウィリアム・ボールドウィン、そしてオリヴァー・プラットが演じる医学生たちのグループが、生と死を分ける境界線上にあえて踏み込む。生きるという経験を越えたところに何が待っているのかを知るためだ。彼らは交代で心臓を数分間停止させては蘇生させて（うまくいくことを願いつつ）、そこでの経験を振り返る。『フラットライナーズ』によって、臨死体験の魅力的な科学、蘇生の倫理性、死そのものの定義を考えることができる。最終章にふさわしい終わり方ではないか……。

「死」をどう定義するか

映画の登場人物のコートに執着しているみたいにとられると困るけど、キーファー・サザーランドのトレンチコート姿、大好きなんだよね。

確かに君が好きそうだ。ハリウッド映画では、トレンチコートを着ていれば主導権を握る人物っていうお約束があるからね。

確かに。『マトリックス』のキアヌ・リーヴスに、『カサブランカ』のハンフリー・ボガートもそうだ。

そのとおり。着たことある？

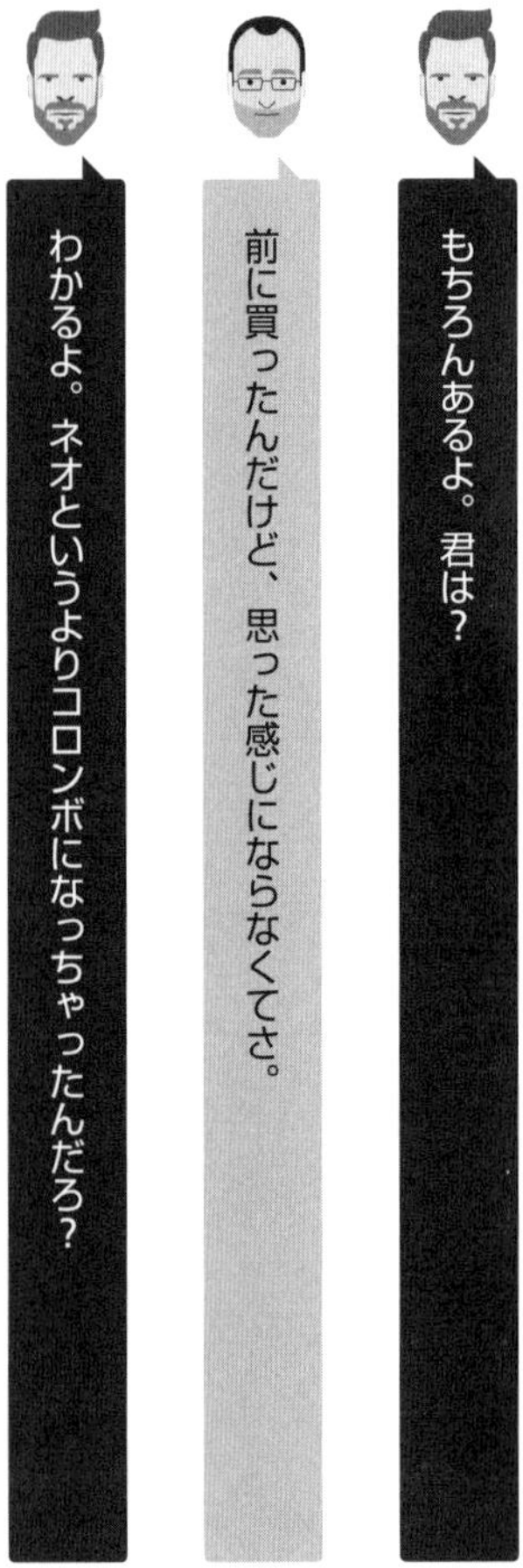
もちろんあるよ。君は？
前に買ったんだけど、思った感じにならなくてさ。
わかるよ。ネオというよりコロンボになっちゃったんだろ？

一般に、「死」は気楽に扱われるものではない。会話中に死の話題を持ち出せばわかる。相手は緊張したり、すぐに話題を変えたりするだろう。だからこそキーファー・サザーランド演じるネルソンのキャラクターが際立つのだ。彼は普通の人とは違って、死に真正面から取り組もうとする。「死ぬ気はない」とネルソンはクラスメートに言う。「僕は、生と死の答えを持って帰ってくる」。そうして、仲間たちは彼を殺す。

いや、殺してはないのかもしれない。彼は実際に死んだのか？「僕らは死んだ男と同じ部屋にいるのかな」とウィリアム・ボールドウィンが演じるキャラクターが問いかける。なかなか興味深い質問だ。

時には、私たちも、ちょっと前まで生きていたものが確実に死んでしまったのに出くわすことがある。たとえば、路上で車にはねられて死んだ動物だとか、自分の太ももに止まった蚊を叩いたとか。一方で、しょっちゅう臨終の判断をしなければならないのが医師たちだ。患者が生きているのか死んでいるのか、健康を取り戻させるための取り組みをやめてもいいのかどうか、恣意的に判断を下さねばならない場合もある。生と死の境界について、人々の考え方は変化し続けているのだから、実際にそれは「恣意的」な判断なのだ。

おそらくはこのことを意識して、人を生きながらに埋めたり焼いたりするのを避けるために、古代ギリシャ人やローマ人は用心に用心を重ねていた。彼らは腐敗が始まるのを3日間待つ。少し腐敗が進んだところで、はじめて葬儀の手続きを開始した。ローマ人はさらに慎重策を取った。死者の指を1本切って血流がないことを確認してから、死者の名前を3度呼ぶのだ。返事がなければ（この手続きに従いながらこの時点で返事があるとは考えづらいが）、手順を進めて、火葬のために火をともした。

そのうちに、人々は葬儀までそれほど待つのが面倒になってしまった。また、中世には、人々は生物学的な事実をもう少し理解するようにもなっていた。たとえば心臓の鼓動を確認して、口元に鏡をかざした。鏡が曇れば呼吸があるということなので、死んでいないと判断できる。心臓の鼓動や脈があるうちは、良心の呵責なしに亡くなったなどとは言えない。鏡も曇らず、鼓動も脈もなければ、葬儀屋の出番ということになる。

だが、これに誰もが完全に納得していたわけではなかった。伝染病が流行していたり戦時中だったりと、埋葬が急がれるような時期であればなおさらだ。ジョージ・ワシントンが、自分の葬儀の前に古代ギリシャ的な忍耐を求めたのもそれが理由かもしれない。死の床でワシントンはこう言ったという。「私をきちんと埋葬してくれ。だが、この体を棺に入れるのは、私が死んでから2日以上経ってからにしてほしい」。19世紀には、人々は「安全な棺」を求めるようになっていた。この棺の内部には、埋葬された後、土の下で息を吹き返したときに引っ張るための紐がついている。紐は地表に設置した鐘につながっているので、引っ張られると音が鳴り響くのだ。その当時、墓参り中に鐘の音を聞いてしまったらどんな気持ちになったかは想像しがたいが、「早すぎる埋葬防止ロンドン協会（London Association for the Prevention of Premature Burial）」は協会の存在を正当化してくれる実例が加わったと感謝してくれたことだろう。

「安全な棺」の新デザインの開発は１９５０年代まで続いたが、その頃には、この種の棺を求める声は消え始めていた。医師が、生きている者に対して死亡を判定するよりも、生きていない（かもしれない）者に対してまだ生きていると判定するようになってきたからだろう。１９６０年代には、生命維持の技術によって、死亡の判定がさらに困難になりつつあった。

そしてこの頃から、人間が自分自身でつくり出した問題が現れ始める。今日の病院は、呼吸をやめたのに誰からも死亡判定されない人たちであふれている。多くの症例で、本人に代わって呼吸を行う技術が使われるようになったからだ。心臓についても同じことだ。心臓が止まり、そのまま放っておかれればその心臓の持ち主は死んでしまうという状況は多い（心臓が自然に鼓動を再開することもありえるが）。しかし、私たちは、胸を繰り返し押して体中の血液を循環させたり、電気刺激によって心臓を本当に再スタートさせたりするテクニックを開発した。これらが『フラットライナーズ』では何度も繰り返される。つまり、心電図の線が水平《フラットライン》になっても、死んだことにはならないのだ。

１９６０年代、「バイタルサイン」を変化させる医療技術の開発によって、医師は大きなジレンマを抱えるようになった。たとえば人工呼吸器を考えてみよう。突然に、自分で呼吸をしなくなった人でも、血液に酸素を人工的に取り込むことができるようになったのだ。以前ならば致死的な脳障害まで一直線だったのが、もはや問題とはならなくなった。心臓が鼓動を続けていれば、血液で運ばれる酸素によってすべての臓器は機能し続ける。しかし、機械から独立しては生きられない人は、厳密な意味で生きているのだろうか。これに「ノー」と言ってしまうと、筋萎縮性側索硬化症（ＡＬＳ）や脊髄の損傷など、生命維持技術が不可欠な人からは反対の声が上がるだろう。

心臓に関していうと、除細動の技術は、心筋の収縮を再開させるために大きな成功を収めている。だが、どうも効果が見られないとなったときに、どのくらい除細動を続けるべきなのだろうか。１９９７年のアメリカ国立衛生研究所の報告書では、心臓の鼓動が停止してから５分後に死亡が確定するとある。だが２０１３年のアメリカ心臓協会の報告書では、医師は患者の心停止後に心肺蘇生を38分間続けた後に死亡を宣告すべきとしている。

このような意見の相違を考えれば、心臓や肺から、脳に焦点が移ってきたのは当然のことだ。脳が活動していなければ、それは死に違いない。当然のように思えるのに、ここでも多くの論争がある。まず、脳の活動をどう定義するのか？

２０１９年４月、イェール大学の研究チームは、死後４時間が経過した豚の脳に酸素と栄養を供給するという実験を行った。驚くべきことに、この刺激によって、脳細胞の一部が機能を再開したのだ。その後36時間にわたって、これらの細胞は糖を代謝しタンパク質を生産した。このようなプロセスによって意識が回復するかどうかは誰にもわかっていない。研究チームは、ニューロンの電気的活動を抑える薬を投与することで、あえて豚が意識を取り戻さないようにしていた。だが、脳の組織の一部を取り出して、電気刺激を与えたところ、なんとニューロンに活動電位が発生したのだ。そして、これよりもさらに奇妙と思われる実験結果もある。シャーレで培養した脳細胞が、人間のものとよく似た脳波を発生したのだ。それは、とりわけ未熟児の脳波に似ていた。つまり、脳活動の信号のみで生死が決まるわけではないということだ。

それにもかかわらず、最近では脳から発せられる信号によって死が定義されており、「脳幹を含む脳全体の機能が不可逆的に停止すること」が、もはや後戻りできない死に至ったことだとされている。この状態になると、患者が機械の助けなしに呼吸する見込みはまったくなくなる。しかし、この「脳全体の」死でも、すべての決着がつくわけではない。

まず、脳のほんの一部に損傷を与えるだけで、不運な脳の持ち主が二度と意識を取り戻さない場合がある。また、技術の進歩によって、数十年前ならば死を宣告されていただろう人にも、生命の証となる脳の活動を検出できるようになった。さらに、脳の完全に機能している部分でさえも、電気的な活動が検出されない場合がある。そして、１９７０年代の研究によると、脳が発する「信号」の定義を慎重に行わなければ、ゼラチンの塊からでも脳波の信号を検出したとの主張が可能となる。加えて、「脳全体の死」に至った患者でも、他のすべての臓器を健康で存続能力のある状態に保てる場合がある。ここまで聞けば、かつてほどには「死」を簡単に定義できなくなっているのだと納得できたのではないだろうか。

問題の難しさを示す格好の例が、ジャハイ・マクマスの事件だ。２０１３年、ジャハイはカリフォルニア州オークランドの病院に入院して、睡眠中の呼吸を改善するための手術を受けた。だが、術後しばらくして、この13歳の少女は大量出血を起こして心停止する。病院の医者は脳死を宣告し、生命維持装置を外す手続きを開始した。もしこれが、宗教的な信念が法制度にも影響を及ぼしているような州ならば状況は違ったかもしれないが、カリフォルニア州では少女に対して死亡診断書が発行された。しかし、一家の弁護士は、死亡診断書の取り消しと生命維持装置の使用継続を求めた。家族はジャハイの身体をニュージャージー州へと運んだ。同州では宗教的信念に反する場合には脳死判定を拒否することができると州法で定められているのだ。

家族はジャハイを生きているものとして扱い、誕生日が来るとお祝いの歌も歌った。だが、2018年、ジャハイの肝臓と腎臓に障害が現れ始めた。その間ずっと生命維持装置が使用されていた。家族は、ジャハイが亡くなったのは2018年6月22日だと考えているが、カリフォルニア州の病院は2013年の死亡だとしている。

このような状況を受けて、医療倫理の専門家のなかには、私たち自身でそれぞれ独自の定義を定めてはどうかと提案する者も現れた。医療専門家でも意見が分かれる状態ならば、人生が終わったと見なすかどうかを自分で決めればいいというのだ。判定基準を明記して、それが診療記録にちゃんと含まれるようになれば、その決断を誰もが尊重できるようになる。あなたは死んでいるのか？　それはあなたの意見で決まるのだ。

コラム

死後の命

人を生かし続ける技術が向上したことによって、難しい問題が生じている。有効な臓器提供者がますます見つかりづらくなっているのだ。現在、移植可能な臓器を提供できるような状態での死亡例は、全体の1％にも満たない。

解決策の1つは、死の定義において何を重視するのかを変えることだ。なぜなら、脳死後の移植よりも、心停止による死亡後の移植のほうが成功率はずっと高いからだ。その結果、場合によっては、厳密にはまだ生きていると見なしうる人々から臓器を摘出するという状況にもなっている。

心停止による死亡後の移植は、心臓が止まりこれから動く見込みがないという考えに基づいている。呼吸もしていないので、自然に息を吹き返す可能性はない。一定の長さの待ち時間を経てから——たとえばイギリスでは5分、アメリカでは2分、イタリアでは20分とされている——臓器を新鮮で利用可能な状態に保つために、酸素濃度をコントロールした血液を循環させるのだ。

こういった処置が行われている間にも、脳の一部はまだ活動し続けていることが多い。酸素を運ぶ血液が脳まで届かないよう、障壁となるものを医師が挿入する場合もある。倫理的観点から、かなり微妙な処置だと感じる者は多い。医師が最善を尽くして、患者を絶対に回復させないようにしつつ、他の誰かに新たな臓器を提供するための完璧なドナーに仕立てているように見えるからだ。ただし、臓器提供前の待ち時間に患者が自然回復したという報告はまったくない。だが、蘇生処置が行われた患者では、「自己心拍再開」（新約聖書において蘇生した人物の名を冠した「ラザロ現象」としても知られる）が生じた事例は見られる。だから何だというわけではないけれど。

このような「生前遺言（リビングウィル）」や「事前医療指示書」の作成に最も熱心な人たち

のなかに、昏睡状態を研究する専門家がいることは、注目に値するだろう。生と死の細い境界線に目を凝らした経験から、そういった指示を残すことに医療上の必要性を感じるようになるのだ。昏睡や、昏睡状態は、死について真剣に考えるための十分な理由となる。

昏睡と死は近いものなのか

感心しちゃったよ。君って、ベーコン数が3なんだね。

なんだって？

たった2人を経由すれば、君はケヴィン・ベーコンにつながるってことさ。
ケヴィン・ベーコンは『ア・フュー・グッドメン』でトム・クルーズと共演

してるだろ？

それで……？

トム・クルーズは『ワルキューレ』でビル・ナイと共演してて、ビル・ナイは『ルーキー・ハウス・ガール』で君と……。

そこまでだ。あの映画に出たことで僕をいじらないって、約束したよね？

まずは用語の意味を明確にしておこう。昏睡状態にある患者は、まったく動かず、無反応で、目は閉じたままで、どんな刺激に対しても反応しない。昏睡が数週間以上続くことはあまりなく、その後患者は死亡するか、意識が回復するか、他の意識障害（たとえば植物状態や無反応覚醒症候群など）へと移行する。無反応覚醒症候群の場合、目は開いているのだが、刺激に対して意味のある反応を示したりはしない。だが、患者によっては、たとえば「上を見てくださ い」「親指を動かしてください」といった単純な指示に従うケースもある。部屋を見まわした りもするかもしれない。睡眠と覚醒のサイクルはあり、唸り声をあげたりいびきをかいたりす ることさえある。だが、意味のある形で一貫した行動をしたり、コミュニケーションをとった りはできないので、「最小意識状態」などと表現される。そして、驚くべきことに、何十年間 も無反応な状態が続く「持続的」植物状態の患者でさえも、意識を完全に取り戻しうることが 知られている。

他にも、「偽昏睡」、別名「閉じ込め症候群」という状態がある。患者はほとんどの筋肉を動 かせず、時折目や眉を動かすことがあるだけだ。それ以外には、特に問題はない。完全に意識 があり、周囲で起きていることをしっかりと理解している。この閉じ込め症候群のカテゴリー のどこかに――適切に分類するための定義は専門家でも難しいのだが――神経科学者のエイド リアン・オーウェンが呼ぶところの「グレイ・ゾーン」という状態が存在する。この状態の患 者は植物状態にしか見えないのだが、意識は完全にある。聞くことも、見ることも、外界につ いて理解することもできるのだが、それに反応することができない。つまり、植物状態の患者 よりも意識状態が高いのだが、脳スキャン技術を使わないと区別はつかない。

空恐ろしくもある話だが、このグレイ・ゾーンの状態が確認されたのは１９９７年のことだ。 オーウェンが植物状態の患者に対してなんらかの意識の兆候を確認できないかと脳スキャナーを使用したのだ。その時の患者であるケイト・ベインブリッジは、同年に、ウイルス感染症で昏睡状態に陥ったままだった（と思われていた）。そこへ、陽電子放射断層撮影法（ＰＥＴ）という秘密兵器を携えてオーウェンがやってきたわけだ。オーウェンは植物状態の患者に対して親しい人たちの顔を見せて、脳のどこかに反応が見られはしないかと調べた。オーウェンによると、ベインブリッジの脳は「クリスマスツリーのように反応が現れた」という。その後、何年もかけて革新的なコミュニケーション療法をたくさん受けることでベインブリッジはすっかり回復した。そして、感動的で心のこもった手紙をオーウェンに送り、彼が行った脳スキャンに対する感謝の気持ちを伝えている。「もし私が選ばれていなければ今頃どうなっていただろうと考えると恐ろしくなります」と彼女は綴っている。「まるで魔法のように、スキャンのおかげで私は発見されたのです」

ベインブリッジの経験はおそらく珍しいものではない——「発見された」という部分を除けばではあるが。オーウェンの考えによると、「植物状態」と診断された患者のなんと5人に1人は、脳が完全に機能した状態で生きている可能性がある。ベインブリッジについて、ほとんど奇跡的な回復などと表現したくなるが、実際には、担当医が患者の状態について誤った診断を下したというほうが当たっているだろう。怖くなるような話ではある。だが、私たちは、よりよい診断とコミュニケーションに向けて進んでいるのだ。最優先にすべきは、脳スキャンで活動が見られた患者が、ある程度のコントロールを取り戻すことである。

持続的な植物状態から回復した人たちがよく口にするのは、そういった状態にあって最も辛いのは自分で何も決められないことだという。どうしても、患者たちの生活は単調になりがちなので、ちょっとしたこと、たとえばテレビのチャンネルなどを自分で決められればと感じるのだ。そして、現在ではそれが可能になりつつある。

コラム

まだ意識があるんですけど

注意：近々、入院と手術の予定がある人はこの部分を読まないこと。

さて、「全身麻酔下の術中覚醒」という現象がある。字面から想像がつくとおりの現象だ。全身麻酔をされると、体を動かせなくなり、自分では呼吸も十分にできなくなり、痛みを感じるどころか意識すらなくなる。そのはずなのだが……。

イギリスの王立麻酔科医協会によると、この現象が起きるのは、全身麻酔が使用される手術2万件のうちの1件程度で、時間は通常5分以下とのことだ。朗報としては、その間に痛みを感じるのは術中覚醒を経験する5人のうちの1人だけである。また、経験者の3分の2は、触覚や聴覚はなくなっていて、単に体が動かせないという意識があるだけだ。ほとんどの人は起きたときには術中覚醒があったことを覚えていないのだが、数日後にそのときの記憶がよみがえる。最悪の場合、ＰＴＳＤや鬱病が引き起こされる場合もあるが、ほとんどの経験者には長期的な影響は見られない。

閉じ込め症候群やグレイ・ゾーンの多くの患者たちが、訓練を受ければ、特定の活動を想像することで質問に答えられるようになる方法が見つかったのだ。体の動きを想像すると、実際にその動きをした場合と関係する脳の各部の血流が増加する。オーウェンの研究チームは脳の2つの部分——手足の運動に関連する部分と、空間認識に関連する部分——を使い、2種類の、つまり「イエス」と「ノー」の反応を返すコミュニケーションシステムを構築して、患者が質問に答えられるようにした。

この研究が報告されると、大論争が巻き起こった。ある29歳の男性は、学習の結果、自分がテニスをしているところを想像することで「イエス」を、家のなかを歩き回るのを想像することで「ノー」を伝えられるようになった。その方法によって、自身の家族に関わるいくつかの質問に正しく答えたことが、ｆＭＲＩ（機能的核磁気共鳴画像法）スキャンによって確認されたのだ。この人物は、交通事故で重度の脳損傷を受けてから、7年近く植物状態にあった。家族や友人たちは、生命維持装置をつけたまま彼を生かし続けることに意味があるのかを話し合っているところだったが、突然に、そんな話し合いをする必要がなくなった。世界中でも同様の

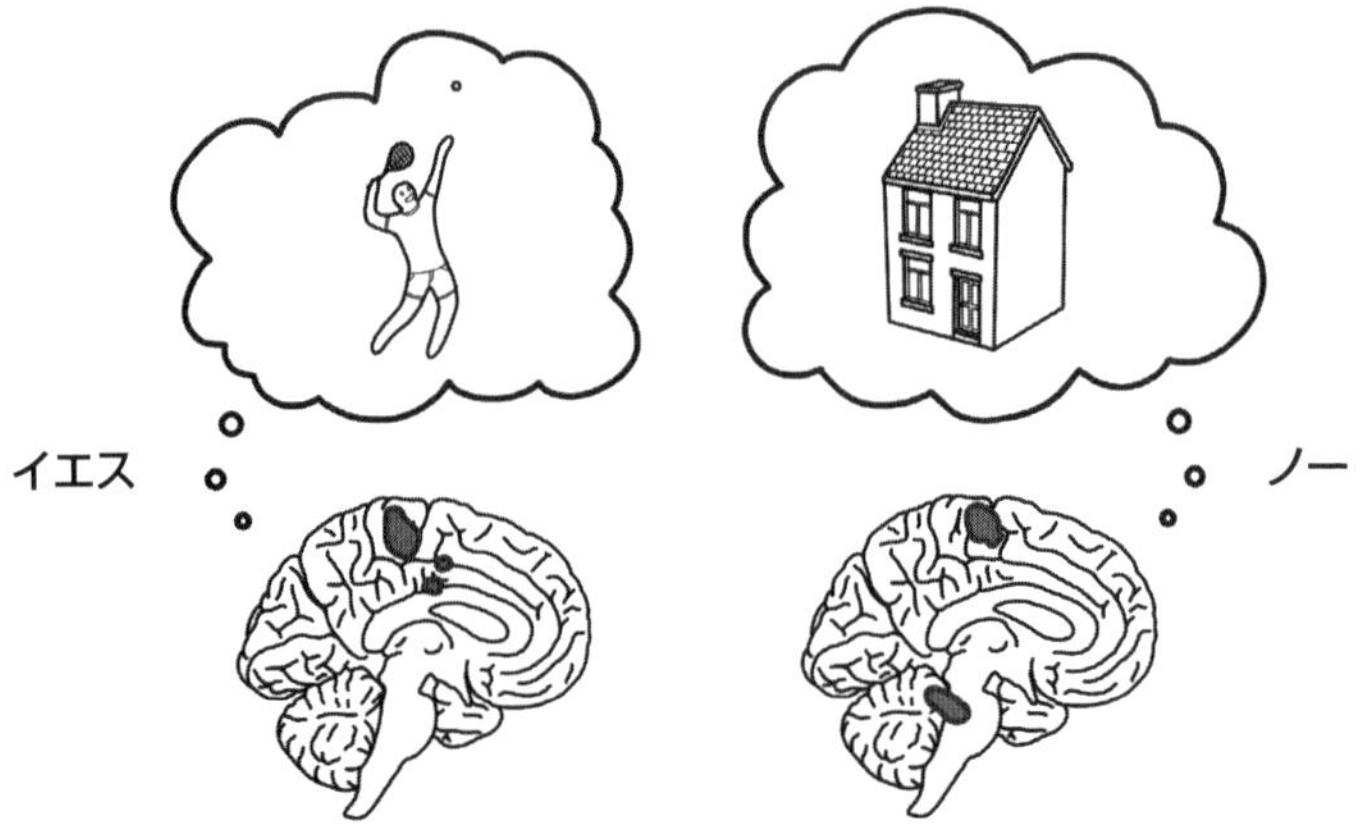

植物状態の患者のなかには、自分がテニスをすることや、家のなかを歩き回ることを想像したときに検出される脳の活動を介して、コミュニケーションをとれるようになる人もいる。

話し合いの必要はなくなったわけだ。この研究は緊急の問題を私たちに突き付けている。外界とのコミュニケーションが困難な患者たちにどのように対処するのか、あるいはどのような対処をやめるのかという難題に、私たちは直ちに、必死になって答えを出さねばならない。これまでに明らかになったことからすると、見たところの応答がないというのは、生命維持装置を止めることを正当化するのに十分な理由とはならなさそうだ。

だが、念のためにと、全員を永続的な植物状態のままで生かし続けるのがいいのだろうか？これはなかなか難しい問題だ。まず、fMRI信号の解釈について論争があるという事実がある。また、私たちの多くは、たとえ身体が十分に機能する健康状態であっても、テニスをしたり家のなかを動き回ったりといった想像をしたからといってｆＭＲＩで検出できるほど大きな信号を脳から出せるわけではないこともわかっている。自分の想像力によほどの自信があるのでない限り、すぐに空想の世界でテニスの練習を始めるのがよさそうだ。

選択肢は他にもある。ｆＭＲＩと似た技術で、機能的近赤外分光法と呼ばれるものがある。ジュネーブの研究所に所属するニールス・ビルバウマーの研究チームは、他の方法が失敗した4名の患者に対してこの技術を使用した。それぞれが100の質問に答える頃には、コンピューターが脳の信号を解釈して、「イエス」と「ノー」を十分正確に区別できるようになった。そして、「あなたは幸せですか？」と質問された全員が、「イエス」と答えたのだ。［訳注：ただし、この研究の手法やデータの扱いなどについては、後に疑義が呈されている。］

過去に生命維持装置のスイッチを切られた多くの人々のことを考えると、これは厄介な発見ではある。これまでに何人が、ベッド脇での、自分を生かしておくべきかどうかという話し合いを聞いただろう。愛する相手が心の整理をつけて先に進む決心をしたことを知った人が、どれほどいただろう。答えは知る由もないが、しっかりと考えねばならない問題だ。さもなければ、腐敗を待つ手間を惜しんで「遺体」を埋葬してしまった人々とともに、私たちも歴史による裁きを受けるかもしれない。

臨死体験をつくりだすことはできるのか

ピーター・フィラルディは、手術中に30秒間「死んだ」という話を友人から聞いて、『フラットライナーズ』の脚本を書いたそうだよ。

その友人は光のトンネルを抜けたのかな？

いいや。本当に何も起きなかったんだって。びっくりするくらいつまんない臨死体験だったみたいだね。

なるほどね。『フラットライナーズ』の2017年のリメイク版は、その話を元につくられたに違いないよ。

『フラットライナーズ』の冒頭に、ジュリア・ロバーツ演じる登場人物が、臨死体験をした患者たちから聞き取りをする場面がある。彼女が自分も経験してみたくなったのは当然だろう。話を聞く限りでは、そのためなら（ほとんど）死んでも構わないように聞こえるのだ。患者たちが話すのは喜びと安らぎであり、光のトンネルを抜けた先で待つ、遠い昔に失ってしまった、愛する人々の姿なのだから。

一例を紹介しよう。1998年に『医学と精神医学（Medicine and Psychiatry）』誌に掲載された論文で報告されたものだ。冠動脈4枝バイパス手術を受けた55歳のトラック運転手は、手術の最中に外科医によって行われた詳細な処置を、術後その外科医に話してみせた。それができたのは、この患者が、高い位置から手術台で行われているすべてを見下ろしていたからである。少なくとも、彼はそう感じていたということだ。外科医は、患者が説明した処置の内容も順番もすべて正しいことを認めた。さらにこの患者が言うには、まばゆい光を見たという。その光を追ってトンネルを抜けた先には、患者の表現によれば、ぬくもりと喜びと安らぎに満ちた場所があり、亡くなった母親と義理の兄にそこで会ったのだが、自分の体に戻るように言われたのだという。論文によると、このトラック運転手は「他の人を助けたいという強烈な情熱と、自分の経験について話したいという希望をもって目を覚ました。これを妻は恥ずかしく思い、大いに落胆した。妻は夫の話を〈幽霊話〉と呼んで馬鹿にして、夫が人生の中心に据えようとしたこの話を口にすることを禁じたのだった」

人間は長きにわたってそのような経験をしている。古代ギリシャの哲学者たち、ヘラクレイトスもデモクリトスもプラトンも、皆がこの経験について記しており、死んだように見えた者が蘇生して、耳を傾けるすべての人に向かってあの世で過ごした時間について語ったといったことを記録している。科学者として臨死体験に初めて関わったのはウィリアム・バレット卿だ。物理学者であり、ロンドンの王立研究所に勤め、王立協会フェローでもあった。しかし、バレットは、テレパシーや透視、生者が死者と会話できるといった考えを強く支持していたため、仲間の研究者の多くから、科学的な厳密さをもってこうした問題を扱うだけの能力がないのではないかという疑念をもたれてもいた。バレットのこの分野に対する唯一の実際的な貢献とは、人々の臨死体験についての話をまとめた著作で、1926年に出版されている。バレットの興味の方向性からすればもっともだと思うかもしれないが、死の瞬間に人々が死者と出会ったり関わったりするという話を、彼は無批判に受け入れていた。

懐疑的な視線を受けながらも、20世紀を通して医学が進歩する間に、臨死体験の報告例はますます普通に見られるようになった。これまでよりももっと死に近づいてから蘇生した人の数が増加したということは、自身への死の宣告が聞こえる、長く暗いトンネルを見る、自分の過去の出来事が走馬灯のように見えるといった意識の旅路を辿る人が増えたということなのだ。

1975年、アメリカ人医師レイモンド・ムーディがこういった事例を収集した本を出版し、これが大反響を呼んだ。これまでは嘲笑を恐れて誰も報告しなかったのに、この『かいまみた死後の世界』が大ベストセラーとなったことを受けて、「臨死体験は普遍的な経験である」とするムーディの主張を懐疑的な科学者たちが調査するようになったのだ。その調査結果は衝撃的だった。生命の危機に瀕した入院患者の9〜18％（調査により幅がある）が、ムーディの記述とよく似た経験を報告していたのだ。「そこを越えればもう戻れなくなる限界点」にまで行ったが、肉体に戻ることを自分で決めたと語る者も多い。多くの場合、その経験は前向きなもの

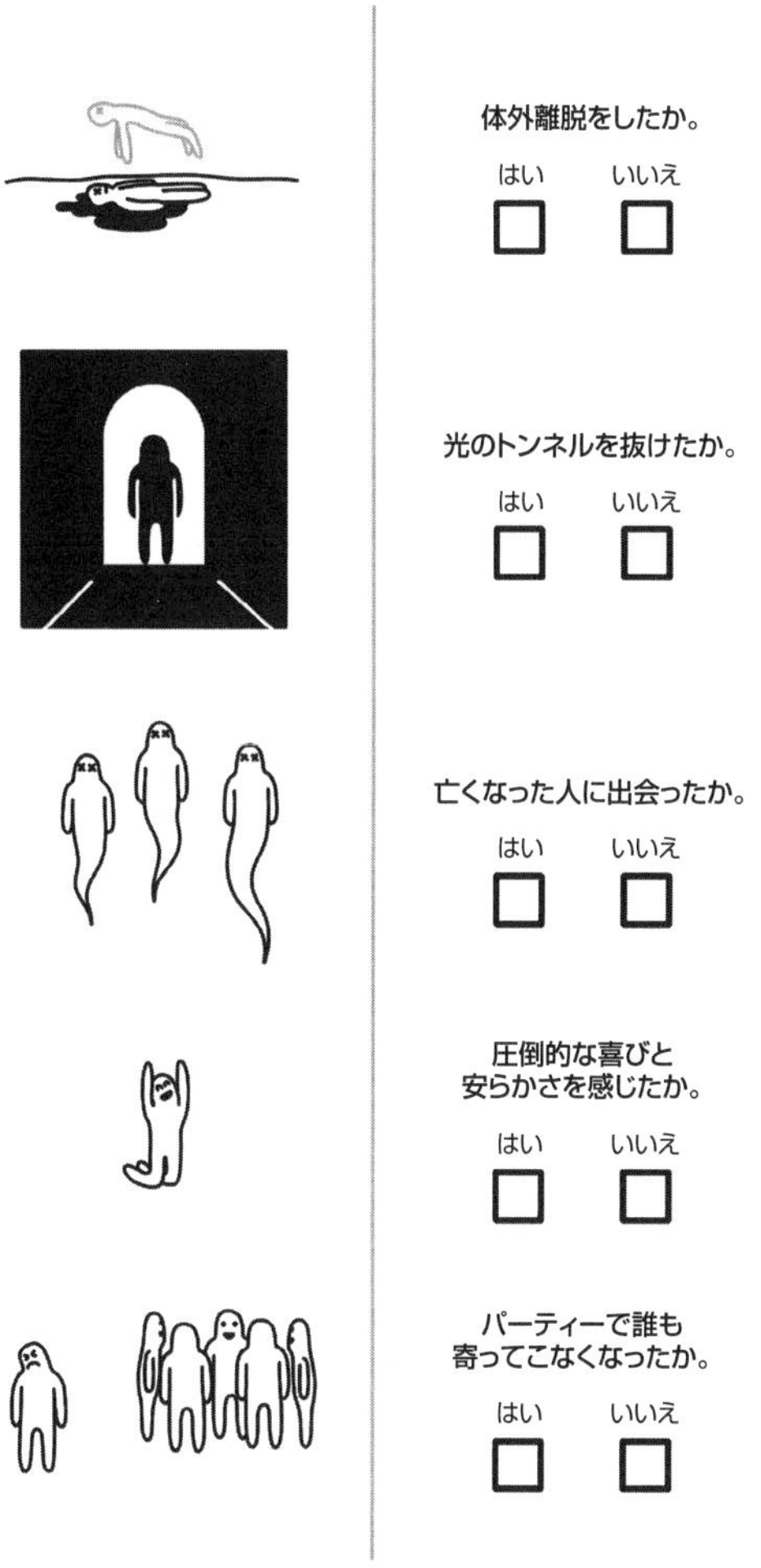

体外離脱をしたか。
はい　いいえ
光のトンネルを抜けたか。
はい　いいえ
亡くなった人に出会ったか。
はい　いいえ
圧倒的な喜びと
安らかさを感じたか。
はい　いいえ
パーティーで誰も
寄ってこなくなったか。
はい　いいえ

以上の質問への答えが「はい」ならば、おめでとう！
あなたの経験は臨死体験です

であり、多幸感あふれる経験でさえあった。

いかにもヒッピーっぽく聞こえるが、なにもヒッピーだけがそんな経験を報告しているわけではない。宗教やスピリチュアルへの関心があったり、精神疾患に罹患していたり、臨死体験にまつわる話を聞いたことがあるからといって、臨死体験者となる可能性が高まるわけでもない。どんなに疑ってかかっても、私たちはそれが「現実」であることは認めねばならないのだ。

それではいったい何が起きているのだろうか？

まずは、この事実から始めるのがいいかもしれない。私たちの経験というのは、目覚めているときでさえ、幻覚のひとつの形態である。私たちの脳は電気的信号と化学的信号を扱っているにすぎない。これらの信号は、非常に複雑な内部表現の世界において、景色や音やにおいとして解釈される。そして、その世界は完全に主観的なものである。他の誰であろうと、この個人的な世界を、経験することも、手出しすることも、確認することもできない。神経科学者のアニル・セスが言うように、私たちは常に幻覚を見ているのであって、複数の人間がその幻覚について合意したときに、それが「現実」と呼ばれるのだ。

つまり、極度のストレスにさらされている肉体が、皆が合意するバージョンの現実とは異なる認識を生じさせる信号を脳に送ったとしても、不思議はない。心理学者のスーザン・ブラックモアとトム・トロシェンコは、視覚野からのアウトプットをコンピューターでシミュレーションすることで、この現象を調べることにした。2人がシミュレーションしたのは、神経細胞の「脱抑制」の効果である。脱抑制により、脳の活動の制御がきかなくなるが、これは特定の薬物の影響下にある場合や、片頭痛やてんかん発作を起こしているときに、脳が低酸素状態になることで生じることが知られている。その結果明らかになったのは、シミュレーションした視覚野でノイズが増加する様子であり、次のように表現されている。「最後には［視野の］全画面が光で覆われた。トンネルそっくりの暗色の斑点の奥には白い光があり、その光がどんどんと大きく（あるいはどんどん近く）なって、全画面を覆いつくした」

この結果が意味するところは明らかだろう。脳は感覚入力によって自分の体の動きを推測するのだと、ブラックモアは記している。視覚的な入力として、すごい勢いで拡大しつつある円形の光が与えられれば、光に向かってトンネルを通り抜けているという感覚に陥るだろう。

臨死体験で見られるその他の特徴もまた、脳の回路の過活動が原因であることは十分に考えられる。特に、そういった特徴のいくつかが他の状況においても現れることを、私たちはすでに見てきた。たとえば第7章で説明したように、睡眠障害によって幻覚が生じることがあるし、自分の身体の外にいるような感覚が引き起こされたりもする。他にも、「歩く死体症候群（コタール症候群）」といって、自分が死んでいるという感覚をもつ場合もある。これは多発性硬化症や腸チフスなどがかなり進行した患者で見られ、前頭前皮質や頭頂皮質の異常活動に関係すると考えられている。いずれも、一貫性のある現実感の構築に寄与する領域である。

多くの幻覚剤は脳に影響を与え、驚く人はいないだろうが幻覚を起こさせる。多幸感を与える薬も多い。また、脳が神経伝達物質のドーパミンを過剰分泌すると、そこにいない者の幻覚を見ることがある。これはパーキンソン病治療薬における副作用として知られており、患者は幽霊や怪物と遭遇したと主張する場合がある。

つまり、臨死体験を説明するために、この世のものならざる存在や、別次元の現実や天国やら地獄やらをかつぎ出す必要はないのだ。スピリチュアルっぽい感覚は、単なる脳の不具合の表れにすぎない。これはデジャヴュみたいなものなのだ。これはデジャヴュみたいなものなのだ［そのとおり。前作の『すごく科学的』で使ったジョークだよ。ジョークの繰り返しによって、本書の輝かしさがさらに増すよね］。

それにもかかわらず、臨死体験は非常にポジティブなものになりうる。多くの人にとって、臨死体験は人生が変わる瞬間だ。その後は、心の平安と強い目的意識を得て、死への恐怖心はほとんどなくなり、より自信に満ちた外向的な性格へと変わる。当然ながらパーティーで会ったら避けたいタイプになるわけだが、少しばかり羨ましい気もする。

死を出し抜くことはできるのか？

自分なら、臨死体験でどんな目に遭うと思う？

そうだなあ、キーファー・サザーランドやケヴィン・ベーコンの役柄みたいに誰かをいじめたことはないから、たぶんいいことばかりじゃないかな。君は？

僕だって、いじめっ子ではなかったよ。だけど、いろんな人を小馬鹿にするようなことをネットで書いちゃったな。

じゃあ君の臨死体験は、削除した自分のツイートをひたすら見せられるとかになるかもね。

だったら今すぐ殺してくれよ。削除したなかには、ほんとに最高のツイートもあったんだよね。

『ベンジャミン・バトン』の章では、最終的には死をもたらすことになる生物学的劣化という猛攻撃に対抗する方法がたくさんあることを学んだ。しかし、私たちの細胞内で問題のあるプロセスを止めたり取り消したりする技術を使って闘うのではなく、墓場の向こうから死に向かって「出し抜いてやったぞ、ざまあみろ！」と言えるような方法はないものだろうか。

ありえないと思うかもしれないが、その可能性をもつ方法が2つある。1つは、今すぐにでもチャレンジできることだ。さあ、奇妙にしてどこまでも楽観的な人体冷凍保存の世界へようこそ。

第5章で、胚や精子、卵子を凍結させてから、無傷で解凍して彼らの生物学的な運命を成就させることの難しさについて取り上げたのを覚えているだろう。では、あなたの頭部について同じことを行ったらどうなるだろうか？

なんと馬鹿げたことをと思うようであれば、あなたはこの章の前半、「『死』をどう定義するか」の節で紹介したイェール大学の研究プロジェクトについて忘れてしまっているのだろう。

死亡後4時間経った豚の脳を復活させることが、このルートを進むための最初のステップになるかもしれないのだ。凍らせた肉体を液体窒素に浸して、時が来れば解凍してもらおうと待ち構えているすべての人々が期待を寄せるのは、確実にこのルートである。だが、その時はまだ来ていない。細胞にダメージを与えることなく解凍するだけの技術がまだないのだ（生じたあらゆるダメージを修復できる技術もない）。それでも、これらの肉体の所有者は、いずれ人間の死という経験を変えることになる先駆的な「超人間」たちである。少なくとも、本人の見解によれば。

冷凍された肉体の多くは（予想どおり）カリフォルニア州にあって、アルコー延命財団の施設に収容されている［訳註：現在はアリゾナ州の施設に移されている］。いいかげんな団体ではない。第9章に登場したオーブリー・デグレイも、アルコーの科学諮問委員会に名を連ねている。亡くなったときにこの財団で全身を冷凍保存してもらうには20万ドルかかる。生存中に年会費（通常は多くて数百ドル）を払い続けていることという条件付きだ。アメリカ国外にいる場合には、追加料金が必要となる。アルコーの主張によると、死後できるだけ早く遺体を施設に運ぶ必要があるため、ヨーロッパや中国にいると高くつくのだ。

一方、頭部だけを冷凍してもらう場合は8万ドルですむ。そこまでの持ち合わせがなければ、シベリアなどに保管施設をもつロシア企業のクリオロス社（KrioRus［普通に考えれば、ロシア語の「cryogenics（低温物理学）」と「Russia（ロシア）」を組み合わせた会社名なのだろうが、実は「Toys R Us（トイザらス）」が元になっているのではという想像も捨てがたい」）を検討するのもいいだろう。本書執筆時点で、同社の施設には人間の遺体65体とペット31体が保存されている。クリオロス社ならば、全身の冷凍保存をたった3万6000ドル、またはルーブル換算でそれに相当する額で請け負ってくれる。同社ホームページにはこう書かれている。「予算や支払いプランについては柔軟に対応いたしますが、手続きおよび契約の際の一括払いをお勧めしております」

2018年末の時点で、アルコー延命財団の保管施設には凍結した「患者」164名が保存されており、将来的な冷凍保存の契約をしている者は1000名以上にのぼる。当然、疑問点はたくさん出てくる。たとえば、この「患者」たちを蘇生させるのは誰で、それはいつになるのか？　財団と会員の契約にはその答えが次のように書かれている。「アルコーが誠心誠意をもって、冷凍保存されている会員の皆様にとって最善のタイミングであると判断したときに、アルコーが会員の皆様の蘇生およびリハビリを試みるものとする」

そんな未来のいつになるかわからない時点にまで、アルコー延命財団が残っていて事業が存続していることをただ期待するしかない。しかし、楽観的になれそうな事例はある。たとえば金剛組という日本の建設会社の創業は、なんと西暦578年までさかのぼる。1440年以上も続いている会社があるのだ。それならばアルコーだって、これらの先駆者たちを解凍・修復するテクノロジーが確立するまで、事業を続けられるはずだ。

そんな冗談はさておき、当然ながら財団への疑念はまだ晴れない。しかし、かなりの嘲笑を耐え忍んでいる彼らだが、その希望に根拠がまったくないわけではない。２００７年には８００万年前に北極の氷のなかで凍りついた細菌の蘇生に研究者たちが成功している。さらに、アメリカアカガエルといって、体のほぼ半分が凍った状態から何度も蘇生するカエルだっている。その皮膚の下には氷の結晶ができ、心臓の鼓動は止まり、呼吸もしなくなる。少なくとも中世の頃の基準からすれば、死んだ状態だ。だが、この冬眠の後、カエルは11日間ほどもかけて健康を取り戻すのだ。

なぜこんなことが可能なのかというと、このカエルの体内に含まれるタンパク質や糖の分子は、これほどの低温にあっても細胞が破裂しないように進化してきたからだ。そして、私たち人間も、同様の芸当が可能になるかもしれない。

人間に対してはまだであるが、「21st Century Medicine（21世紀医療）」という会社の研究者がウサギの脳に対してこれを行っている。まず、ウサギの脳から血液を抜いて、グルタルアルデヒドと入れ替える。この薬品は冷却されても、水がベースの液体とは違い、膨張して細胞を破壊することはない。ウサギの脳はマイナス１３５℃まで冷やされてから、１週間後に室温に戻された。ウサギの神経細胞間の結合はすべて無傷のままだったので、最初のプロセスでウサギが生き続けていられたらの話だが、解凍後に脳が機能した可能性があり、記憶や学習したことも維持できていたかもしれない。つまり、同社の主張によると、記憶や人格を保持したままで人を冷凍保存できる可能性があるということだ。

この主張に飛躍があるのは明らかだ。確かに、冷凍後に解凍された線虫が、冷凍前に学習した行動を解凍後も繰り返したという実験結果はある。しかし、線虫とウサギと人間は、いずれも違いが非常に大きい。また、グルタルアルデヒドには強い毒性がある。有毒な薬品漬けにされてから急速冷凍されて、何世紀も後に解凍されたときに人間が生き返るとはちょっと思えない。

そんなわけで、永遠の命を得るためには2番目の選択肢のほうが期待できそうだ。こちらの選択肢の場合、私たちは生物学に縛られない。私たちは生身の体を超越して、シリコンベースの存在となるのだ。そのためには、頭脳をアップロードするだけでいい。

コラム　こちらも参考に

死後の人生を描いた映画はいくらでもあるが、臨死体験やそれに類するものの後の人生がテーマとなると、もう少し絞られる。最も有名なのは、アカデミー賞3部門でノミネートされた『レナードの朝』だろう。オリバー・サックスによる原作は、脳炎によって何十年間も凍りついたように同じ姿勢を取り続けていた患者たちの回復を描いた著作だ。主演はロビン・ウィリアムズとロバート・デ・ニーロ、見応えのある映画となっている。リッキー・ジャーヴェイス主演の『オー！　マイ・ゴースト』もこのジャンルに入る。（明らかに）役者本人に酷似した性格の主人公が、臨死体験後に幽霊が見えるようになって……というお話だ。そして、1998年に劇場公開された『幽体離脱』（原題：Eden）は、多発性硬化症を患う女性が夜間に体外離脱を経験するようになり、最後には昏睡状態に陥る物語だ。かなりメロドラマ的な映画なのだが、1996年のサンダンス映画祭で最高賞のグランプリにノミネートされているのだから、わからないものだ。

確かにこれもまた大きく出た話ではある。考え方は明快で、コンピューター上で自分の脳の神経細胞の全接続を完全にコピーして、それが表す情報と一緒にしておくのだ。すると、このコンピューターに「あなた」のコピーが収まっていることになる。だが、哲学的には、これはちょっとした悪夢である。自分自身とは、私たちの脳の構造内にそんなにきっちりと収まっているものだという確信はもてるのか。本質となる部分すべてを捉えることはできるのか。情報が欠落していて、私たちの豊かな内面の安っぽい模造品にしかならないのではないか。いつアップロードするのか。アップロードが早すぎると、自分が2人になるのか。そして、意識とは何であって、どのように機能しているのかということが何もわかっていないのに、こんなことを考えても仕方ないのではないか。

疑問は多々あれど、このアイデアに取り組んでいるスタートアップ企業がすでに存在する。ネクトーム（Nectome）社ではまだアップロードまでは行っていない。今のところは脳を保存しているだけで、解析やアップロードの方式が解明されて運用できるようになるまで待っている状態だ。問題は、新鮮な脳が必要だということだ。彼らの理想的な顧客とは、致死的な疾患があって、ネクトーム社のエンバーミング施設で安楽死の処置を受けることを望む者である。どうやら、ネクトーム社が拠点を置く場所では、それが完全に合法らしい。そう、（ご想像どおりの）カリフォルニア州だ。

バカバカしい話のように聞こえただろうか。だが、笑い飛ばす前にもう少しだけ聞いてほしい。同社にはすでに数十人が登録し、1万ドルの保証金を支払って（登録者の生物学的な脳による考えが変われば全額返金可能）、技術が完成するまでの待機者リストに名を連ねている。そして、彼らの目標がまったくの不可能だという科学者ばかりでもない。（とは言え、最も悲観的ではない見方は、ハワード・ヒューズ医学研究所のケン・ヘイワースがニュースサイトの「STAT（スタット）」に寄せた、「脳の保存が将来的な蘇生につながる可能性は、わずかではあるがゼロではないと考えている」という発言なのだが。）

あなたも検討してみてはいかが？

謝辞

さてと、今回は誰に感謝すればいいかな？

まずは、僕らのポッドキャスト番組『Science（ish）』に登場してくれたり、僕らの文章をチェックしてくれたり、両方やってくれたりした専門家の皆さんに感謝しよう。トビー・ウォルシュ、ジョナサン・クイック、オーブリー・デグレイ、シャナ・スワン、モニカ・ガリアーノ、ピーター・フィーヴァー、ヘンリー・ニコルズ、ミーガン・ブラック・サイアル、デヴィッド・キース、レスリー・ウェットスタイン。あなた方がいなければ、僕らは行き詰まっていたことでしょう。

もっと身近なところからいこうよ。僕は、素晴らしい仕事をしてくれた母さんと父さんに感謝したいね。

素晴らしい仕事って何だよ。失敗を認めて、君の後には子どもをつくらなかったってこと？

むしろ、僕以上の子どもは、できっこないってことを認めたんだと思うけど。

その結果、僕は、典型的「一人っ子」と仕事をするはめになったわけだ。ありがとうパトリシア、ありがとうフィリップ。

イラストレーターのコリン・カーズリーの仕事ぶりが素晴らしすぎて、文章のほうが劣って見えるんじゃないかって心配になるってことも付け加えておこう。

絵だけを責められない気がするけど。

編集者のマイク・ハープリーなら責めていいかな？　前作に引き続いて。

それは申し訳ないよ。「締め切り」とか「印刷スケジュール」とか「語数」に対する僕らのいいかげんな態度に耐えてくれたことは、褒め称えてしかるべきだからね。

あとは、決して自分を褒めないラジオ・ウルフギャングのスタッフたちに。飛び切り賢いプロデューサーたち、エリ・ブロック、エル・スコット、コーマック・マコーリフ、そして絶対に失敗しない音声のアイヴァー・「スレイヤー」・マンリーに感謝する。まったく儲けにならないのに僕らのポッドキャスト番組を続けさせてくれてるコルム・ローチにも。

それで思い出した、まったく儲けにならないのにずっと僕の代理人をしてくれてる、エージェントのパトリック・ウォルシュに感謝したい。

僕の理想的な妻であるエマーに深い感謝を捧げなきゃね。陰気に黙りこくっているかと思えば「植物がネズミを食べるって知ってた?」なんて突然大声を出したりする夫に、ずっと我慢してくれたわけだから。

奥さんたちのどっちがより大変な思いをしているかはわからないけど、たぶん君の奥さんだろうね。

これで終わりかな？

まだもう1人いる。僕は君に感謝したい。君のおかげで、僕がさらに賢く見えるからね。

褒め言葉として受け取っておくよ。そうじゃないってわかってるけど。

本書に登場する映画

コンテイジョン
Contagion

監督：スティーヴン・ソダーバーグ　脚本：スコット・Z・バーンズ　出演：マリオン・コティヤール、マット・デイモン、ローレンス・フィッシュバーン／ほか　公開：2011年

香港からアメリカに帰国した1人の女性が、謎の感染症で死亡する。疾病予防管理センターの専門家は感染源をたどるが、その間にもパンデミックの拡大は止まらない。陰謀論者の扇動もあり、世界はたちまち混乱に陥っていく。

アルマゲドン
Armageddon

監督：マイケル・ベイ　脚本：ジョナサン・ヘンズリー、J・J・エイブラムス　出演：ブルース・ウィリス、ベン・アフレック／ほか　公開：1998年

テキサス州に匹敵する大きさの小惑星が、約18日後に地球に衝突することが判明する。人類の滅亡を阻止するためにNASAが立案したのは、小惑星内部で核爆発を起こすという計画だった。そのために、宇宙飛行士と石油採掘のプロたちが選出される。

ジョーズ
Jaws

監督：スティーヴン・スピルバーグ　脚本：ピーター・ベンチリー、カール・ゴットリーブ　出演：ロイ・シャイダー、ロバート・ショウ、リチャード・ドレイファス／ほか　原作：ピーター・ベンチリー　公開：1975年

小さな田舎町の海岸にサメが出現する。だが地元の政治家は、夏の観光収入を失いたくないがために海岸封鎖を拒む。その方針に疑念を抱く地元の警察署長は、海洋学者と共に、巨大なホオジロザメとの対決に乗り出していく。

ターミネーター
The Treminator

監督：ジェームズ・キャメロン　脚本：ジェームズ・キャメロン、ゲイル・アン・ハード　出演：アーノルド・シュワルツェネッガー、リンダ・ハミルトン、マイケル・ビーン／ほか　公開：1984年

2029年、人類と機械の熾烈な戦いが続いている。機械の側は、人類の抵抗運動を率いることになるジョン・コナーの誕生を阻止するため、1984年にターミネーターを送り込む。ジョンの母、サラを抹殺しようというのだ。

トゥモロー・ワールド
Children of Men

監督：アルフォンソ・キュアロン　脚本：アルフォンソ・キュアロン、ティモシー・J・セクストン　出演：クライヴ・オーウェン、ジュリアン・ムーア／ほか　原作：P・D・ジェイムズ　公開：2006年

2027年。人類に子どもが生まれなくなってから18年が過ぎた。世界は荒廃の一途をたどり、暴力だけが秩序を維持している。惰性のように毎日を生きている英国人のセオはある日、若い女性不法滞在者の逃避行を助けることになり、彼女が妊娠していることを知る。

ジオストーム
Geostorm

監督：ディーン・デヴリン　脚本：ディーン・デヴリン、ポール・ギヨー　出演：ジェラルド・バトラー、アンディ・ガルシア、エド・ハリス／ほか　公開：２０１７年

頻発する異常気象や大規模自然災害による被害を食い止めるために、複数の人工衛星のネットワークによって構築された気象コントロール・システム、〝ダッチボーイ〟。だがある日、そのシステムが暴走をはじめ、世界各地に次々と大災害が襲いかかる。

エルム街の悪夢
A Nightmare on Elm Street

監督：ウェス・クレイヴン　脚本：ウェス・クレイヴン　出演：ロバート・イングランド、ヘザー・ランゲンカンプ／ほか　公開：１９８４年

焼けただれた顔と鉤爪付きの手袋という姿で、悪夢の中に登場するフレディ。しかもそれは、ただの悪夢ではない。眠りに落ちた若者は必ず襲われ、致命傷を負えばそのまま実際に命を失うことになるのだ。けっして眠ってはいけない――高校生ナンシーの、決死の戦いが始まる。

人類SOS！ トリフィドの日
The Day of the Triffids

監督：スティーヴ・セクリー、フレディ・フランシス　脚本：フィリップ・ヨーダン　出演：ハワード・キール、ニコール・モーレイ／ほか　原作：ジョン・ウィンダム　公開：１９６２年

流星群が地球上に降りそそぎ、それを目撃した多くの人々が視力を失う。やがて、〝食肉植物トリフィド〟が出現。失明した人類に襲いかかり、餌としながら繁殖していく。

ベンジャミン・バトン 数奇な人生
The Curious Case of Benjamin Button

監督：デイヴィッド・フィンチャー　脚本：エリック・ロス　出演：ブラッド・ピット、ケイト・ブランシェット／ほか　原作：F・スコット・フィッツジェラルド　公開：２００８年

80歳の身体で生まれ、年を経るにつれて若返っていく男、ベンジャミン・バトン。老人の姿の頃に出会った少女デイジーとやがて再会し、結ばれることになるが、逆方向に流れる時を生きている2人には、必然的に別れの時がやってくる。

博士の異常な愛情
Dr. Strangelove or: How I Learned to Stop Worrying and Love the Bomb

監督：スタンリー・キューブリック　脚本：スタンリー・キューブリック、テリー・サザーン　出演：ピーター・セラーズ、ジョージ・C・スコット／ほか　原作：ピーター・ジョージ　公開：１９６４年

突如として気が狂った空軍司令官は、核攻撃の命令を発する。アメリカ政府首脳部がただちにペンタゴンの戦略会議室に集結するが、科学顧問のストレンジラヴ博士をはじめとする面々は、ひとり残らず常軌を逸していた。

フラットライナーズ
Flatliners

監督：ジョエル・シューマッカー　脚本：ピーター・フィラルディ　出演：キーファー・サザーランド、ジュリア・ロバーツ、ケヴィン・ベーコン／ほか　公開：１９９０年

死後の世界を探求すべく、４人の医大生たちが、人為的に心臓を停止させるという危険な試みに手を染める。するとたしかに、それぞれが〝臨死体験〟と呼べそうな経験をする。だがそれは、蘇生したのちも幻覚としてつきまとい、彼らの生を脅かすことになるのだった。

著者略歴

リック・エドワーズ
Rick Edwards

ライター、テレビ司会者。BBC Oneのクイズ番組「!mpossible」の司会をしている。ケンブリッジ大学で自然科学の学位を取得したが、ようやくそれが少しは役立つようになった。

マイケル・ブルックス
Michael Brooks

著述家、科学ジャーナリストで、「ニューサイエンティスト」誌のコンサルタント。現在のところ、彼の最大の業績は、量子力学で博士号を得たことではなく、リックが好きな科学書『まだ科学で解けない13の謎』(草思社)を書いたこと。

訳者略歴

藤崎百合
(ふじさき・ゆり)

高知県生まれ。名古屋大学大学院人間情報学研究科、博士課程単位取得退学。バイザー『砂と人類』(草思社)、アーニー他『ぶっ飛び!科学教室』(化学同人)など、主に科学に関する書籍の翻訳を幅広く手掛ける。最近は女性だらけのスタトレ新シリーズに胸熱の日々。

ハリウッド映画に学ぶ
「死」の科学

2021年1月28日　第1刷発行

著者
リック・エドワーズ
マイケル・ブルックス

訳者
藤崎百合

装幀者
木庭貴信+川名亜実(OCTAVE)

発行者
藤田 博

発行所
株式会社 草思社
〒160-0022　東京都新宿区新宿1-10-1
電話 [営業]03(4580)7676
　　 [編集]03(4580)7680

本文印刷
株式会社三陽社

付物印刷
中央精版印刷株式会社

製本所
大口製本印刷株式会社

翻訳協力
株式会社トランネット

編集協力
品川 亮

ISBN978-4-7942-2491-0
Printed in Japan　検印省略
http://www.soshisha.com/